新潮文庫

歪んだ複写

—税務署殺人事件—

松本清張著

歪《ゆが》んだ複写

――税務署殺人事件――

1

十一月の末の、寒い宵であった。六時前だが、完全に夜になっていて、東京の西の繁華街といわれるS地区には、銀座裏と同じくらいに賑《にぎ》やかな灯が輝き、人間の数はもっと多く流れていた。

K通りは、近くに劇場や映画館が集っていて、近所は、キャバレー、バー、ナイトクラブ、料理店といった店が、これも銀座裏と同じようにひしめいている、夜の遊び場であった。無論、広い地域なので殷盛《いんせい》さが平均しているという訳ではなかった。すこし横の通りにそれると、灯の稠密《ちゅうみつ》は少なくなり、人の歩きは疎《まば》らになる。が、その種類の店は、相変らず多かった。

ひとりの男が、人でも待っているような格好で、その通りのある地点に佇《たたず》んでいた。寒い風のせいか、彼は片脚《あし》で貧乏揺ぎしていた。

近くのネオンの光が、男の顔を紅《あか》く浮かせるので分ったことだが、彼は三十前後の年齢《とし》にみえた。風に油気の無い髪と、古オーバーの裾《すそ》が煽《あお》られていた。使い過ぎたネクタイも結び目が細くなっているし、靴《くつ》にも艶《つや》が無い。要するに、安サラリーマンとしか踏めないのである。

彼は、ぼんやりと目を斜め前方に投げていた。そこは、しゃれた板塀《いたべい》を回した内に、この辺では一ばん広い二階造りの家があった。障子にうつっている灯が明るいだけに、大きな屋根が夜空に黒いのである。屋根には、四角な囲いにふち取って、「春香」のネオンが点《つ》いている。玄関の明るさが門の外の道までこぼれていた。

人の通行が、絶えず彼の目の前にあった。大きな声で話す男連れも、ひっそりと歩く女伴《づ》れもある。その道のわきに一人の男が立っていることに気がつかないし、気がついても無関心だが、もし、怪訝《けげん》そうな眼《まな》ざしを投げる者があると、彼は顔を伏せて、ゆっくりと移動するのであった。

が、静かに十二、三歩ばかり歩くだけで、相変らず、視線は同じ方向にぼんやりと向けていた。位置も歩哨《ほしよう》のように、前のところに還《かえ》っているのだった。

アコーディオンとギターを持った二人づれが通るし、花売りの小娘も通る。彼には、この連中は苦手とみえ、すこしあわてて先に歩き出すのである。実をいうと、彼がここに立っているのは今晩だけではなかった。もう、一週間も前から来ているのだ。始終、この辺を彷徨《ほうこう》している艶歌《えんか》師や花売りの子に、毎晩のように立っていると気づかれるのを、彼は恐れているようだった。

煙草《たばこ》を喫《す》う。貧乏揺ぎをする。

買いもの帰りの人妻ふうな、コートを着た夜の女が近づいたが、彼の顔を見て、

「あら」

と呟《つぶや》いて離れた。前に、二、三度、この場所で誘って断わられた男なのである。

彼は時計を見た。七時を過ぎている。彼は緩慢な足どりで歩き出した。
四、五軒行ったところに、「バー・リオ」と看板の出ている店がある。彼は、そのドアを押した。
いらっしゃいませ、とカウンターの中から、バーテンの声がした。店は煙草で霞《かす》み、音楽が鳴っている。五人の客が棚の酒瓶を眺めて坐《すわ》り、細長い奥には、三組の客がボックスに坐っていた。

立っているボーイが、

「どうぞ」

と彼を案内した。一番奥の窓際《まどぎわ》である。彼は疲れたように坐り、熱いタオルをうけとって顔を拭《ふ》いた。

「いつもの」

彼は、ボーイを見上げた。

バーテンはウイスキーソーダをもう造っていた。これが、いま入ってきた客の、いつもの注文だった。

彼は、窓を眺めて待っている。窓には粗い紗《しゃ》のカーテンが下り、それに表の通りの灯が滲《にじ》んでいた。人の歩くのが透《す》いて見えるのである。「春香」のネオンが半分に切れて窓の上部にのぞいていたし、明るい料亭の玄関が窓の正面だった。その灯を過《よぎ》って、人が通る。

小肥《こぶと》りの女が彼の前に坐った。

「いらっしゃい、今晩は」

彼は笑っている女の顔に目を戻した。自分でも微笑を目もとに見せて、煙草をとり出した。女がマッチを擦った。

「いつも、このお席ですのね」

黒っぽいドレスの衿《えり》が半円に開いて、大胆に胸を見せている。ボーイが、ウイスキーソーダと摘《つま》みものを運んできた。

彼は、手帳を出して、小さな鉛筆を抜き、芯《しん》を舐《な》めた。何か書いているが、無論、女には分らない。鉛筆を握った手首をしきりと動かしているが、熱心なものである。たとえば、記憶を喪《な》くさないうちに書き留めておく、といった場合の忙しさであった。と彼は手帳をしまって、グラスをとり上げた。

女も手持無沙汰《ぶさた》でいる。いままで、この男から一度もふるまってもらったことがないのだ。彼は女がいい顔をしていないのを見ると、再び目を窓に向けた。料亭の横には自動車が二台とまっていたが、新しいハイヤーがいま音たてて着いたところであった。降りた五、六人連れが、向かいの明るい玄関に消えてゆく。紗の隙間《すきま》から、それが見えるのである。

「何だい、あの客は？」

カウンターで呑《の》んでいる客が、上体をかがめて、バーテンに低声《こごえ》で訊《き》いていた。ひとりで窓をのぞいている客の姿を見咎《みとが》めたのである。

白服の若い男はシェーカーを忙しく振りながら首を傾《かし》げた。

「よく分りませんな」

とバーテンは答えた。

「一週間ばかり前から、続けて、ああして、ひとりでいらっしゃるんです」

「毎晩？」

客は、興味を起したらしい目で、隅《すみ》のサラリーマン風の男をそっと眺めた。

「そりゃ豪遊だね」

「いえ」

バーテンは苦笑した。

「それが、七時ごろから粘《ねば》って、十一時すぎまで、ハイボール二はいなんですからね」

「へえ」

客は指を出して折った。

「四時間か。四時間でハイボール二はいか。粘れるもんだね」

と目をまるくして、

「何かい、張りに来ている女の子でもいるのかい？」

この質問にも、バーテンは首を振って笑った。

「そうでもありませんね。ぼんやり、ああして、坐ってらっしゃるだけですよ」

「そうだろう」

とカウンターに両肘《りょうひじ》を立てている客は言った。

「ここには、張りに来るような女の子も居ないからな」

「ご挨拶《あいさつ》ね」

と言ったのは、注文品をうけとりに来ていたカクテル・ドレスの女で、客の背中を抓《つね》った。

「痛《い》てて。聴いていたのか?」

「ご生憎《あいにく》さまね。そいで、あんた、カウンターばかりでしょ?」

「いけねえ」

客は手を前に突き出した。

「チーフ。お代りくれよ」

女は笑いながら言った。

「へえ、好きな女の子が居るなら別だが、ハイボール二はいで四時間、よくも坐って居られるもんだねえ」

客は低声でもとの話に戻った。

「そういっちゃ悪いが、チーフ、ここの店にそれほどの魅力があるとは思わなかったな」

「変っていらっしゃるんです」

とバーテンは正直に認めた。

「テーブルですから、女の子が付きますがね。ジンフィーズ一ぱいご馳走《ちそう》してくれないとむくれてるんです。ですから、当番が仕方なしに、初めに坐っているだけで、あとは相手無しですよ。ほら、ごらんなさい、そうでしょう？」

新しい客が二、三人入ってきたのを機会《しお》に、隅のボックスに付いていた女は、彼の前から起《た》ち上がっていた。なるほど、彼はひとりにとり残されて、クッションの背にもたれていたが、不平そうではなかった。

バーテンの口吻《くちぶり》からも、女給の態度からも、彼は決して歓迎されている客ではないようだった。

「ふしぎな人だね」

「変ってらっしゃるんです」

バーテンは、シェーカーに新しい酒を調合して注ぎながら、それをもう一度言った。

彼は、たしかに変った客であった。四時間、同じ椅子《いす》にかけているのが、それほど退屈でも苦痛でもない風であった。たとえば、サナトリウムのベランダで日光浴をしている患者のように悠々《ゆうゆう》と椅子に腰かけているのだった。

ハイボールを少しずつ蟻《あり》のように舐めているのだ。それでなければ、どのような辛抱強い男でも保《も》てる筈《はず》がない。煙草を喫う。それから、ぼんやりと窓の外を眺める。

思い出したようにグラスをとり上げる。

坐っている場所も、決《きま》ってこの窓際であった。彼は店に入ってくると、まるでホテルの食堂の席を予約《リザーブ》した客のように、まっ直《す》ぐにそこに大股《おおまた》で歩いて行くのであった。幸い、このバーはそれほど流行《はや》らなかったからよかったのだ。

彼は窓に殆《ほとん》どの視線を投げていた。茫乎《ぼうこ》とした思索的な眼《まな》ざしである。白いレース・カーテンには料亭「春香」の灯がにじんでいる。通りには次第に人の歩く影が少なくなってくる。その代り、自動車の走る灯が多くなってくるのだ。夜が、遅い時間に移るにつれてそうなのである。

前の家の料亭にも、自動車の停る数が多くなった。門の内から客たちが出て来て、車に乗る。それを次々と女中たちが見送っている。賑やかな声が厚い硝子《ガラス》窓を徹《とお》して聴《き》こえてくるのだった。女中たちは、客にお辞儀をしたり、握手をしたり、肩を敲《たた》いたり、手を振ったりしている。自動車が呼び込まれては、次から次に玄関を出る客を乗せて行った。

彼は、時計を見て起ち上がった。十一時をすこし過ぎた。完全に四時間の間、彼はひとりでこのボックスを占領していたことになる。女たちは誰も近づかない。その代り、彼は近くのテーブルが騒いでも、アコーディオン弾《ひ》きの演奏でダンスが始まっても、ぽつねんと無視された自分に満足していた。

ほかの客は始終入れ替るから、このひとりの隅の客のことを知らない。彼は、ときどき手帳を出して何か書き入れている。それを遠くで、ちらりと見た客が、

「何だね、あの人は?」

とバーテンに訊く。

「さあ」

バーテンは客に応じて違った返辞を出す。

「詩人かもしれませんね。ああして、時々、何か書いてらっしゃるんです」

バーテンは鼻に小皺《こじわ》をよせて、丁重な嘲笑《ちようしよう》を泛かべた。

彼はボーイを呼び金を払った。ハイボールが二はいにオードブルが一皿。きっちりと毎晩きまった金額である。彼は銀盆の上に皺になった札と小銭を落す。チップは遣ったことがない。

「有難うございました。また、どうぞ」

バーテンは大声でおじぎをし、ボーイが彼の背中から古びたオーバーをぞんざいに被《き》せてやった。

彼は表の通りに立った。外に出ると寒い風が足もとから吹き上がってくる。

表通りは、暗くなっていた。普通の商店は戸を入れて灯を消している。飲み屋だけが、ぽつぽつと明るい。通行人は疎らになり、肩を組んで大声を出している男たちの種類になっていた。

「春香」の看板の灯は消え、二階の障子が全部暗くなっていた。明るいのは横の出入口だけだった。

そこから女たちが三、四人連れで、何回にもわけて出て来た。みんな和服で、コートを着ている。酔って足もとの危ない女もいた。

気づかなかったが、眩《まぶ》しいヘッドライトが急についたので、そこに大型の自動車が待っていたことが分った。車の中で、男の声が呼んでいる。女たちは騒ぎながら、何人かがドアを開けて乗り込んだ。

それが走り去ると、タクシーが来て停った。これには別の女たちばかりが詰め合うようにして乗り込んだ。女だけのうるさい声をのせて、タクシーは乱暴に動き出した。

彼は、オーバーのポケットに両手を突込み、それを見送った。それから、のろのろと歩きはじめた。

暗い軒先から赤いオーバーの女が寄って出た。

「あんた、帰りなの？　どう、お茶でも飲まない？」

彼は首を振って歩き、別の横丁に曲った。

狭い通りに、おでん屋、すし屋、焼とり屋などが赤い提灯《ちょうちん》を出してならんでいる。

彼は、すし屋の障子戸を開けた。

「いらっしゃい！」

煙草の煙が外に流れ出た。彼は狭い店を眺め渡す。男客が四人、同伴が一組、隅にはコートを着た女が三人ですしをつまんでいた。彼は、その女たちの横に腰かけた。

タオルで顔を拭《ふ》いて、大きな湯呑みの熱い茶を、息を吹きかけながら音たててすった。

「中トロから」

と注文して、すし屋の手つきを眺めている。

「今夜は忙しかったね」

と三人のなかの、肥った年増《としま》が両脇《りょうわき》の女に言っていた。

「おねえさん、疲れたでしょう？」

と言ったのは、右側の円い顔をした若い女で、ひとりは、いかを口の中で噛《か》んでいた。

「ああ、疲れたよ、年齢《とし》だよ」

「あんなことを」

と言ったのは、いかを呑みこんだ細長い顔の女だった。

「でも、このごろの若い女《こ》はちっとも動かないからね。古い連中がいつまでも気を使わなきゃなんないわ」

「ほんとに役に立たない」

と年増は同感した。

「チップばかり欲しがってね。春香のようなお座敷を、バーかキャバレーのように思ってるんだからね」

「叱《しか》るとふくれるし、ほんとにやりづらい。お客の傍で遊ぶことばかり考えてるわ」

この三人は、春香の女中では古株だと、彼は見当をつけていた。彼は、前に出されたすしをつまんでいる。一向に、おいしくもなさそうな顔つきだった。

「明日《あす》も忙しいね。六時から三組も申し込みがあるよ。そのうち、××建設さんが三十人」

「あら、また、来るの？　あそこ、よく使ってくれるのね」

「土建屋さんは派手だからね。それに、オーさんがキミさんにご執心だからさ。いいところを見せたいというわけだろうね。自分の金ではないしさ」

「そういえば、キミさん、今夜は早く帰ったようだね？」

「オーさんが誘ったんですよ」

と、まる顔の若い方が言った。

「今からどこかで飲み直そうとしつこく言ってたわ。車を表に待たせてるのよ。キミさんが困ってるものだから、三、四人が一しょについて行ってやったようよ」

「そういえば、あんたの客のイーさんはどうしたの？　だいぶ、口説かれてたようじゃないの？　招待した方はみんな、遠慮して寄りつかなかったらしいけれど」

まる顔の女は、うつむいて含み笑いした。

「その辺で待ってるようよ」

「え、どこに？」

「銀行の角あたり……」

「行ってやらないの？　可哀想《かわいそう》に、寒い風に吹かれて、じりじりしてるわ」

「この間は、千駄ヶ谷の駅の前で、三時まで待ったという人があるから、平気だわ」

「で、どうするの、イーさんは？」

「明日あたり電話がかかってくるから、何とか言いくるめておくわ」

「このごろ、また熱が上がったようね」

「口説き方もうまいのよ。お前が一軒店をもったら、税金の方はおれがうまくしてやるからって。もとで要《い》らずの口説き方よ」

「自分の身銭を切らずに遊びつけてるからね。酒を飲むのも、好きな女のところへ遊びに行くのも、みんなひとの懐《ふところ》勘定だから。イーさんに限らないわ、あの同族はみんなそうね」

彼は、黙ったまま、相変らず、すしをつまんでいる。しかし、この話声が耳に入って、目がびくりとしたようだった。

「そういえば、イーさん、部署が変ったらしいわね」

「そう、イーさんを招待する方の顔ぶれが変ってきたわ。初めてだから、みんな妙な顔をしてるの。その中の、えらい人が私をこっそり呼んで、あんた、イーさんと仲がいいらしいが、よろしく頼みますよだって。笑わせるわ」

「みんな、ゼイキンは怖いのね」

「ほら、時代劇によく出るでしょ。朱房の十手を持っている岡《おか》っ引《ぴ》き。強持《こわもて》するところは、あれとそっくりね」

彼は湯呑を肘《ひじ》で倒した。湯がこぼれ、台を濡《ぬ》らして雫《しずく》が垂れた。小女が来て、湯を布で拭いた。

「済まない。有難う」

彼は詫《わ》びた。

「もう、そんな話、よそう」

と言ったのは年増の女で、これは二人の女の先輩といった格だった。

「さあさあ、明日も忙しいから帰りましょう。雪さん、おまえ、早番じゃなかったかえ？」

「そうなんですよ、ねえさん」

まる顔の若い女は、財布を出して勘定を払おうとした。

「ばかだね、おまえ、お止《よ》しよ」

年増は帯の間から千円札を重ねてたたんだのを出し、一枚を台の上に置いた。

「お姐《ねえ》さん、春香は、このごろ景気がいいんですね？」

すし屋のおやじがつり銭を出しながら言った。

「まあね。でも、儲《もう》かっているのはお店だけでね。あたしたちは帯や着物の月賦《げっぷ》に年中追われ通しですよ」

女たちは笑い声を立てて店を出て行った。なるほど、着ているコートやショールは立派だった。

「何だい、あの連中は？」

残っている客が見送って、すし屋に訊いた。

「春香といってね、そこの料理屋のお座敷女中ですよ。このごろ、景気がいいらしい」

おやじが手を休めて答えた。

「ふうん、あの連中で、どの位、とってるものかね？」

「歩合やチップですからね。月によって違うでしょうが、いまの連中で三万円以上にはなりそうですな」

「敵《かな》わない話だ」

サラリーマンの客は、伴《つ》れと顔を見合せて首を縮めた。

彼は起ち上がった。勘定を払い、表に出ると、ふらふらと歩いていた。ひどく憂鬱《ゆううつ》そうな、くたびれた足どりであった。

2

中央線も、八王子の方角に向かって、三鷹《みたか》から武蔵《むさし》境、武蔵小金井を過ぎると、よほど武蔵野の面影が強くなるのである。この地方特有の段丘があり、低地があり、窪《くぼ》地《ち》がある。そして、まだこの辺は雑木林や櫟《くぬぎ》林が、直線的な林相を展《ひろ》げているのである。

東京都の人口がふくれて、このあたりにも急激に人家の波の端が押しよせてきた。アパートや公団住宅が次々に建った。今では、近代的な建物と畑を挟《はさ》んで藁《わら》屋根が見える。

農家は、大てい防風林で囲っていた。その林の中に、近ごろ、古びた土色をした藁屋根のかわりに、新しい瓦葺《かわらぶ》きの家が見えるのは、この辺の農家が、田畑の一部を住宅地に切り売りするからである。土地の値上がりと、宅地の侵入には、百姓も抗しきれない。

三月末の或《あ》る日の午後、武蔵境駅から北へ約二キロの地点で、やはり、武蔵野の林と畑のひろがっている場所で、二、三人の者が測量をしていた。

駅の方面から来る一条の小道が北へ走っているのだが、それはゆるやかな段丘のために涯《はて》が消えている。

早春のおだやかな、いい日和《ひより》である。この間まで凍《い》てついていた赤い土が、ぬくもって柔らかい。短い草が、青味を帯びていた。

ひとりは肥《ふと》った洋服男で、これは土地の買い主らしい。ひとりは痩《や》せた菜っ葉服の男で、売り主の農民であった。あとの洋服の二人は、測量屋であった。ひとりが、赤白の棒を持って麦畑の中を動いている。測量台の上にのせた紙には、絶えず線が引かれた。

肥った洋服男は、満足そうに、その辺の土の上を歩き回っていたが、彼の足が、ふと、ある場所でとまった。

買い主は、肥った背をまげて、土の上を凝視していた。そこは麦畑が終り、隣の耕作も何も出来ていない草むらのあるところだった。

「おおい」

と彼は、測量屋を呼んだ。

「ちょっと、ここを見て下さいよ。ここだけ、妙に土が盛り上がって、柔らかそうじゃないか?」

測量屋は、仕事にすこし疲れたところだったので、赤白の棒を持ったまま、そこへ歩いてきた。

「うむ。そうですなあ。ちょっと妙ですな」

と彼も目を土の上に落して言った。

二人の目は、その、すこし色の変った、新しそうな土に吸いついていた。少々、気味が悪いといった目つきで、同じようにしばらく見たまま立っていた。

「何ですかえ?」

売り主の、四十すぎの農夫があとから来たので、買い主の肥った男は、地面を指でさし、

「なあ、小田さん。ここちょっと変ってるでしょう?」

と土の専門家に訊いた。

農夫は、じっと見ていたが、

「うむ、違えねえ。ちょっと、おかしいなあ」

と、自分で傍に行って、地下足袋の先で、土の端を少し蹴《け》った。土が他よりは柔らかいのである。

土の色の変った部分が、大体、直径一メートルくらいの円形になっていた。それに、その個所だけは草が蔽《おお》ってあるが、蹴ると簡単に除《の》いてしまう。根が無く、あとから土の上にかぶせた草だと分るのである。

その草の色も、ほかのなまの草とは違って、枯れている。

「何か埋めてあるのかも知れねえ。掘ってみようか?」

農夫は言ったが、手に道具を持っていないので、測量屋の赤白棒に目をとめると、

「ちょいと、あんた、そいつを貸しなさいよ」

と棒を借りた。

「気持が悪いなあ、おじさん、あんまりよごさないで下さいよ」

測量屋の青年は心配そうに口を尖《とが》らせた。

「えい、大丈夫だ」

三人の目が、土を睨《にら》んでいる前で、農夫は測量棒《ポール》で土の表面を掻《か》きはじめた。土が、ぼろぼろと崩《くず》れて除いた。と、同時に、何とも言えない臭気が鼻に漂ってきた。

農夫は棒をもったままとび退《しさ》り、三人の男も顔色を変えた。

「人間の死体でも埋もれているんじゃないか？」

目をむいて農夫を見たのが肥った買い主で、無精髭《ひげ》を口のまわりに黒く伸ばした売り主は、も早、棒で土をつつく勇気も無く、厚い唇を白くしている。

「臭い」

と測量屋が叫んだのは、胸にむかつくような異臭が強くなったからで、四人ともそこを逃げ出して、麦畑の中に遠巻きのようなかたちで立った。

「いけねえ、こりゃ、すぐ駐在さ知らせよう」

と農夫は、声を慄《ふる》わせ、道に立てかけてあった自転車に乗って南の方へ走り出した。

自転車のペダルを踏む足が合わないので困った。

駐在所へ行くと、頭がすこし白くなった巡査が、

「人間が埋められてるだって？」

と机の前から腰を浮かしかけたが、

「そりゃ、犬猫の死骸《しがい》が埋めてあるのと違うかね？」

と疑わしそうに農夫を見ていた。

「いや、とても臭くて、寄りつけねえくらいですよ。わしは、ともかく人間の死骸だと思うが、旦那《だんな》さん、見て下さいよ。わしらでは掘る気がしませんでな」

農夫が愬《うった》えた。

「そうかい、よしよし、それじゃ、一しょに行こう」

と起ち上り、裏からシャベルの古いのを一本、持ち出して、自転車に乗った。

農夫に先導されて五分ばかり自転車を走らすと、麦畑の中には、三人の男が顔を揃《そろ》えて巡査を迎えていた。

「旦那、あっちですよ」

測量屋が巡査に指をさして教えた。

ここまで来ると、早春の風に乗った臭気が駐在巡査の鼻にも臭った。巡査は、初めて悟ったらしい。

それでも、万一、犬猫の死骸だったら、本署に報告して、もの笑いになると考えたのか、老巡査はシャベルをさげて勇敢に現場に足を運んだ。

巡査は、なるべく、吸う方の息はしないようにして、柔らかい土の上にシャベルの端を入れた。乱暴ではなく、ていねいな作業であった。

土が少しずつ削られた。その度に臭気が強くなる。

ついに、シャベルの端は、土の下から、白茶けた足の一部と、黒っぽい洋服の一部を露出させたとき、後の四人の見物人が一斉に叫び声を上げた。

おだやかな早春の光線が、いま空気に触れたばかりの灰色の肉片の上に、明るく灑《そそ》いでいた。

武蔵野署からの報告で、警視庁から前島捜査一課長以下の捜査係員数名と、鑑識課員たちが車でかけつけてきた。

現場は、国道からそれた小道で、中型車が一台、やっと通れる程度のものである。

捜査係員たちが総がかりで、死体を土からていねいに掘り出すのだが、その刻々の情況を鑑識課員はカメラに撮った。

死体の全部を掘り出したときは、皆がさすがに顔をそ向けたものだ。面相はすでに崩れかけて、土まみれの頭髪だけが黒く下がっている。黒っぽい洋服と思ったが、オーバーも上衣《うわぎ》も無く、腐ってぼろぼろになったワイシャツとズボンだけで、沓下《くつした》も無い。顔は化物を見るようで、すぐには人相が分らなかった。

「こりゃあひどいね」

捜査陣の人たちは掘り出された死体の前に立って言い合った。

鑑識課員は、死体腐爛《ふらん》の状態から見て、

「死後経過二カ月くらいでしょう」

と言ったが、これはあとでR大付属病院で解剖したときの解剖医の所見と一致した。

さて、死因だが、頭頂部に打撲傷がある。ほかには外傷は無かった。解剖したとき、頭蓋《ずがい》底骨折が見られた。これが致命傷だったのだが、凶器は鈍器ようのものだった。

被害者の年齢は、三十歳前後、中肉中背で栄養は好《よ》い。指の具合からみて、労働に従事するものではなく、事務系統の仕事についている男と推定された。

歯は健全で、齲歯《むし》が無く、歯医者にかかった形跡はなかった。

遺留品は着ているものだけで、ワイシャツとズボンだけである。このズボンは、よく洗ってみると、濃紺のギャバジンで、あまり上等のものではなかった。ワイシャツはポプリン地で、市販でも高価な品ではない。

要するに、被害者は普通程度のサラリーマンという推定がついた。

上衣とオーバーが無い。死後二カ月というと、一月末の服装で、被害者は冬もののメリヤスシャツを着ている。ズボンも冬ものだ。だから、当然、上衣とオーバーは着ていたことになるのである。

それが無いのは、犯人が被害者の身もとを匿《かく》そうとして、持ち去ったか、はじめから脱がせて殺したか、である。ズボンの中を見たが、一物も無いのである。

ワイシャツと、ズボンは丹念に調べられた。ワイシャツの背首の裏側、ズボンの腰の裏には、洗濯屋の縫ったシルシがあるものだ。しかし、この被害者のものは、カミソリで奇麗に削り取られていた。

「警視庁では、計画的な凶悪殺人事件とみて武蔵野署に捜査本部を設置、三木警部が事件捜査主任となって直ちに活動を開始した」

と、翌朝の新聞は報道した。

「捜査本部では、まず、被害者の割り出しに躍起となっているが、ぼろぼろになったワイシャツと、ありふれたギャバジン地のズボン一枚が唯一《ゆいいつ》の手がかりといったところだ。これらも、ありふれたもので、ズボンは既製品か仕立品か分らないので、両方の捜査を同時にしている。被害者は会社員風の男で、いまのところ怨恨《えんこん》による犯行という見方が強い。また、発見現場は、畑の中で、ふだんからあまり人の通りがなく、夜は殊《こと》に真っ暗なところである。凶行が、発見された現場で行われたか、または、他の場所で行って、ここに死体を運んだものかの推定も、まだ本部では立たないようである。もし、他より運搬するとなると、自動車（自家用車、タクシー、小型トラックなど）、オート三輪車、リヤカーなどによることが考えられるので、この方面の捜査もしている。

付近の住人について、目下、聞込みを行っているが、なにぶん二カ月前のことではあり、目下のところ期待したものは得られないようである。地主の小田氏も、土地を売るため測量に行って、初めて発見したくらいである。手がかりとなる遺留品が無いだけに、被害者の身もと割出しには、かなりの時間がかかると思われる。目下は、都内および近県の家出人、行方不明者について調査をすすめている」

新聞記事にはこのように書かれているが、捜査本部は、手の内の全部を新聞記者にさらけ出しはしない。必ず、切り札の一つや二つは隠しておくものだ。

この事件の場合がそうだった。

捜査員たちが、死体を土の中から掘り出してみて、なおも、その土をていねいに見ていると、マッチ箱が出てきた。

「マッチ箱だって？」

三木捜査主任は、捜査員がハンカチの上に載《の》せた土まみれの小型のマッチ箱を見つめた。

すぐに、それを入念に洗わせると、それはバーのマッチで、「S・K通り、バー・リオ」という店名が出て来た。

「バー・リオ」

主任は店の名を呟《つぶや》いた。

「おい、誰か、こんな店を知っているか？」

と彼は、集っている捜査員たちの顔を見回した。

「誰かリオを知らないかア……」

低声《こごえ》で歌う捜査員もいた。まだ、事件捜査の最初だから、こんな冗談が出る余裕があった。

「知っています」

と名乗って出たのは、三十くらいの捜査員だった。

「ああ、君は、Sの飲み屋街はよく歩いてるんだな」

主任が言った。

「いや、バー・リオには行ったことはありません。通りがかりに看板だけは、見て知ってるんです」

「どんな店だ？」

「繁華街の裏通りの方です。あんまり景気のいいバーじゃありません。主任さん、春香という大きな割烹《かっぽう》料理屋をご存知ですか？」

「ああ、それは知ってる」

「その家の真向かいですよ」

「そうか」

主任は分ったように合点《がてん》した。

ここで問題になるのは、そのバーのマッチが、果して被害者の持っていたものか、犯人の落したものか、ということだ。

これは捜査会議でも議論が二つに分れた。

「犯人は被害者の身もとが容易に分らぬよう、あらゆる工作をしている。所持品は一つもない。マッチだけを残すわけがない。これは当然、犯人のもので、犯人が死体を埋めるときに、ポケットから知らずに落したものであろう」

という主張と、

「マッチは被害者のものと思う。犯人は、現場で、被害者のオーバーと上衣とを剝《は》いで持ち去った。そのときに、ポケットに入っていたマッチが落ちたのを犯人は気づかなかった。凶行が暗い夜だったら、この推定は成り立つ」

というのである。

犯人のものにしても、被害者のものにしても、この一個のマッチは重要な手がかりだった。だから、本部では報道陣に、このことは隠しておいた。

この犯行が、単独でなされたものか、或いは二人以上の共同犯行かについても意見が岐《わか》れた。

「一人の犯行ではあるまい」

という推定の側は、

「いくら人通りのない麦畑の中でも、付近には農家もあるし、新築の住宅もあるし、アパートもある。これだけの犯行が行われれば、誰かの目についている筈だ。また、犯人もそれを恐れた筈だ。だから、凶行は、夜だ」

と前提して、

「夜間に、被害者をここまで誘い出すのは、どのような名目をつけたにしても、容易なことではない。凶行の模様からみても、脅迫して連行したという見方をとっていい。それは二人以上でないと無理だ」

また、それだけではない、として、

「土を掘る。死体を埋める。土をかぶせる。これは、シャベルが必要だし、かなりの労働だ。それに、被害者のオーバーと洋服を現場で剝がした（これはマッチが被害者のものだったということにも通じる）とすると、それらの品物を持ち去るには、かなり嵩《かさ》ばったものになる。単独犯行よりも、共同犯行とした方が無理がない」

というのである。

これに対して、単独説をとる者は、

「そういうことは必ずしも二人以上を要さない。車を使用すれば、シャベルや、被害者の衣類を運ぶくらい何でもない。実際に、あの現場までは、車で行く以外には考えられない」

というのであった。

はぎ取られたオーバーと上衣が、どのようなものだったか分らない。チョッキが有ったか無かったかもよく分らない。

犯人がこれらの衣類の処分方法として考えられるのは、
①どこかに隠匿《いんとく》している。
②質屋に入れるか、古着屋に売った。
③誰かに、くれてやった。
④焼却した。または、ずたずたに切り裂いて、原形を無くして処分した。
などの場合である。
①については、犯人の自宅とか、知人の家に預ける方法と、何処《どこ》かに埋めておくことが推測される。殊に、死体発見現場付近には、よくそうした例がある。
捜査本部では、三日間にわたって、現場を中心にした土地一帯を捜索したが、衣類を埋没した形跡はなかった。近くには雑木林が多いので、この林の中は特に入念に調べた。
②については、都内と、吉祥寺、三鷹、小金井といった近くの中央線沿線の町と、田無あたりの質屋、古着屋などを捜索させた。
なにしろ、オーバーも上衣もどのような品か分らないので、入質者や売却者の不審な者に重点を置くより仕方がなかった。
③と④となると、いよいよ発見は困難なのである。

次に大事なことに凶器が見つからなかった。

解剖報告書によると、頭蓋底骨折とあるから、相当に重量のある物で強打したと思われるが、頭部の疵《きず》は四カ所あり、刃物でなく鈍器という推定である。死後二カ月経過の死体だから、疵口の模様も崩れてよく判らないが、金槌《かなづち》かスパナーのようなもの、もしくは重い木の棒といったものが考えられた。

凶器の発見は、捜査上、最も重要なことで、オーバーや上衣の発見以上に、付近一帯を綿密に調べたが、遂《つい》に発見出来なかった。

結局、手がかりは、バーのマッチ箱一つということになった。

このマッチについては、鑑識課が指紋を出そうとして苦心したが、土の中に入っていたために砂に擦《こす》られているのと、あまりによごれているのとで、遂に検出が出来なかった。

指紋といえば、死体から指紋を採ってみたが、前科者には該当するものが無かった。

最後に、オーバーや上衣が奪《と》られているところから、一応、強盗説が出た。

しかし、被害者が、普通の、或《ある》いは、もっと下級の勤め人らしいので、それほど多額の金を持っていたとは思えず、また、犯行の模様が単純な物盗《と》りとは考えられないので、この線は消えた。

とに角、被害者の身元を知るのが、捜査本部では、第一の緊急事であった。

捜査本部員のA刑事と、B刑事とが、夕方、SのK通りにある「バー・リオ」に行ったのは六時ごろで、表のドアを押して入ると、店内には十人ばかりの女の子たちが、支度したばかりの格好で、ボックスに坐《すわ》ったり、立ったりしていて、一斉にこちらを見ていた。無論、まだ客は一人もない。

女たちが、顔をみんなこっちに向けているのは、入ってきた二人の刑事を見ているからではなく、その前に、後向きに腕を組んで立っているマネージャーの「訓示」を傾聴しているからであった。

ボーイが、滑るように刑事たちの傍にやってきて、

「すぐに済みますから」

とお辞儀をした。

「いや、客じゃないんだ。ちょっと、この店の人に訊《き》きたいことがあってね」

とポケットから手帳を見せた。

ボーイは、一目《ひとめ》見て、

「は。そうですか、はい」

と改まったように頭を下げて、マネージャーの傍に行った。

マネージャーの訓示は、つづいていた。

「……それから、お馴染《なじみ》さんが、お客さまを連れて来られるとき、サービスを間違えて、お馴染さんにだけチヤホヤ言うひとを、まだ、見うけます。これは、誤りで、ご招待されたお客さまは、いい気持がしません。また、招待した側のお馴染さんも、自分よりはお客さまの方を大切にして貰《もら》いたいと思っているのです。それを間違えて、いつもと同じようにお馴染さんにだけにサービスをするのはいけません。ええと、次に、テーブルに運ばれたオードに、お客さまより先に手をつけるひとがありますが、こんなことは絶対にしないように。いくら気安立てに、お客さまにすすめられても、女給さんが先に……」

際限がないので、ボーイがマネージャーの耳に口を寄せた。

支配人は、うなずき、あとは急に簡単にして、訓示を終りにした。それから刑事たちのところに近づき、

「どうも、大変お待たせいたしました」

と丁寧なおじぎをした。

「いや、お邪魔をします」

A刑事が、ハンカチに包んだマッチ箱を取り出し、

「これ、お店のマッチですな？」

と見せた。長身の支配人は背をかがめて、指でつまんだ。函《はこ》は汚れて、潰《つぶ》れているがレッテルは判《わか》る。

「はい。確かに左様でございます」

マネージャーは答え、カウンターから新しいマッチを持って来て、刑事たちにさし出した。

「これと同じでございます」

刑事たちの目にも、それは全く同じであった。

「このレッテルの図案は、いつごろから使っているのですか？」

「開店当時からでございます。ですから、二年前から」

「二年前……」

A刑事は茫漠《ぼうばく》とした目つきをしたが、

「実は、武蔵境の近くで殺しの死体が発見されましてね」

と言いかけると、

「ああ、新聞で読みました」

支配人は、よく知っている、というようにうなずいた。

「新聞には出してないが、その死体の近くに、このマッチが落ちていたんです。被害者が持っていたのか、犯人が持っていたのか、それはよく分りませんがね」

「へえぇ」

マネージャーは目をまるくしていた。

「死体は、死後約二カ月経《た》っています。ですから、マッチも二カ月以前にお店からお客さんに渡ったものと思われますが」

「はあ」

「これが、死体の顔です。二カ月経過しているから、少々、醜いかもしれないが、お店のお客さんとして来たことはありませんか？　みなさんに訊いて下さい」

マネージャーは写真を見たが、一目見ると顔を顰《しか》めた。

「随分、ひどい顔ですな」

「腐爛して、崩れているけれど、人相は判《わか》らないことはないでしょう？」

「そうですな……待てよ」

と目を宙に浮かせて考えるようにしていたが、急に、女たちを呼んだ。

「おい、このひとの顔に見覚えないかい？」

女たちは、写真を見て、怯《おび》えた目になり、凄《すご》いのね、とか、厭《いや》らしいわ、とか口々に言っていたが、それでも充分に興味深そうであった。

「あら」

と言ったのは、ひとりの女だったが、殆《ほとん》ど同時に、別の女が同じ声を出した。

「あのお客さんだわ！」

「そうだわ、わたしも、今気づいたのよ」

刑事たちの顔が緊張した。

「え、何だって？」

「いつも、表の窓際《まどぎわ》に坐って、ハイボール二はいで四時間ぐらい粘ってたお客さんですよ。こんな顔だったわ。去年の十一月ごろから暮にかけていらしていました。いつも、ひとりで静かでしたが……そういえば、今年になってから見えなかったわね！」

二十五、六くらいの、鼻の低い女が興奮したように言った。

A刑事とB刑事とが、バー・リオでの聞き込みを捜査本部に持って帰った。

「ハイボール二はいで四時間ぐらい粘っていたのか？」

捜査主任は頰杖《ほおづえ》を突いた。

「よく粘れるもんだな。たったひとりでか？」

「そうです。店の窓際に坐って、ぼんやりしてたそうです」

「音楽でも聴いていたのかい？」

「いいえ、音楽なんてもんじゃありません。煩《うる》さいジャズ曲ばかりですよ」

音楽好きのB刑事が言った。

「すると、誰かを待ち合せていたのかな？」

「そんな者は、全然、来なかったそうです。最後の最後まで一人だったといいます」

「おかしいな。何んの目的があったのだろう？」

主任は首を傾《かし》げた。

「別にバーの女の子を張りに来たわけでもないだろうし……」

「そんなことはないです。バーの女たちからは全然嫌われていましたからね。服装《みなり》もあまりよくないし、多少、気味悪がってもいたようですな。マネージャーは、口ごもっていましたが、はじめ、刑事じゃないかと思ってたそうです」

主任も、二人の刑事も苦笑した。

「そして、店に来ていた期間は？」

「去年の十一月はじめから十二月の暮にかけてといいますから、忙しい最中ですな。バーの者に嫌われるのは無理はありませんよ。もっともあのバーは、あまりはやらなかったから、追い出されずに済んだのでしょうがね」

主任は紙の上に、十一月―十二月、と悪戯《いたずら》書きのように書いた。

「粘ってた時間は？」

「七時から十一時までです」

主任は、その紙の上に、七時―十一時と書き加えた。

「誰かを見張っていたのかな」

捜査主任は、紙の上を眺めながら言った。

「見張るといいますと？」

A刑事が訊いた。

「ちょいと、そのバー・リオの見取図を書いてみてくれ」

「はあ」

A刑事が、鉛筆で略図を書いた。

「その殺された男が坐っていたのは、この席ですよ」

刑事は、自分の見取図の上に、〇印をつけた。それが、奥の窓際に面した座席だった。

「決って、この席にしか来ないんだそうですがね。まるで、自分が座席料を払って坐り込んでいるような顔をしていたそうです」

「ふうむ。ここからは道路がよく見えるね」

主任は、その一点を小指の爪《つめ》で叩《たた》いた。

「窓にはカーテンが降りているのか？」

「はあ、それは降りています。しかし、厚いカーテンの方は左右に絞られて括《くく》られ、うすい紗《しゃ》の白いカーテンが垂れているだけです」

「あれなら、外が透いてみえる」

主任は言って、

「ヤクザかな？」

と呟《つぶや》いた。

「いや、ヤクザや愚連隊じゃありません。それだったら顔馴染の刑事が所轄《しょかつ》署に居ますからね」

「他所者《よそもん》かもしれない。なにしろ、あの通りは連中の巣窟《そうくつ》だからな」

二人の刑事は、あまり賛成しなかった。それは、いわゆるピンと来ないという勘であろうか。

三木主任は、ここで抽出《ひきだ》しを開けて「いこい」を一本抜き取って喫った。

「おい、車の方は駄目だよ」

と両刑事を見た。

「そうですか」

「タクシーもトラックも洗ったが、駄目だった。この上は自家用車だがね。これは絶望だ。なにしろ、現場での目撃者が無いからな。せめて、車の型だけでも判るといいのだが、二カ月も経っていると、まず見込みはない。こっちは諦《あきら》めたよ」

「衣類は出ましたか?」

A刑事が訊いた。

「出ない。質屋、古着屋も総当りさせたが駄目だった」

主任は、口の中に煙草《たばこ》の粉が入ったのにまぎらわして、唾《つば》を吐いた。

「じゃ、ホシが剝《は》ぎとって処分したのですかな?」

「それしか、考えられない」

「主任さん」

B刑事が顔をあげた。

「殺しの現場は、其処《そこ》でしょうか?」

「なに?」

「発見された現場が果して殺害個所か、ということです」

「それは考えている。他所《よそ》で殺して、発見現場に埋めたということだね？」

「そうです」

「つまり、第一現場が殺しで、第二現場が死体遺棄だね」

主任は煙草の灰を落した。

「しかし、この第一現場の発見はもっとむつかしい。重点的に当りようがないからね。所轄署の管内聴き込みにたよるほかはない。手配はしてあるが、まだ胸を躍らすような報告はないのだ」

「もし、第一現場が屋内だったら、頭部をあれだけ撲っているのだから、血痕《けっこん》が落ちてるでしょうにね。たとえば、畳に付くとか、壁に付くとか……」

「畳屋と左官屋には一応手当はしてある」

主任は、そこは抜かりはない、という顔をしたが、あまり晴々とした表情ではなかった。やはり期待薄とみているらしい。

「戦前だったらね」

もう四十を越している捜査主任は述懐する口吻《くちぶり》になった。

「およその見当がついたとき、管内の全世帯に臨時に大掃除をさせるところだ。畳、壁、押入れ、天井裏や床下まで検査するのだ。しかし、今は、そんな無理は出来ない」

「しかし、死体を運んだとなると、いよいよ車の運搬ということになりますが、それが駄目とは弱りましたな」

話は、堂々巡りになった。

「何んにしても、被害者の身もとを早く割り出さねばならない」

「家出人、行方不明者の方はどうですか?」

「目星しいものが無い。これは、と思うものが十二、三件あったが、皆んな違ってた。鑑識に頼んで被害者の死顔から生前の修整写真を作ってもらっているから、それを新聞に出して、届け出を待つほかはないね。期待といえば、これだけだ」

主任は短くなった煙草を捨て、頬杖をつき直した。自然と目が下に落ちる格好になった。

机の上には紙ぎれが置いてある。A刑事が鉛筆で書いた略図だった。主任の目が、おや、というように瞬いた。

「これは」

と指を置いたのは、バー・リオの筋向かいだった。A刑事が近所もざっと書き込んだものだから、「春香」という文字があった。

「料理屋だね?」

「そうです。この界隈《かいわい》で、一ばん大きな料理屋です」

「君」

主任が顔を上げて、A刑事とB刑事の顔を交互に視《み》たものである。

「このバー・リオの○印の座席から、春香の玄関は、まるで見透しじゃないか!」

これには、略図を書いた当人のA刑事が、口の中で、あっと叫んだものである。

3

被害者が、バー・リオの奥の椅子《いす》で、表通りの窓を眺めながら、四時間もハイボール二はいで粘っていたのは、ヤクザや愚連隊の見張りではなかった。料理屋「春香」の出入りを見ていたのだ。

料理屋を監視する――というのは、どのような理由からか。

まず、考えられるのは、「春香」に来る客の誰かを、この男は狙《ねら》っていた、との想像である。

次は、「春香」のお座敷女中の誰かと被害者は因縁があって、その女中を監視していたのではなかろうか。これは、一ばん考えられる線だった。

料理屋とかバーの、いわゆる水商売の女は、とかく男関係が複雑である。客との間もあるし、情夫とかヒモとの間もある。客にしても、商売上の女中のお世辞を真《ま》にうけて通い詰め、最後に態度が冷たくなったといって恨む男も多いのである。被害者が、「春香」の玄関を向かいのバーから凝視していたことは、女中関係からということは充分に考えられた。

もう一つは、「春香」自体への観察である。つまり、客でも女中でもなく、そこの家族、板前だとか帳場の人間とかの雇人関係だ。

まず、この三つの線しか考えられない。もし、ここで何かが出て来たら、殺された男の身もとの見当がつきそうである。

A刑事と、B刑事とは、かなり遅くなって、またバー・リオに出かけて行った。

夜も十一時をすぎていた。しかし、バーや料理屋に調べに行くには、人員が揃《そろ》っていて、昼間よりは都合がよかった。

「リオ」のドアを押すと、女たちが一斉に、

「いらっしゃい」

と言ったが、両人の顔を見て、おや、といったような妙な顔をした。夕方の点呼の

ときに調べに来た刑事だとは彼女たちも覚えている。

背中に手を組んでいたマネージャーが、揉《も》み手をして近づいて来た。

「また、何か……？」

「いや、夕方は済みませんでした」

A刑事が如才なく言い、

「例の男のことで、また厄介をかけますが、彼がいつも坐《すわ》っていたというボックスはどれですか？」

と訊いた。

「はあ。それは、あれですよ」

マネージャーは、隅を指したが、十一時をすぎて書き入れどきというのに、このバーはよほど暇とみえて、客はボックスに三組くらいと、カウンターに二、三人しか居ない。殺された男の「指定席」は空いていた。

「ちょっと、あすこに掛けさせて貰います」

断わってから、両刑事は隅のボックスに行った。緋色《ひいろ》の重々しいカーテンは両方に開かれて絞られ、うすい白の紗《しゃ》のカーテンが窓に下がっている。

「見える、見える」

とA刑事が低声《こごえ》で言った。

彼の坐っている椅子が、殺された男の愛用のもので、その位置から硝子《ガラス》窓の外を見ると、紗のカーテンを透かして、料亭「春香」の玄関がまる見えであった。

B刑事も、ふり返って眺め、黙ってうなずいた。

ボーイが銀盆にハイボールを二つ載せ、

「マネージャーからでございます」

と置いて行こうとしたので、両刑事はあわてた。

「おい、君、困るよ、こんなもの」

ボーイに押し返そうとしていると、マネージャーが小腰をかがめて来て、

「どうぞ、どうぞ」

と愛想笑いをした。

「いや、駄目だよ、マネージャー。今夜は忙しいからね」

位置の実験を済ませば、用がないので、二人は起ち上がった。

「でも、折角でございますから」

「有難う」

両人はマネージャーの笑顔の前を横切って「リオ」を出た。

今度は、「春香」だが、すこし気怯《きおく》れがするほど立派な玄関だった。片隅に下足番の老人がうずくまって煙管《きせる》をくわえていた。

「お内儀《かみ》さんをよんで貰《もら》えないかね?」

Aが、下足番の肩をつついた。

「へえ、どちらさんで?」

「警視庁の者だが」

「へっ」

老人は背を丸めて奥へ急いだ。

こうして玄関の片隅に立っていると、いわゆるお座敷女中が現われたり引込んだりするのが見えた。みんな三十前後の女で、衣裳《いしよう》も佳《よ》いし、顔もまずくなかった。なかには芸者と間違えそうな女中も居る。二人の刑事は片側から、それを観察していた。

階段を賑《にぎ》やかに降りる音がして、三人ばかり、会社の幹部といった格好の客が女中どもに送られて玄関に出て来た。両刑事は、玄関から外に出て、暗いところで小さくなった。

「お近いうちに」

「ミイさん、またね」

「有難うございました」

自動車が出るまでその声が渦巻いて、あとはぞろぞろと玄関の方へかえってゆく。

「あと何ん組？」

女中どうしで話していた。

「一組よ、竹の間だわ」

「ああ、あれは長いわね。誰か二人ほど当番を残してあとは帰ったらいいでしょう」

女中たちが引っ込むと、下足番が刑事たちを捜しに玄関から出てきた。

通されたのは、帳場から続いた四畳半ぐらいの小部屋で、そこがお内儀さんの控えている居間らしい。

お内儀さんは四十すぎの肥《ふと》った女で、赤ん坊のように顎《あご》が二重に括《くく》れている。「春西ハル」という名刺をくれた。所轄《しょかつ》署でなく、本庁から来たというので、愛嬌《あいきょう》笑いの中にも、小さな目を緊張させていた。

「どうも、お邪魔して済みません」

A刑事がポケットから被害者の現場写真を出した。普通の人にはなるべく見せたくないのだが、まだ修整写真が出来上がっていないから仕方がなかった。

「新聞で承知かもしれませんが、実は、武蔵境の近くで発見された他殺死体のことですがね……」

と言い出すと、それはお内儀も知っていた。

「そこで、被害者は、これなんですが、お宅に心当りがありませんか？」

写真を見せると、お内儀は果して怯《おび》えた目になった。

「まあ、えらい化けものみたいな顔でんな」

と胸が悪くなったような顰《しか》め面《つら》をした。二カ月経過しているから、死顔は相当いたんでいるのである。

「いいえ、わてには心当りがおまへんが」

それでも、じっと写真を見た揚句に言った。

「お客さんで来たことはありませんか？」

「いいえ」

お内儀は首を振った。

「おかみさんが知らなくとも、女中さんが知りませんか？」

「いいえ、わては大ていのお客さんにはご挨拶《あいさつ》してますよって、女中の知ってるお客さんは、わても知ってます」

「まあ、そう言わないで」

刑事は手で抑《おさ》えた。

「実はね、おかみさん。この死んだ男は、去年の十一月から十二月の末まで、毎晩、向かいのバー・リオからお宅の玄関を覗《のぞ》いていたんですよ」

「えっ」

お内儀の顔色が変った。

「おお、気味わる。なんで、うちとこばかりそないに覗いたんやろ。ちょっと、あんただち！」

彼女は肥えた手を拍《う》って、女中たちを呼んだ。

女中はみなで十五人ということだったが、幸い、今晩は一人も休まず、写真の首実検に集ってきた。

女中たちは、写真を見て、嘔《は》きそうだとか、今晩から飯は食べられないとか言い合っていたが、それでも充分に写真の死顔を熟視した。

「知らない顔だわ」

「うちのお客さんには覚えがないわね」

というものばかりだった。

B刑事は、女中たちの頭数を読んでいたが、

「おや、二人足りないね」

と言った。年嵩《としかさ》な女中が、

「もう一座敷、お客さまが残ってらっしゃいましてね、そっちを見ていますから、すぐに交替させせましょう」

と告げた。

「もう一座敷? ああ、麻雀《マージャン》かね?」

B刑事が言った。その女中もびっくりしていたが、ほかの女中も愕《おど》いていた。なぜ、女中がみんな愕くのか、ちょっと妙だった。

麻雀のことはA刑事も分らなかったとみえ、あとでBに訊《き》いたとき、

「ほら、玄関で女中が、あれは長いからね、と言っただろう。それに、あの部屋に入るとき、女中がお絞《しぼ》りを四つ運んでいたのを、ちらっと睨《にら》んだのだ。長い座敷と、お絞り四つ、つまり麻雀だろう、と言ったのは当て推量のはったりさ」

と説明した。

二階から、その麻雀の客席にいたという女中が二人降りて部屋に入ってきた。

ひとりは痩《や》せて細く、ひとりは丸顔だった。

まず、丸顔の方に見せると、眉《まゆ》をひそめたが、すぐに、

「見たことないわ」

と即座に言った。その写真は横に坐っている痩せた女中の手に回った。

その女は、顔を顰めることは他の者と同じだったが、瞬間に何か怪訝《けげん》な目つきをした。そして、写真の人相を見るのも、ほかの者よりは少し長かった。

AもBも、その女中の表情を見戍《みまも》っていた。

「どう、見覚えのある顔かね？」

Aが訊くと、

「いいえ、どうも見たことのない顔ですわ」

と女中は、慌《あわ》てたように写真を手から放した。

「ふうむ。もう一度、よく見ておくれ。少しでも誰か知った人に似ていないかね？その写真は、いまも説明した通り、死後、二カ月経《た》って相当人相も変っていると思うんだが、感じとして似た人は無いかね？」

「知りません。見覚えのない顔です」

その女中は、同じ返辞を繰り返していた。

これでは仕方がないから、次の調理場などの雇人を呼び入れて見せたが、これも、心当りがないという返答だった。

「ご主人は？」

A刑事が最後に訊いた。

「へえ。うちは組合の旅行がおましてな。昨日から鬼怒川《きぬがわ》温泉に行ってはります」

お内儀が答えた。

「そやけど、うちの人かて、この写真の人相の人は知らんやろと思います。へえ。えらい怪《け》ったいな話でんなあ、刑事《だんな》はん。この家を毎晩、のぞきに来やはったと聞いたら、何んや気味わるうて、背中が寒うなりますわ」

要するに、この「春香」でも収穫は無かったわけである。

「どうも、夜遅く来て騒がせて済みません」

Aが挨拶したので、Bも起ち上った。

このとき、AもBも、あの痩せた女中の紫色の前垂れの隅に、「なつ」と染め抜いてあるのを見落さなかった。

両刑事が玄関から出るとき、階段の上の方から、麻雀牌《パイ》を崩すらしい音が耳に聴えてきた。

二人は外を歩いた。四月初めでも、夜はまだ冷えた。

「君、すこし寒いようだから、一ぱいひっかけて行こうか？」

酒好きのA刑事が屋台のおでん屋を横目で見て誘った。

「うむ。そうだな。顔に色があんまり出なければ、本部に還《かえ》っても叱《しか》られないだろう」

両人は、頭ののれんを分けて、腰掛けの上にならんだ。鍋《なべ》には、おでんが匂《にお》いを上げている。

「おい、君、君は、写真を最後に見せた痩せた女の表情に気がついたか？」

B刑事がコップを握って言った。

「うん、君もそう思ったか？」

A刑事は、串の蒲鉾《かまぼこ》を頰張って応《こた》えた。

「あれは、写真の本人を知ってるね、われわれの前では隠しているが」

「ああ。最初、写真を見たときの目つきが承知しない。あれは知っている人間の顔を見たときの目だ」

「なつ、という女中だったな」

「君も前垂れの字をよんだのか？」

両人は微笑《ほほえ》み合った。

「今晩は、このままにして、明日か明後日《あさって》あたり、なつに小当りに当ってみようか」

B刑事が言ったので、

「いいね」

とA刑事は賛成した。

「それにしても被害者は何者だろう？」

B刑事は小さい声で言って、首を傾《かし》げた。正体が、まだよく摑《つか》めないでいるのだ。

「バー・リオで『春香』の監視が始まったのが十一月のはじめで十二月の末まで。死体発見が翌年の三月三十日だ。死後二カ月というから、二月の初めに殺されたのだ。すると、被害者は、一月一ぱい、まるきり『春香』の監視を休んでいたのだ、どういう訳だろう？」

B刑事が言った。

A刑事は、おでんの茹卵《ゆで》を頰張りながら、

「さあ」

と首を捻《ひね》っていた。

「それから、その監視か、偵察か知らないが、十一月から始まったのは、どういう訳だろう？」

これにもA刑事は、さあ、と言うだけであった。

その日の午後一時頃、R新聞社の玄関受付に十九か二十ばかりの若い女が訪ねてきた。

「社会部の記者の方にお会いしたいのですが……」

その女は、まだ少女期の脱けきらない稚《おさな》い線を顔のどこかに持っていた。

「社会部の誰ですか?」

受付の女の子が訊くと、

「どなたでもいいんです。今日の朝刊に載った武蔵境の殺人事件のことで来たんですが……」

と細い声で言った。

「どうぞ、これにお名前をお書き下さい」

その女が、「面会人票」という新聞社独特の備えつけの紙にうつむいて書いている間、受付では社会部に電話をしていた。

五分も経たないうちに、二十四、五の頭髪を不潔にもじゃもじゃさせた男が、三階から降りて来て、受付の前に大股《おおまた》で歩いて来た。

「ああ、田原さん」

　受付の女がその記者に、面会人を指で教えた。

　社会部記者の田原典太《てんた》が、受付に教えられて、面会人を見ると、十九か二十ぐらいの、顔にはまだどこか稚い線が残っている若い女だった。

「あなたですか、武蔵境の殺人事件で何か知らせたいと仰《おつ》しゃったのは?」

　田原典太はせかせかと訊いた。受付で書かれた面会票には、「杉並区高円寺××番地、須永《すなが》とも子」という文字がある。

「はい、そうです」

　若い女は、田原の凝視に会って、すこし目を伏せた。

「今朝の新聞に出た、殺人事件の記事を見たものですから。その被害者のことです」

　低いが、よく徹《とお》る声だった。

「あなたに心当りがあるんですね?」

　田原は立ったまま訊いた。相手も立ったままである。生憎《あいにく》と、客待ち用の長椅子《ながいす》は満員であった。

「あります」

　若い女はうなずいた。簡単な洋装で、それほどいい身なりではないが、こざっぱりとしている。

「須永さんとおっしゃるんですね？」

田原は面会票の名前を言った。

「はい」

「被害者というのは、あなたのお身内ですか？」

「いいえ」

須永とも子は首を振った。

「わたしのアパートに居たことのある人ではないかと思ったのです」

「ふうん」

田原は、武蔵境の畑の中で発見された死体の身もとが判《わか》らず、捜査本部が頭をかかえているのを知っている。

「新聞記事をよんで、すぐにその人のことが頭に浮かびました。母に言ったら、自分もそのような気がすると言いました。でも別にはっきりした見当ではないのです。ただ、そう思ったものですから」

田原は、若い女の顔を見た。直感というか、これは間違いないな、と思ったのだ。

「警察には」

と彼は言った。

「どうして知らさなかったのですか？」

須永とも子は、すこし返辞を躊躇《ちゆうちよ》したようだったが、

「わたしたちの感じだけで、確定的ではないからです。それで、警察に行って話すのが気のりがしませんでした。でも、黙っているわけにはゆかないので、母と相談して、新聞社にだけお知らせしたら、ということになったのです」

と、すらすらと言った。

「わたしの家が高円寺で小さなアパートをしているのです」

「なるほど」

田原はうなずいた。

「で、その人は、いつごろからお宅のアパートに入っていたのですか？」

「一年前です」

「一年前？」

田原は、これは、ものになりそうだと思った。

「このことは、誰にも話していませんね？」

「はい」

田原の胸がかすかに躍った。警察が知らないのが魅力だった。

詳しい話を聞きたいと思って、あたりを見ると、椅子から容易に起ちそうな人が無い。立ち話も出来ないし、ほかの客に聞かれてもまずいのだ。

「詳しくお伺いしたいのですが」

田原は恰度《ちょうど》、咽喉《のど》も乾いていた。

「そのへんで、お茶でも飲みませんか?」

須永とも子は、その誘いに素直にうなずいてみせた。

社の玄関を出て、有楽町駅の方に行くと、喫茶店がいろいろとならんでいる。田原は行きつけの「パコダ」という店に入った。ここはコーヒーもうまいし、店もきれいなのである。

ボーイがドアを開けて、

「いらっしゃい」

と田原に微笑したが、つづいて入ってきた若い女を見て、ちょっと愕いた目をした。田原は、今までこの店にアベックで来たことがない。

二階に上がって、窓ぎわに席をとった。須永とも子は、真向かいに坐《すわ》って、少し眩《まぶ》しそうに卓に目を落している。周囲はアベックの客が多かった。

「さあ、詳しく伺いましょう」

田原は煙草《たばこ》に火をつけた。

すると、須永とも子は、ハンドバッグからたたんだ新聞をとり出して、田原に見えるように置いた。そこに武蔵境の殺人事件の記事が出ている。

「この被害者なんですが」

須永とも子は写真版の上に指を立てた。

「一年前、わたしのアパートに越して来た沼田嘉太郎という人ではないかと思います」

「待って下さい」

田原は、いそいでポケットから手帳を出した。

「沼田嘉太郎というんですね。で、その人はどういう職業の人ですか?」

「それが、よく分らないのです」

「分らない、というと、無職なんですか?」

「順序立って言いますと」

須永とも子は、そんな言い方をして話しはじめた。

「その沼田という人は、近所の家屋周旋屋さんの紹介でうちに来たのです。恰度、二部屋空いていたので、わたしの方からも、その周旋屋に頼んでおいたのですが。で、その人は部屋を見て気に入り、二階の東側の隅に入りました。独りで、家族は居ませんでした」

「なるほど」

「毎日、ぶらぶらしていて、これという仕事もしていないようなので、一体、何をする人だろうと、わたしも、母とよく話をしていたくらいです。感じとしては暗い人だし、あまりものも言わないので、母は少々、うす気味悪がっていました」

「で、その人は最近まで、あなたのアパートに居たのですか?」

「いいえ。一カ月半ばかりしたら、出て行きましたわ」

「ほう。それは、また早かったですな」

「九州に家族を置いているとかで、そっちに帰るのだと言って出ました」

コーヒーが来た。ボーイが大きな器に盛ったいろいろな種類のケーキを気どった手つきで見せる。須永とも子はわるびれずに、その一つを皿にとった。

「それが十カ月前ですね?」

田原は訊《き》いた。

「そうです。恰度、いまごろの季節でした」

「九州の何処《どこ》に帰ると言っていましたか?」

「大分県の中津という所でした。それは運送屋の荷物を送り出したときに、荷札がついていたから分りました」

「はっきりした住所地名を覚えていますか?」

「はい、記憶しています。中津市大貞××番地です」

田原典太はそれを手帳に控えた。

「なるほど。で、あとから、ハガキというようなものは来なかったのですね?」

「来ませんでした。それきりです。そして、わたしのアパートに居たのは、わずか一カ月半の間ですが、一度も人も訪ねて来ず、どこからも通信はありませんでした。とても、孤独な感じのする人でしたの」

「それで、この人、沼田嘉太郎という人の生活ですが、全然、どんな職業だか、見当がつきませんでしたか?」

「はっきりとは分りませんでした。なにしろ、一日中、部屋の中に居るかと思うと、朝外出したきり、夜おそく帰ってくることがあったりして、とても不規則でした。部屋を申し込むときは、保険会社の勧誘員だと言っていましたが、そんな様子もないので、さっき申しました通り、母も気持悪がっていました。ですから、アパートを出ると言ったときは、ほっとしたくらいなんです」

田原は考えた。聞いてみると、なるほど奇妙な人物である。いかにも郊外の畑の中で殺されるにふさわしい男のように思われる。

しかし、もっと何か分らないか。

「その、沼田という人はですな」

田原は訊《たず》ねた。

「あまり話もしないということですが、その一カ月半の間、まるきり口を利《き》かなかったわけではないでしょう。どんなことを話したか、思い出しませんか？」

「それは顔を合わした時は、挨拶《あいさつ》ぐらいはしていました。その口の利き方で思い出したんですが、ひどく丁寧なときがあるかと思うと、とても、ぞんざいな、横柄《おうへい》そうなときもありました。何か統一がとれていない感じでしたわ」

それも、彼の暗い感じにふさわしい、と須永とも子は言っているようだった。

「すると、全然、職業の見当はつかなかった訳ですね？」

田原が最後に確かめるように質問すると、須永とも子は、どういうものか、ちょっと黙った。彼女は、何か考えるように目を別のところに据えていたが、

「たった一度だけ、それらしいことを洩《も》らしたことがあります」

と田原の顔を見て言った。

「ほう。それはどういうことですか?」

「母をつかまえて、おばさん、あんたの方も税金がたいへんでしょうね、と言ったのです。母が、こんなちっぽけなアパートでも、税金がかかり過ぎて、払うのに苦労します、とこぼしたところ、沼田さんは、税金ならぼくが何んとかして上げますよ、あまり困るようだったら言って下さい、とにやりと笑ったそうです」

「税金の方を何んとかしてやる、と言ったのですか?」

「そうなんです。母は、そのときは、お世辞くらいに聞き流していたのですが、あとで、あの人は税務署に知り合いがあるのかもしれないね、もし、そうだったら、頼んでみようか、と真顔でわたしに言ったくらいです。そのうち、税金の月にならないうちに沼田さんはアパートを出て行ったので、それきりになりましたが」

「ふうむ」

田原はまた考え込んだ。それだけでは、沼田嘉太郎の職業を推定することはできない。税務署に知人や友人があることのみでは、データにならないのである。

「あの、これは、わたしの想像ですが……」

須永とも子は、少し声を落して言いかけた。田原は彼女の顔に目を戻した。

「沼田さんは、もと税務署につとめたことがあるんじゃないでしょうか?」

田原が、あっと思った。それは自然な推測だった。

「あ、なるほど。それで、税金の方は何んとかしてあげる、と言ったのかな」

「どうも、そんな気がしますわ。沼田さんのものの言い方を考えると、そうだという考えが起きます」

田原は須永とも子がさっき話した、沼田さんのものの言い方は、時に丁寧だったり、時に横柄そうだった、という言葉を思い返して、思わず微笑した。

「そうかもしれませんね。が、とにかく、あなたのアパートにいたときは、何も仕事らしいものはしていなかったのですね？」

「そうです。それは、全く得体《えたい》が摑《つか》めませんでしたわ」

「いや、どうも有難う」

田原は手帳を納《しま》い、礼を言った。

「ところで、あなたは、このことを警察に申し出るつもりはないのですか？」

「いいえ、それは先刻も言った通り、警察には言いたくはありません、かかり合いが厭《いや》だからではなく、一年前にちょっとの間しか居なかった人ですもの。死人の顔を実検させられたりするのが嫌《いや》なんです」

須永とも子の言う気持は、田原には分る気がした。沼田嘉太郎は、あまり好ましくない止宿人だった。新聞を見て、心当りとして知らせるだけは知らせるが、警察に喚《よ》ばれて、死体を見せられたり、聴取書をとられたりするのは気がすすまないのだ。だから新聞社を択《えら》んだ、という訳であろう。

「お願いがあるんですが」

と田原は、須永とも子に言った。

「このことは、どうか、うちの新聞社だけにして下さい。その代り、あなたのお名前は絶対に出さないで、一生懸命にこの事件の調査をしますから」

田原は、気がついたように、ワイシャツの胸のポケットから名刺を出した。

「ぼくは、こういう名前です」

須永とも子は、それを手にとって眺めていたが、

「もし、ほかの新聞社が知らないとしたら、田原さんの特ダネになりそうなんですか?」

と初めて微笑した。田原は、おや、と思って彼女の顔を見返した。

田原典太は、社に帰ると、急いで須永とも子の話を次長《デスク》に言った。

「面白そうやな。やろう」

背の低い、小肥《こぶと》りの次長は、身体《からだ》を揺り動かして賛成した。

すぐに、電話で武蔵境殺人事件の捜査本部を担当している記者を呼び出した。

「おい、新聞を見て、捜査本部に被害者心当りの紹介が来ているか？」

それは未《ま》だ無い、という返辞らしかった。

「よしゃ」

次長は一段と張り切った顔をした。

「テンちゃん。ええ駆け込みがあったな。他社はまだ知らんやろ。ところで、沼田嘉太郎という名前と、税務署につとめていたらしい、ということだけは分ったが、どこの税務署か分らんのには弱ったな」

「東京都の税務署の名簿を片端から見て行くのですよ。一年前にアパートに彼が居たときは、もう辞めていたんだから、その時期より以前を調べたらいいですよ」

田原は言った。

「うん。まあ、そんなところやが、ちと厄介やな。第一、そんな名簿がうちの調査部にあるかいなア」

次長は顔をしかめた。

「無かったら、社の計理士のところへ泣き込みましょう」

「そうか、なるほど。そりゃ、ええ知恵や」

調査部には無いという返辞だった。百科事典式に参考書は揃《そろ》っているが、税務署の名簿は無いらしい。

「よしゃ。そんなら、計理士さんところへ走って来いや」

次長は命じた。

田原典太は、会計に寄って計理士の名前と住所を聞き、車を走らせた。それは青山だった。

「妙なものをお調べになりますな」

半分頭髪の白い、社の嘱託計理士は、田原の用事をきいて、笑いながら書棚から本を出してくれた。

「これですよ」

本の表紙には「東京国税局管内税務署職員録」としてある。

「今年のぶんではなく、去年から二、三年前に遡《さかのぼ》った年度のを拝借したいのですが」

「はいはい。じゃ、これを見て下さい」

四、五冊をかためて出してくれた。

「一体、全部の税務署員は、何人ぐらい居るんですか?」

田原は訊いた。

「そうですな。都内で三十一署ほどあって、みんなで五千人ぐらいじゃないですか」

「五千人？」

大そうな数である。これを一々、当ってゆくのは大へんだ。二冊調べて一万人、三冊で一万五千人、田原典太は、考えただけでもうんざりした。

しかし、ここでへこたれても仕方がないので、空いている机を貸してもらって頑張ることにした。計理士の奥さんが、茶と菓子とを運んでくれた。

まず、去年の分からとりかかった。三十一の税務署を、署長以下、頭から活字を調べて行く。「沼田、沼田」と田原は口の中で呟《つぶや》きながら頁《ページ》を繰った。見落しは無いかと、同じところを二度見てゆくので、はかがゆかなかった。一時間以上は、たっぷりとかかった。最後の頁が終っても、遂《つい》に沼田嘉太郎という名前は発見できなかった。

田原典太は、一服喫《す》い、一昨年の名簿を開いた。

「沼田、沼田」

と呟く。視覚と、自分の声とが活字を捜してゆく。

ところが、今度は、その名簿の半分まで来たときに、捜している活字が目にとび込んで来たのだ。

「沼田嘉太郎」

たしかに有った。一ぱいに詰まった活字の間だが、間違いなく、その五つの文字は存在していた。

「有難い」

思わず声を出したくらいだ。

P税務署の中である。沼田嘉太郎は法人税課に所属していた。

田原は手帳に、正確な文字で書きうつした。二時間近くもかかって発見したのだ。ふだんは乱暴な文字を書く男だったが、このときだけは、几帳面《きちようめん》な字画で書いたものである。

名簿は八月一日現在になっている。去年の分には彼の名前が無かった。改めてP署を繰ってみたが、やはり無いのである。すると沼田嘉太郎が退職したのは、一昨年の八月以後である。去年の八月一日現在では、すでに名前が消失しているのだ。

田原は考えた。

沼田嘉太郎が須永とも子のアパートに現われたのは、去年の今ごろだったという。すると、彼の退職は、おそらく、その二、三カ月以前というところではなかろうか。つまり、去年の一月か二月ごろの退職者だったら、当然、八月一日現在の名簿には名前が無いのだ。

「判《わか》りましたかな？」

計理士が書斎から出て来てのぞいた。

「判りました。どうも有難う存じました」

田原は礼を述べて、その家を出た。

「どこへ行きます？」

運転手が訊き返した。

「P税務署へ」

田原典太は、座席に凭《もた》れかかり、煙草《たばこ》を味わった。

4

P税務署は繁華街から、ちょっと外《そ》れたところにある。表にはオート三輪車や自転車がならんでいた。

玄関を入るとカウンターを隔てて、署内の事務室が一目で見渡せた。いくつもの列で机がならび、署員が執務している。離れたところに坐《すわ》っている課長、列の正面に居る係長、どこの税務署も同じような風景である。

すぐ手近かなところに居る若い署員に、田原は名刺を出した。

「法人税課の課長さんにお目にかかり度いのですが」

若い男は、名刺を検閲するように眺め、ちょっとお待ち下さい、と奥へ歩いて行った。

正面に課長が居る。四十くらいの細い男だ。口髭《くちひげ》が生えている。客が横の椅子《いす》に坐っていて話していたが、田原の名刺をのぞき込み、遠いところからちらりとこっちを向いた。名刺の主の顔を一瞥《いちべつ》したのだ。

うなずいたから、通してくれと言ったのだろう。名刺を取り次いだ男が戻ってくる。

田原が待っているカウンターの隣では、老人がくどくどと何か愬《うった》えている。その前に立っている髪をきれいに分けた若い係員が、

「おじさん、そりゃ駄目だよ。この税金は払わなきゃいけないよ」

と、銜《くわ》え煙草で仁王立ちになっていた。老人は何度も頭を下げて頼み込んでいる。

田原は、須永とも子が言った沼田嘉太郎の口の利《き》き方が、ときに横柄《おうへい》だったという言葉を思い出した。

「どうぞ」

名刺をとり次いだ若い男が、丁寧に言った。

痩《や》せた法人税課長は、田原を迎えた。客はいつの間にか去って、椅子が空いている。

課長は中腰になり、口髭の生えた唇《くちびる》にかすかな笑いを泛《う》かべていた。

「どういう御用件でしょうか?」

と目もとに皺《しわ》を寄せた。

「前に、この税務署に居た、沼田嘉太郎さんという人のことで伺ったんですが」

田原は手帳を出した。

「ははあ」

愛想のよかった法人税課長の表情が、さっと変った。明らかに当惑の顔つきだった。

黙って、机の上にある茶をのんだ。茶は呑《の》み残りで冷えている筈《はず》だった。

「その沼田君がどうかしましたか?」

課長の咽喉《のど》が、ごくりと動いた。茶をのんだのか、唾《つば》をのみ込んだのか分らない。

田原は、殺されたとは言わなかった。新聞で武蔵境の殺人事件の記事を相手は見て
いる筈である。その反応が見えるまで、黙っていようと思った。

「ちょっと沼田さんの事情を知りたいことが起ったのです」

課長は、田原から目を逸《そ》らした。

「それで、お伺いしたいのは、沼田さんがこの税務署を辞めた事情ですが……」

ここまで切り出したとき、課長は、あきらかに、厭《いや》な顔をした。田原は、その表情を見詰めながら、構わずにつづけた。

「その退職の事情ですがね。円満に辞めたのですか、それとも何かの事故があって退職したのですか？」

法人税課長は、今度は抽出《ひきだ》しを開け、何となく書類の端をいじっている。

「それはですな」

課長は横を向いたままで言った。

「わたしの着任以前のことでしてな。よく分りませんよ」

「なるほど」

田原典太はうなずいた。課長は着任以前のことだというが、事情を承知していることはその困ったような表情を見ても分るのだ。

「すると、ほかの係長さんに訊いてみても分りませんか？」

「そりゃ、分らんでしょう。係長もわたしと同じように変ったんですからな」

課長は言った。

「大体、近ごろは同じ税務署には二年以上、置かないことになっていますよ。署長なども あれから二人も変っていますからな」

田原は一応困ってみせた。無論、それで引き退《さが》るつもりはない。

「どなたか、沼田さんの退職の事情というのを知った方は居られませんか?」

「さあ」

課長は、気乗りしない顔をした。

「社としては、ぜひ、知りたいんですが」

田原は押したが、課長はまだ愚図愚図している。が、それでも、仕方なさそうに係長の名を呼んだ。

係長が椅子を回して起《た》ってくる。堂々とした体躯《たいく》の男で、課長よりは恰幅《かっぷく》が立派であった。

法人税課長が、田原の言ったことを手短かに話した。その声には抑揚が無かった。

係長は話を聴いて、やはり顔をしかめた。

「そのことは」

係長は、田原の方を向いて言った。

「当時の幹部が全部変っているので分りませんが、無論、円満退職だと思います。それ以外には考えられませんからな」

「そうですか」

嘘《うそ》だ、と田原は思った。言葉と、その表情とは違っている。何かあったのだ。沼田嘉太郎の退職は円満ではなかった。暗い事情があったのだ。課長も、係長も、着任前のことだが、その事情を知っている筈である。彼らの表情が、それを告白している。しかし、これだけでも、収穫があった、と田原は思った。彼らが言いたくない事情は、こっちで調べれば分ると考えた。

「分りました。どうも、お邪魔をいたしました」

田原典太は、おじぎをして起ち上がった。

「そうですか。どうも」

課長が、ほっとした顔になった。

課長も係長も、武蔵境で殺されたのが沼田嘉太郎とは気づいていないらしい。いや、この税務署員全部が知っていないような空気だ。田原は、ふと、自分の方が間違っているような気になった。須永とも子の言ったことも彼女の直感だけなのだ。

田原は事務室の中を歩いて玄関に向かった。カウンターでは、さっきの老人が、横柄な若い係員に、愛想笑いをつくりながら、まだ頭を下げつづけている。

田原が、うつむきながら自動車の方へ歩いていると、

「もしもし」

と低い声で呼ぶ者がいた。

田原が後を振向くと、二十四、五歳ぐらいの若い男が、Yシャツだけの姿で彼を見つめて立っていた。

「ぼくですか?」

田原は訊いた。若い男の顔は汗ばみ、目が光っている。

「ハア、あなた新聞社の方ですか?」

若い男は一歩前に進んで、さらに低い声で訊いた。

「そうです」

田原典太は、その男の顔を見つめた。少しやせぎすで色が青い。しかし、何かを熱心に言い出そうとする目つきであった。

「あなたは、沼田嘉太郎さんのことを聞きにおいでになったのですね?」

田原典太はちょっと迷ったが、

「そうです」

と答えた。すると青年は、田原の顔の近くまで来て、もっとも小さい声で言うのである。

「沼田さんのことなら私がいちばんよく知っていますよ」

「え」

田原典太は青年の顔を凝視した。

「沼田さんは不幸なお方でした」

青年はさらに近づいてささやいた。

「不幸な意味というのをあなたが知りたかったら、ここの役所は五時でひけますから、六時にどこかでお目にかかってもいいんです」

田原典太は、この相手が、この税務署の若い署員であり、そして何かを彼に聴かせたがっているのを知った。

「結構です。どこにします?」

「Sデパート裏にピレネーという喫茶店がありますが……」

「知っています」

田原は答えた。

「そこで六時にお待ちしています。二階の隅のほうがいいでしょう」

そう言うと青年は、あたりをはばかるように、左右を見回し、建物の横に逃げるように去った。

車に乗ってから田原典太は、これは思わぬネタが拾えると思った。沼田嘉太郎の辞職には暗い影がある。現在の法人税課長も、係長も、ポストが新しいので何も知らない、とは言っているが、必ず彼らは沼田嘉太郎のことを知っている。あの表情ではそれがはっきりわかるのだ。彼については、発表したくないことがあるに違いない。あの青年は、見たところ役所に入って経験も浅いらしい、それだけにまだ悪ずれが無いのだ。青年の話は、必ず心からの呼びかけに違いない。新聞記者としての自分にそれを訴えようとしているのだ。田原典太は胸がふくれた。

社に帰って、編集長にも、デスクにもこのことは報告しなかった。ひとつは、その結果がどのようなものかわからないし、ひとつは、材料によっては、自分がひとりで思うように突っこみたかったのだ。

六時かっきり、田原は、指定の場所のピレネーに行った。二階に上がると、隅の卓にうつむいて新聞を読んでいる青年を見た。

田原典太は、その男の前に立った。

「お待たせいたしました」

青年は顔を上げた。昼間見たままの顔だ。

「きょうはありがとうございました。あなたのお話を聴こうと思って、僕は楽しみにして来たんですよ」

「どうも……」

青年は、ちょっとてれくさそうに頭を掻《か》いた。まだ、少年のような感じがどこかある。

「沼田嘉太郎さんのことで、僕にどういうことを話して下さるというのですか？」

田原典太は、できるだけやさしい目をして、おだやかな声を出した。

青年は、あたりを窺《うかが》うように左右に目を走らせたが、思い切ったように、少し体を前に乗出した。

「あなたが、課長に沼田さんのことを訊《き》いておられたのを、僕はちょっと耳にしたのです」

青年は話しはじめた。

「ぼくは自分の机に坐って、それとなく耳を立てていたのですよ。課長は、沼田さんが辞めたことについて、あなたに何も話しませんでしたね。いや、かくして話そうとしなかったのですよ。あ、忘れましたけれども、ぼく、梶野《かじの》というものです。名刺はご勘弁下さい。ただあの税務署の若い職員とだけおぼえて下さい」

「結構です。僕はR新聞社会部の田原典太と言います」

「で、ぼくがお話する前にちょっと伺いたいのですが、沼田さんに何か悪いことでも起ったのですか？」

青年は、じっと田原の顔を見つめた。

この若い税務署員も、武蔵境の殺人事件の被害者が沼田嘉太郎とは気づいていないのだ。

田原は、この好青年にそれを告げていいかどうか、ちょっと心で迷った。が、それは秘密にすることにした。

「いや、別に悪いことが起ったわけではないのですが」

田原はさりげなく言った。

「ただ、新聞社として或《あ》る事情から、沼田嘉太郎さんの退職理由を知りたいことが起ったのです」

これだけ言うと、青年は大きくうなずいた。

「わかりました。だいたいそれで見当がつきました」

田原典太は目を瞠《みは》った。いったいどのような見当がついたというのか。

しかし、そのような田原の表情には関係なく、青年はすこし目を伏せて話し出した。

「沼田嘉太郎さんはとてもいい人でした。ぼくは税務署に入って、まだ五、六年ですけれども、入ったときから、沼田さんに仕事をおぼえさせてもらいました。沼田さんは、実によく税務の仕事に詳しく、ぼくなんかにも親切に、何でもよく教えてくれました。先輩の中には意地の悪い人があって、容易に自分の仕事を全部さらけ出して教えるということはしないものですが、沼田さんは、ちっともそういうことがありませんでした」

青年はここまで言うと、あとは、声に興奮の調子が出てきた。

「あなたは竹川商事の事件を御承知でしょう?」

「知っています」

田原は答えた。

竹川商事というのは、誇大な宣伝をもって零細な出資を一般の庶民から集め、戦後メキメキと大きくなった相互銀行まがいの金融会社である。この会社は、一年前に遂《つい》に馬脚を現わして倒産したのであるが、そのことは、新聞に大きく当時報じられたものである。

青年はうなずいた。

「当時、倒産の騒ぎであまり新聞に出なかったのですが、竹川商事には大きな脱税があったのです。しかもその脱税は、所轄《しょかつ》になっているぼくの勤めている税務署の高級職員が、暗黙のうちに見逃していたのです。こう言うともうおわかりでしょうけれども、竹川商事とうちの職員の間には特別な関係があったのですよ」

青年の話は、どもり勝ちだが、熱がこもっていた。

「竹川商事がいよいよいけなくなって、その脱税も明るみに出ようとしたとき、うちの職員の狼狽《ろうばい》といったものは見ておられないくらいでした。ところが、そのすべての責任を沼田さんが引受けてしまったのです。いや、引受けたというよりも、いつの間にか沼田嘉太郎さんの責任になってしまう工作が行われたといっていいでしょう。人のいい沼田さんは、これも役所の名誉のためだ、とか、上司に迷惑を及ぼさないためとかいう周囲のいろいろな義理人情ずくめのおだてに乗せられ、半分は自分でもあきらめて辞表を出してしまいました。そのため、沼田さんは依願退職となりました。ところがです……」

青年は少し激しく言った。

「退職した沼田さんが、役所に私物を取りに行ったところ、それまで沼田さんを別室に呼んではちやほや言っていた上司は、言葉ひとつかけずに、つと席を立って部屋を出て行きました。それも一人や二人の係長ではないのです。沼田さんがお別れの挨拶《あいさつ》をしようと思っても、その言葉を聞くのさえ、なにか罪のかかり合いになるのではないかとでもいうようなおそれで逃げて了《しま》ったのです。いや、上司だけではありません、ほかの同僚も、言葉をかけるどころか、上の者に見習って、一人二人と席を立ち、いつの間にか法人税課の連中は全部いなくなってしまったのです。沼田さんは気の毒に、一人さびしく机の中から私物を取出し、抽出しの中をきちんと整理をして帰って行きましたが、その寂しそうな後姿は、ぼくはいまでも忘れません。昨夜まで一緒に飲んだり遊んだりした仲間でも、自分が沼田さんとそのような関係にあると見られはしないか、という思惑でみんな逃げ出したわけです。ぼくは、あまりに気の毒なので、署の玄関を出て行く沼田さんを追っかけ、沼田さん、大変でしたね、ぼくがもう少し力があったら、あなたのために及ばずながら努力するところでしたが、どうもまだ若くて無力なので申訳ありません、とあやまりました。沼田さんは、ぼくをじっと見て、目に涙を浮かべ、いいよいいよ、君しっかり仕事をおぼえて、真面目《まじめ》に働いて、自分みたいなつまらない目に会わないように気をつけるんだね、と半分は自分をあざ笑うように、とぼとぼと道を歩いていきました。それきりです。ぼくは沼田さんを再び見ることができませんでした」

青年は目にうすい涙を浮かべていたが、それをごまかすように、あわててコーヒーを飲んだ。

「なるほど、沼田さんという方は気の毒な人ですね」

田原典太は、煙草《たばこ》の灰を落し、腕を組んだ。なにか身につまされたような気がした。

「そうなんです。沼田さんのような善人ですから、そういう落し穴に落ちるんです。腐った税務署は、たった一人が正義ぶってもだめなんです。いやそういう気持は持っていても、縦の線、横の線で縛られ、同僚のやっていることにいつの間にか同調せざるを得ない仕組になっているのです。ここでは、気の強い、横着な、はったりをきかせる男が勝ちで、気の弱い、始終おどおどして、自分の正義感に打ちひしがれているような男はだめなんです。そういう男は、いつの間にか同僚から排斥され、出世がとまってしまうのです」

青年は思わず高くなりかけた声を、また小さくした。

「それでも、沼田さんを気の毒がっているほかの課の連中は、課長に、餞別《せんべつ》として一人百円ずつぐらい沼田さんに出し合ったらどうでしょう、という意見を言いに行ったものがありました。すると課長は、『そんなことしたら、みなが沼田と同じように、現在でもやっていると証拠立てるようなものだ、みんな知らぬ顔をしていることだ、運の悪い奴《やつ》がひっかかったんだろうから』とうそぶいたものです。運の悪い奴、そうです、沼田さんはほんとうに運の悪い人ですよ、そういう意味ではね」

「なるほど、そうかもしれませんね」

田原典太はうなずいた。

「いや、お話はよくわかりました。ところで、沼田さんが居たころの法人税課の課長さんは、どこかの署に転出しているそうですね？」

「ええ、転出しています」

「その課長の名前は何というんです？　いまどこの税務署に居るのですか？」

青年は答えた。

「ぼくも税務署で飯を食っている一人です。そのときの上司のやりかたがどんなに腹が立っても、その人を悪く言うために名前を出すわけにはいきません」

「わかりました」

田原典太は微笑した。梶野という青年は、純真ないい若者なのだ。田原はつくづくと青年の蒼《あお》い額を見て思った。

「ところで田原さん」

青年はふいと顔を上げた。

「ぼく、沼田さんのことが気になってしかたがないのです。あれきり会わないということも心配のひとつですが、沼田さんについて、いろいろ悪い噂《うわさ》を聞くのです」

「悪い噂……」

田原は目を光らせた。

「どういうことですか?」

「いや、その後、これは悪口かもわかりませんが、沼田さんがおちぶれて日雇になっているとか、大道で物を売っていたとか、郷里に帰ったとか、そういうことを聞きました。ぼくは一度も会っていないのでよくわかりませんが、もしも沼田さんがそのように落魄《らくはく》したら、自分の力で、いやぼくの少ない俸給の一部でもさいて補助してあげたかったくらいなんです。ぼくが現在の仕事を一人前にやれるようになったのも、ほとんど沼田さんのおかげなんです。田原さん、あなたが税務署に沼田さんのことをお尋ねに見えたのは、その沼田さんに悪い結果があったのではないでしょうか」

田原は、青年の懼《おそ》れていることがよくわかった。この青年は、沼田嘉太郎が、悪事でもして刑務所に入ったか、警察につかまったか、そういうことを心配しているのであろう。

「いや、そういうことは絶対にないですよ」

田原典太は、青年を安心させるように言った。

「ただ僕の立場からは、これは新聞社にもいろいろ取材上の秘密があり、せっかくいろいろいいお話を教えてもらったのですが、僕の口からは言えないのです。ただ、あなたが御心配になるようなそういう事態は、沼田嘉太郎さんにはないことだけは断言しておきます」

そう言いながらも、田原典太は、果してそうであろうかと思った。

5

田原典太は社にかえった。

照明があかあかとついている編集室に入ると、次長の赤星が一心に原稿に朱筆を入れていた。

「赤星さん」

田原典太は呼び掛けた。

「おう」

返事だけして、赤星は朱筆を動かすのを止めない。田原は、赤星の耳に口を寄せて、

「例の、武蔵境の殺人のことですがね」

「うん」

赤星は黙って筆を動かす。

「ちょっと面白いことになりそうですよ」

「そうか」

赤星は、灰皿からのみかけの短い煙草《たばこ》を取って口にくわえた。

「ここではちょっと言いにくいんですが、十分ばかりこっちに来てくれませんか」

「よっしゃ」

赤星は椅子《いす》を乱暴に引くと朱筆を投げ出した。

編集室の隣には、来客用の小さな応接間がいくつもある。田原典太は、その一つに赤星を連れこんだ。

「なんや、いったい、おれをこんなところまで引っ張り出して……」

赤星は短い煙草を口にくわえ、ニヤニヤしながら、それでも股《また》をひろげて椅子に掛けた。

「実は、例の沼田嘉太郎ですが、名簿を繰って、P税務署の法人税課にいたことがわかりましたよ」

「フーン」

赤星は、天井を向き知らぬ顔をしている。

「ところがです、彼はちょうど去年のいまごろにP税務署を辞めたんです、いや辞めさせられたのですが、それは、例の竹川商事の脱税にかかっているんです」

「なんやと？」

赤星は顔をこちらに向け、短いくわえ煙草を灰皿に投げた。

それはデスクの赤星が、にわかに強い興味を起した証拠である。

田原典太は、沼田について一切を話した。赤星は、ふん、ふん、と鼻で息をもらして聴いていた。赤星が鼻で息を洩《も》らしはじめると、彼の熱心さが上昇した証拠である。

「それはおもろい」

故郷の関西弁で興奮して言った。

「テンちゃん、これうちで是非やろう。君、もういっぺん計理士さんのところに走って行ってな、二年前の名簿と今年分の名簿と比べて、当時のＰ税務署にいた法人税課の課長の名前、係長の名前、そいつらが現在どこの署に転属になっているかを調べてくれるやろな？」

「わかりました。しかしそれだけでいいでしょうか」

田原典太は車の中で考えた一つの計画があった。

「それだけでええかとは何んや？」

「つまりですね、この事件については、警察は捜査内容をあまり発表していないのです」

彼は膝《ひざ》をすすめた。

「ぼくの勘では、捜査本部は被害者の身元をまだ知っていませんよ。そこで僕は、被害者の身元を教えるかわりに、交換条件として、警察の現在の捜査状況を出させるつもりです」

赤星は鼻孔をひろげ、腕を組んで天井を見つめた。

「よっしゃ」

と彼は突然大きな声で言った。

「ええやろな、その手が早道かもしれん、デカのやつにいろいろカマをかけたところで、泥を吐かんし、そういう交換条件を持って行ったら、他社にも洩らさん捜査上の秘密を言うかもしれんなテンちゃん、それでいこう」

次長は話はすんだと言わんばかりに、もう椅子から忙しそうに起ち上がった。

「ちょっと赤星さん」

田原典太はあわてて止めた。

「被害者が沼田嘉太郎かどうか、まだはっきり判《わか》りません。それには裏づけを取る必要があります。沼田の現住所は九州の大分県中津という所です。中津支局にこれから電話をして、留守宅に問い合せるよう連絡してくれませんか?」

「そやな。ほんなら、その住所を見せてえな」

田原典太が手帳に控えた須永とも子から聞いた住所をメモして渡すと、赤星はそれを持って忙しそうに出て行った。

田原典太は、また車を走らせて、計理士のところに行った。

もう日は暮れて、計理士の家の玄関には灯が明るく見えた。

「また何かお調べですか」

社の嘱託計理士は、またやって来た田原をニヤニヤ笑って見た。

計理士は田原の頼みをきくと、書棚から、東京国税局管内税務署職員録を出した。

田原は昼に繰ったことがあるので、こんどは目的の頁を捜し出すのは容易だった。つまり、沼田嘉太郎が一昨年居た税務署の法人税課長と、係長との名前を見ればよいのである。

法人税課長は崎山亮久、係長は野吉欣平《きんぺい》である。さらに今年分の職員録を調べた。すると、崎山亮久はR税務署の法人税課長になっており、野吉欣平は同じく間税課長に栄転していた。奇《く》しくも二人とも同じ税務署なのである。ついでに、そのR署の署長の名前を見ると、尾山正宏《まさひろ》となっている。田原典太はこれも手帳に控えた。

「わかったかな」

計理士がうす笑いしながら入ってきた。

「ありがとうございました」

「一体、何だね？」

計理士は訊《き》いたが、こんどは田原典太がにやりと黙って笑う番だった。

「新聞社というのはいろいろなことを調べるものだね。税務署の職員まで調べようとは思わなかったよ」

計理士は目を細め、煙草をくわえた。

「先生……」

田原は言った。

「R税務署の尾山正宏という人は相当なベテランですか……」

「R税務署の署長……？」

計理士は、ちょっと目を宙に向けたが、

「ああ、尾山という人は君、まだ三十歳くらいの人だよ」

「えっ、そんなに若くて税務署長になれるもんですか」

「君、大蔵省の役人にはね」と計理士は言った。

「秀才コースというものがあって、この尾山という人は、東大を優秀な成績で卒業し、上級国家公務員の試験をパスし、本省筋の有力なヒキによって、将来の出世が約束されている人なんだ。いわば幹部候補生になる人は、実地の見習として、一応出先の機関を実習で回ることになっている。つまり、尾山という人が、R署の税務署長になったのは、いわばそういう出世のコースの一つの宿場なんだ。ここで一年ぐらいじっとしておれば、すぐに本省に呼び返されて、お望みしだいにエスカレーターに乗ってだんだんポストが上がっていく、という仕組になっているんだ」

「なるほど」

田原典太はうなずいた。税務署の署長というのは、長い間、各署を歴任して、やっと四十歳を越えてなるものだと思っていたものだが、これは田原典太の認識不足であり、このような署長もあるものだな、と思った。

「その尾山君がどうしたのかね?」

計理士は椅子にくつろぎながら訊いた。

「いや、尾山さんには問題はないのです。実はその下にいるのがちょっと問題の人物なんですが……」

田原典太は言いかかったが、これ以上口を滑《すべ》らしてはあぶないと思ったので、

「まあ、世の中にはいろいろな人がいるもんですね」

と言ってごまかしておいた。

田原典太は銀座の飲み屋でしばらく時間を潰《つぶ》して時計を見た。十一時を過ぎている。捜査主任の自宅は荻窪《おぎくぼ》の奥であることを調べておいた。銀座からそこまで行くのには約五十分かかる。田原典太は電話をかけて社の車を呼ぶように頼んだ。

すると、その電話にかかったのは、赤星次長だった。

「おい、典ちゃん。さっき、中津の支局が出たよ。もう返事を貰《もろ》うたぜ」

「えっ、もう、判りましたか？」

「いま、連絡の原稿を読むから、聞いときいな……沼田嘉太郎氏宅の中津市大貞××番地を訪ねると、そこは嘉太郎氏の実兄夫婦が住んでいる。実兄弥一《やいち》氏の話によると、嘉太郎氏は十カ月前に東京から帰って来たが、間もなく、ふたたび東京に行ったきり未《いま》だに消息不明だという。嘉太郎氏には妻があったが、同氏が汚職関係で刑務所に入っている間に離婚して去ったという。なお、沼田嘉太郎氏は東京のP税務署に永らく勤めていたが、この汚職事件で退職させられた、と弥一氏は話していた……こういうことやがな」

「そうですか。じゃ、もう、間違いありませんね」

「間違いなかろうな。君の見込みどおりや。しっかりやってくれ」

赤星次長は激励した。

武蔵境殺人事件の捜査本部の捜査主任は、警視庁捜査一課の三木警部だった。田原典太はよく仕事のことで、この人と会って顔なじみだ。

警部の自宅に行くと、

「よう何だね？」

と当人が不機嫌な顔をして玄関に出てきた。

「いや、主任さん、境の殺しの件ですが」

と、田原が半分まで言いかけると、

「駄目駄目、まだなんにもわかっていないよ」

と、警部は剣もほろろだった。

「いや、みんな聞いてください、実は今晩は吉報を主任さんに持ってきたんですよ」

「君らの吉報なんかあてになるものか」

主任はふところ手をして相手にしなかった。

「そんなことを言って、俺《おれ》にカマをかけたって駄目だよ。ホシはぜんぜん見当つかないし、くさっているところなんだ」

「いやいや、くさっているなら、僕が慰めますよ」

田原は言った。

「ともかく十分間だけ僕の話を聞いてください」

主任は舌打ちした。

「しようがないな、じゃ上がれよ」

通されたところは四畳半の茶の間である。奥さんは台所になにかごとごと音をさしていたが、やがてウイスキーを水割りにして二つ持ってきた。

「どうも夜分にうかがって恐縮です」

田原は奥さんにあやまった。

「いいえ、なにもございませんが……」

主任は多少機嫌をなおしてきたようだった。

「まあ飲みたまえ」

「いただきます」

田原は水割りを飲んで、

「主任さん……」

と切り出した。

「今日は主任さんに、ひとついい話を持ってきたんです」

「ふうん」

あまり気乗りのしない返事をして頰杖《ほおづえ》をついてコップを持ち、

「なんだね」

と、眠たそうにまぶたを開いて言った。

「実はですね、武蔵境の被害者の身もとがわかったのです」

「えッ……」

主任は眠そうな目を一ぺんに見開いた。

「君、それ本当かい？」

「嘘《うそ》は言いませんよ」

田原は落着いて、煙草を取り出し火をつけた。その動作を三木主任はじっと見つめている。本当か嘘か判断をしているように見えた。

「これはですな」

田原は言った。

「うちの社だけが知っているのです」

「どうして君の社だけが知っているのだ」

「駆け込みがあったんですよ」

「へえ、君のところにかい？」

主任は瞬間にそれが真実だと悟ったらしくうらやましそうな目つきをした。

「どういうのだね、いったい？」

と、急にやさしい声を出した。

「駄目ですよ、そんなネコなで声を出しても」

田原は笑って言った。

「ここまで来たのですから、もちろん主任さんにはぶちまけるつもりで来たんです」

「そりゃそうだろう、まあ飲みたまえ」

主任はコップを指さした。

「頂戴《ちょうだい》していますよ。急に愛想がよくなったものですね？」

「うん、まあね。ともかくネタをもらおうと思えば、君も僕も同じように相手の機嫌をとらなければならないからな」

「よくわかります」

田原は言った。

「そのネタを交互に交換するということで、ひとつ妥協しませんか」

「妥協というと……」

「つまりですね、僕のほうは被害者の身もとを知っています。ところが、捜査本部はそれを知っていない。そのかわり捜査がどのようなところにきているかは、われわれは知っていません。つまり僕らは捜査状況を正直に教えてもらい、その代り、僕は被害者の身元をあなたに教えようということなんですよ」

　田原典太は煙草をふかした。

「うん」

　主任の目は一瞬迷ったようだった。それは田原典太の持ってきた交換条件を考えているようであった。しかし主任は、田原がヤマやハッタリを言っているのではないことはわかっているらしかった。

　田原典太はさりげない様子でのんびりと壁の方を見つめていると、主任は負けた。

「よかろう」

　と、ぽつんと言った。

「じゃ、この交換条件を呑《の》んでくれるんですね？」

「呑むよ」

　と主任は言い、前のコップの水割りを飲んだ。

「それでは」

田原典太は主任に目を向けた。

「僕のほうから申します。被害者は……」

と言いかけると、主任はあわてて洋服掛にかけてある洋服のポケットから、手帳と鉛筆を持ってきた。奥さんが酒の肴《さかな》に、なにか干物を持って来ようとすると、

「おい、いまちょっと入るな」

と襖《ふすま》越しに叱《しか》った。

「さあ、言ってくれ」

主任は鉛筆とメモをかまえた。

「被害者は沼田嘉太郎」

「沼田嘉太郎」

一字一句、口でつぶやきながら正確に主任は書いた。

「元東京都のP税務署の法人税課員です」

「なに、税務署の役人か？」

主任はそのとおりに書いた。

「故郷は推定によると……」

主任は遮《さえぎ》った。

「推定なんていい加減なことを言うな」

「いや、これはまだはっきりと調べたのではないのでよくわかりません。しかし大体、まちがいないと思います」

「うん、まあ、いいや」

「九州の大分県中津市です」

主任はそのとおりに書いた。

「沼田嘉太郎は一年前にそのP税務署を辞めています」

「なるほど」

主任はそれも書いた。

「これだけですよ、主任さん」

「なんだ」

主任はメモを持ったまま言った。

「君、まだほかにいろんなことを知っているんではないか?」

容疑者を調べるように一瞬鋭い目つきになった。

「違いますよ、主任さん。実際にこれだけしかぼくの社にはわかっていないのですから。これだけでもウチが知っている特ダネですよ」

「うん」

主任はメモの上を鉛筆で細かく叩いた。

「そうだろうな、俺たちが知らないのだから。これは信用してもいいだろう」

「絶対大丈夫ですよ」

「よしよし、まあそれだけ聞かしてくれてもありがたい」

主任はそれ以上に田原から出ないことを知り、メモを改めて見つめながらそれでも満足したようだった。

「さあ、今度は主任さん、あなたの番ですよ」

「よし」

主任は手帳を丁寧にポケットのなかに入れた。

「君、飲もう」

「飲もうじゃないですよ、早く教えてください」

「まあそう急《せ》くな」

主任は目の前の飴《あめ》色の水割りを電気の下にかざした。

「君、その嘉太郎という男はね、この水割りを二はい飲んで、一軒のバーに連日、四時間ねばった男なんだよ」

「えっ、何ですって？」

田原典太は首を伸ばした。

「こういうことなんだ」

捜査主任は話し出した。

6

翌《あく》る晩、田原典太と、同僚の時枝伍一《ごいち》とは、社旗を外した車に乗り、K通りの灯の明るい家の前で停めた。

大きな屋根には「春香」のネオンサインがついている。その家の筋向かいを見ると、道路側に白いカーテンをつけた窓があり、バー・リオの看板が出ていた。田原典太は、時枝伍一の肱《ひじ》を突ついて顎《あご》をしゃくった。時枝もそのほうを見て、にやりと笑った。

「春香」の玄関までの敷石を伝っていくと、広い間口に敷台があり、女中たちが二、三人坐《すわ》っていた。玄関に膝《ひざ》をついて、

「いらっしゃいませ」

と一斉に言った。

「部屋あるかい？」

田原典太が訊《き》いた。

「はあ……」

女中の一人が、二人の顔を見上げて、胡散《うさん》気《げ》に見ていたが、

「ちょっとお待ち下さいませ」

と奥に行こうとする。

「おい君、僕たちはただのフリの客ではないよ」

と彼は言った。

「紹介されて来たんだからね」

「あの、失礼ですが、どちらさまのご紹介でございましょうか？」

「それも上がったらわかるよ」

「ともかく、あまりむずかしいことを言わずに、部屋が空いていたら飲ましてくれ」

時枝伍一がもの馴《な》れた調子で横から言った。

女中頭のような肥《ふと》った女がのぞきに出たが、女中に上げるように目配せした。

「どうぞ」

女中たちはおじぎをした。

田原と時枝は、磨きこんだ廊下を歩き、広い階段を上った。階段を上がると、廊下がまたいくつも曲がっている。廊下に沿っていくつかの座敷があり、それぞれ女の声や男の声が、大声で話し合ったり、笑ったりしていた。

通されたところは奥まった部屋で、八畳ばかりの広さである。

「いらっしゃいませ」

女中三人が改めてお辞儀をする。

「おのみものは？」

「ビールがいいだろう」

「かしこまりました。お通しものは？」

「何でもいいよ」

田原と時枝は顔を見合わした。二人は同時に笑いを泛《う》かべた。使うだけの充分な金は内ポケットに入っている。社会部長の判で会計から仮払いしてきたばかりであった。

田原典太と時枝伍一とは飲みはじめた。時枝は酒好きだった。今夜は、懐《ふところ》に響かない金である。

女中は、目の大きい年増《としま》と、鼻の低い若い女とがいたが、初めて来た二人の客の職業を判じかねたような顔をしている。

「ここには、お姐《ねえ》さんがたは、なん人くらいいるのかね?」

田原は、年増の女中に盃《さかずき》をさしながら言った。

「二十人くらいです」

女中は盃にお辞儀して答えた。

「ほう、そりゃ、相当なもんだね」

田原はお世辞を言って、

「二十人もいて、この座敷に二人しか配給がないというのは随分流行《はや》ってる家らしいな」

「あら、旦那《だんな》さん、厭味《いやみ》をおっしゃっては困りますよ」

「厭味じゃないが、ちょっと寂しいな。手のあいているお姐さんがたはいないのか?」

「はいはい、おりますよ。それでは呼んで参ります」

年増女中は起《た》って部屋を出て行った。

「女中は多いほどいい、反応がよく判《わか》るからな」

田原は、酒を飲んでいる時枝に耳打ちした。時枝はうなずいた。

「お客さん、内緒話はいやですよ」

ひとりになった鼻の低い女中が嗄《しやが》れ声を出した。

「いや、失敬。別に秘密な話をしたわけではない。いまに別嬪《べつぴん》が現われそうだから愉《たの》しみだな、と言ったまでさ」

「お姐さんも美人だけどね、一人や二人じゃ寂しいからな」

時枝伍一が笑いながら急いで言った。

鼻の低い女中は苦笑していたが、

「さあ、いま、手があいているといいんですがね」

と言った。ほかの座敷からは、唄《うた》や、騒ぎ声が聞えていた。

「随分、忙しそうだね、やっぱり、聞いてきた通りだ」

田原が呟《つぶや》くのを女中は聞き咎めて、

「あら、どなたからお聞きになって、いらして頂いたんですか?」

と訊く。田原は、にやにや笑って曖昧《あいまい》な顔つきをした。それが思わせぶりに見えた。

「ごめん下さい」

襖《ふすま》を開けて、年増の女中が入ってきた。そのあとから、新しい顔が三人ばかりつづいてきた。

「やあ、来た、来た」

時枝伍一が大きな声をあげた。

女たちは、

「いらっしゃいませ」

とか、

「今晩は」

とか、口々に言って田原と時枝の前や横に坐《すわ》った。女中たちは、みんな海老茶《えびちゃ》色の前垂れをしていた。

「なるほど、美人ばかりだ。さあ。姐さんがた、先《ま》ず一ぱい受けておくれ」

田原と時枝とは、それぞれ盃を女中たちの手に持たせて注いでやった。

女中たちは、盃におじぎをして、返しながら、初めて来た客の素性を確かめるような目つきで見ていた。

「ここの料理はいけるな、よっぽど腕のいい板さんを置いているんだな?」

田原が年増の女中に言った。

「はい、大阪から呼んで来ましたので」

「道理で味がこってりしているよ。いや、料理はやはり上方《かみがた》でないと、こくがないよ」

時枝が口を合せた。

「さあ、姐さん方も飲《い》ける方だろう？　遠慮なくやってくれよ」

「はい、有難うございます」

女中たちは一斉に頭を下げた。

「酒のひとも、ビールのひともあるだろうから、両方を、どんどん持って来ておくれ」

「畏《かしこま》りました」

ひとりの女中が起って、階下《した》へ降りて行った。

「ところで、ここは面白く遊ばせる家だといったが、なるほど、気分がいい」

「そうですか」

年増女中が微笑《わら》って頭を下げ、

「どうも有難うございます。これからごひいきにお願いします」

と礼を言って、

「旦那さま方のお名刺を頂かせて下さい」

と両人の顔に目をむけた。

「名刺か」

田原典太は、ちょっと詰ったが、

「なに、それはあとで判るよ」

と笑って、盃を口に持って行った。

「桜商事の方ですか？」

ほかの女中が、指で輪をつくり、額の前にかざした。

「なんだ、桜商事というのは？」

時枝が、きょとんとした顔をした。

「いいえ、違ってたらいいんです。ごめんなさい」

田原典太は、女中が指で輪をつくり、帽子の徽章《きしょう》のようなかたちを見せたので、それはすぐに判った。警視庁は桜田門外にある。桜商事の隠語はこれだと気づいた。が、判ったという顔はしないで、

「まあ、似たり寄ったりの者かな」

と呟いた。

「へえ、そうですか」

女中が言ったので、

「判ったのか?」

と目をあげた。

「はい、およそ見当がつきました」

「何だ? 言って見ろ」

「消防署の方でしょう?」

これには時枝が吹き出して、口から酒をこぼした。

「違いましたか?」

女中は曖昧《あいまい》な微笑を浮かべて訊いた。

「違うよ」

田原は、頃合いがいいと思ったので、

「ここにサーさんがよく来るだろう?」

と何気ないように訊いた。

「サーさん?」

女中たちは顔を見合せて考えるような表情をしていた。

「サーさんとおっしゃると?」

これは幾人も心当りがあって、該当に迷うらしかった。

「サーさんと、ノーさんさ」

田原典太は、崎山亮久と野吉欣平と両方をならべた。

「サーさんと、ノーさん……？」

女中たちは、お互いに、また目を交していたが、さすがに二つの名前の一字ずつ言うと合点《がてん》したようだった。

「あっ、そいじゃア……」

と女中たちは揃《そろ》って、田原と時枝の顔を見つめた。

「そうさ、その口だよ」

田原は悠然《ゆうぜん》とした。

「それは、どうも」

お見それしましたとまでは言わなかったが、改まったようにお辞儀をした。

「そいじゃ、サーさんと同じ署の方なんですか？」

別な女中が訊く。背の高い女で、細い目が狐《きつね》のように吊《つ》り上がっていた。

「いや、同じではないがね」

田原は落ちついていった。

「署は違うのだが、この『春香』はサーさんに教えられて来たのさ」

「おや、そうでございますか。どうも」

「おい、近ごろサーさんは相変らず、これをやりに来るかね？」

時枝が、手つきで麻雀《マージャン》牌《パイ》をならべる格好をした。

「それが、近ごろ、ずっとお見えになりませんのよ」

女中は答えた。

「嘘吐《つ》け」

「あら、嘘なもんですか。隠しても仕様がありませんもの」

女中は、田原と時枝とを、すっかり税務署員と思いこんでしまった様子である。

「ノーさんはどうだい？」

「ノーさんも同じですわ。いつも、お連《つ》れで見えていましたもの」

「すると、あと二人の旦那衆はどうだね？」

「あのお二方も同じことです。もともとサーさんと、ノーさんについて、一しょにお見えになってたんじゃありませんか」

女中はすらすらと言った。田原典太は、心の中で、自分の快調な足音を聴いた。

新しいビールと酒が来て、女中たちも互いに勝手に飲みはじめたので、座が前よりは浮き立った。

ここで、麻雀の相手をした旦那衆のことを訊《き》きたいのだが、性急に言い出しては失敗しそうなので、あと回しにして、

「サーさんとノーさんが急に来なくなったというのは、どういう訳だろうな。おれたちには、この家《うち》がいいと推薦したくせに。……どこか、こっそり新しい河岸《かし》を見つけたのかな」

と首を傾けた。

「そうかもしれませんね。サーさんも、ノーさんも、よその署にお変りになったそうじゃありませんか？」

田原はうなずいた。

「そうなんだ。あれは、いつ頃だったたっけなあ」

田原は想《おも》い出すような格好をした。

「去年の九月末ですよ」

女中は、それまで知っていた。

去年の九月末か。P税務署の法人税課長崎山亮久と係長の野吉欣平とは、去年の九月末に、R税務署に転勤になったのだ。だから、去年の八月現在の東京国税局管内税

務署職員録のR税務署の項に、両人の名前が無かった筈《はず》である。田原典太は彼らの転勤の期日を頭の中に入れた。

「その九月を境にして、十月から、二人はぱったり来なくなったのかね？」

「いいえ、そうじゃありません」

女中は首を振った。

「今年の一月ごろからですよ、お見えにならなくなったのは」

「お姐《ねえ》さん、二月ごろからですわ」

と若い女中が訂正した。

「いいえ、一月の晦日《みそか》あたりが最後でしたよ」

「でも、サーさんは二月ごろまではみえていましたわ」

「莫迦《ばか》だね、あれは独り切りじゃないか。ノーさんも見えないし、ほかのお連れのお二方も見えなくなったんだよ」

「つまり」

田原が口を入れた。

「麻雀の方は、一月きりで熄《や》んだというわけだね？」

「そうなんです」

年増の女中は大きくうなずいた。

「ね、どうしたんでしょう、あんまりお見限りだわ」

ほかの女中が指を折って、

「二、三、四……ともう三カ月、ご無沙汰《ぶさた》ね」

「その間、ちっとも顔を見せないのかい？」

時枝が、少し赧《あか》くなった顔をあげた。

「そうなんですよ。いい巣が出来たのかしら？」

「そうかもしれないね」

「案外、浮気なのね、サーさんたち」

「ほかの二人の旦那《だんな》方はどうなんだい？」

「その方たちも同じです。あの人たちは、サーさんやノーさんと御一緒だった人たちですから」

「つまりスポンサーかい？」

「さあ」

さすがに、それは答えかねて女中は笑っていた。

「金払いはきれいだったかい？」

「そりゃ、もう。とても切れる方でしたわ」

「月末には、君たちがサーさん達のスポンサーの会社に集金に行くのか?」

「いいえ、一々、現金でしたわ。一晩に、何万円使っても、その場勘定でしたわ」

「それは結構な金主をサーさんはつかまえたものだな。どうせ、麻雀でも景物を奉納していたに違いないからな」

「さあ、そりゃ、どうだか分りません。女中たちは、お食事を運ぶだけですもの」

しかし、女中も積極的には田原の想像を否定しなかった。多分、税務署員と見られている田原も時枝も適当にやっているから、隠し立てしても無駄だと思ったのかもしれなかった。

「羨《うらや》ましいスジをつかんだものだね」

田原は、わざと時枝と顔を見合せて、薄ら笑いした。

「そりゃどこの旦那方かね?」

田原はさり気ない訊き方をしたが、思わず唾《つば》を呑《の》み込んだ。

「それが判らないんですよ」

「ああ、そうか」

田原は、にやりと笑った。

「いいえ、本当なんですよ。一度も名刺を下さらないし、いま申し上げた通り、一々、現金で頂戴《ちょうだい》するんですから、先《さき》さまに集金に伺ったこともないし、今もって判らないんです」

「ふうん、随分、要心したもんだね。しかし、名前を呼ぶときだってあるだろう?」

「そりゃありました。一人が、山本さんで、一人が吉田さんでした」

「山本と吉田か」

田原が頭の中に刻み込もうとすると、

「どうせ、こういうところに、サーさんのような職員といらっしゃるんですもの。ご本名を呼び合うようなことはありませんわ。だって、山本さんとか吉田さんとかは一番ありふれたお名前じゃありません?」

「あ、そうか」

田原は女中に教えられて苦笑した。

「あら、お客さん方は、そういうお名前じゃないでしょう?」

「違うよ、安心してくれ」

「ああ、よかった」

女中は胸を擦《さす》るような真似《まね》をした。

「あの、お客さんは、サーさんに近ごろお会いになりますか?」

これは細い目が吊り上がっているような感じの女中であった。

「ああ、ときたまね」

この「春香」を紹介したのが崎山だと匂《にお》わせている手前、会っていないとは言えなかった。

「そうですか」

その女中は、そっと横の若い女中を見たようだった。若い女中は、この話が始まってから、うつむいたようにしていたが、時々、顔をあげて、きらりと目を光らせて田原と時枝とを見た、それは、田原も気づいていた。

「あら、サーさんにお会いになるの?」

年増《としま》の女中が声をあげて、

「そいじゃ、うちに来て下さるように言って下さいよ」

と肩をたたいた。ほかの女中たちも、それについて、

「サーさんやノーさんに、みんなが待ち焦《こが》れていると言って下さいね」

と賑《にぎ》やかな声を出した。

「よしよし。今度、両人の首に綱をつけて引張ってくる」

田原典太は、そう言って中座した。

「ご案内します」

と逸早《いち》く起ったのは、細い目の女中で、磨きこんだ廊下を先に歩き、手洗所《トイレ》の前まで一緒に来た。

「有難う」

田原は、内に入ってスリッパを突っかけた。用を足しながら、今夜の飲み食いは無駄ではなかった、かなりのことが分ったと思った。

崎山亮久と野吉欣平とは、この「春香」に来て、スポンサーの供応を受けていたのだ。それは前任のP署時代から始まり、R署に移ってからも続いていたらしい。ここでは麻雀をしていた。その麻雀がどのような性質かは聞くまでもない。

しかし、そのスポンサーの「吉田」とか「山本」とかいう男たちは、いかなる人物であろう。会社の「対税務署係」か、それとも中企業者か。いずれにしても、現金で多額の支払いするあたり、なかなか慎重である。女中たちが、この二人の素性を知らないというのは本当であろうか。実際のような気もするし、隠しているような気もする。

その追及のために、もう一度、ここに飲みに来ようか。しかし、次からは贋《にせ》税務署員ということがばれそうな惧《おそ》れがある。いや、もう一、二度くらいは大丈夫のような気もする。いずれにしても、今夜だけでは不充分であった。

殺された元P署の法人税課員沼田嘉太郎は、この「春香」の向かいのバー・リオに入り、ハイボール二杯で、四時間、誰を監視していたのであろうか。この沼田が去年の十一月から二カ月に亘《わた》って監視した理由を知るには、崎山亮久と野吉欣平の実体を、もっとよく知る必要があった。

田原典太が、こんなことを考えて、手洗所から出ると、目の細い女中は、まだ廊下に立って田原を待っていた。

「お、君は、まだ、ここに居たのか？」

田原典太が言うと、

「旦那さん。申訳ありませんが、五分ばかりお時間頂けませんか？」

と女中は低い声で言った。

「五分間？　そりゃ構わないが」

田原典太が答えると、

「恐れ入ります。少し、お話があるんです。どうぞ、こちらへ」

と女中が案内したのが、自分が今までいた部屋とは反対側で、とある座敷の襖《ふすま》を開けた。

「おっ、君か？」

田原典太は目をむいた。

客を帰したあとの部屋らしいが、さっき、田原たちの前に坐《すわ》ってうつ向き加減だった若い女中が、田原の入って来たのを見て、畳に手を突いた。

その女中は笑っているどころか、半分、泣き出しそうな顔をしていた。海老茶《えびちゃ》色の前垂れには、「なつ」と染め抜いてある。

目の吊り上がった女中が田原のうしろから入って来て、廊下の境の襖を閉めた。

7

「なつという女中がね」

と帰りの車の中で、田原典太は時枝伍一に話した。

「崎山亮久に惚《ほ》れているのだ。それで、崎山がちっとも『春香』に寄りつかないので、おれを別室に呼んで、連れて来てくれといって頼むんだ。ほら、狐《きつね》のような顔をした女中がいただろう？　あの女が、なつと友だちだもんだから、おれを引張って行ったのさ」

「へええ」

時枝が酒臭い息を吐いて、クッションのうしろに背中をよせた。

「そりゃ、とんだ時の氏神になったもんだな。崎山という奴《やつ》に惚れる女もいたのかな。顔を見てやりたいな。いや、その男の方さ」

「最初の手出しは崎山の方がしたらしい。よく訊《き》いて見ると、崎山の奴、去年の春ごろから通っているらしい。初めは土建屋さんで、次は、金属会社がスポンサーだったらしい。麻雀の二人は、去年の十月から新しくついたようだ」

「へえ。そいじゃ、R税務署に移ってからすぐじゃないか?」

時枝が呆《あき》れたように言った。

「そうだな。どっちにしても、あいつらは管内の料理屋は使わないからな。そこで、なつの話だが、去年の春から、崎山は度々、『春香』に通って来て、なつを口説いたそうだ。多いときは一週間に三日ぐらい来たんだそうだよ」

「呆れた話だ」

時枝が言った。

「その金はみんな管内のコネつきの業者に払わせたのだろう。てめえの金で飲み食いして、女を口説くのは勝手だが、ひとの懐《ふところ》勘定で、女を口説きに来るのだから言語道断だ。業者には、おい、あすこに連れて行け、と『春香』が、お名指しだったに相違いない」

「厚顔無恥な税吏にあっては叶《かな》わない。供応を強要しても汚職とはてんで思っていないのだからな」

「それで、崎山は、なつに本望を達した訳だな？」

時枝が先を促した。

「そうなんだ。なんでも、小料理屋を出させる、という口説き方でね。その資金も、アテがあるというのだ。百万や二百万は、どこの会社からでも出させるという言い方でね。おまけに税金はおれの顔で、どこの税務署でもコネがあるから、手心を加えさせるというのさ」

「なつは、その口車に乗ったのか？」

「なつに言わせると、その情に負けたというんだがね。自分は、いつまでもここで女中をしていてもいいと言うのだ。崎山の気持さえ摑《つか》んでいたらそれでいいと言って、泣いていた」

「やれやれ。女も出来合って了《しま》えば、男に弱い」

「ところが、崎山は、どういうものか、今年の二月ごろからぱったり来なくなった。野吉も来ない。むろん、あの麻雀《マージャン》相手のお客さん二人も来ない。なつにとっては、そんな連中はどうでもいいが、崎山が来ないのが悲しいわけだ」

「電話や、手紙でじゃんじゃん責めればいい」

「それは崎山が日ごろから堅く禁じている。それでもなつは禁制を破って、勤先のR税務署に電話するが、その都度、留守とか出張とかで遁《に》げているそうだよ。男名前で、自宅に手紙を出すが、梨《なし》の礫《つぶて》さ。なつは、近ごろでは悄気《しょげ》て、お座敷の勤めも身が入らないそうだ。ときどき、気が変になりそうだ、と泣くんだ」

「おなつ狂乱だね」

「それで、おれに言うには、自分は崎山さんのために随分尽して来た。この間も刑事さんが二人来て、この男の顔を知らぬかといって、写真を持って来たが、崎山さんの不利益になりそうなので、知らぬと言っておいたというんだ」

「何だって？」

時枝伍一は急に背中を起した。

「それが、ほら、殺された沼田嘉太郎の現場写真さ。刑事が聞込みに歩いたときのことらしい。その後も、同じ刑事が二人連れで来て、なつに訊いたそうだが、知らないと頑張っている。もっとも刑事たちは、沼田という名前は知らない」

「うむ」

時枝は唸《うな》った。

「なつは、沼田嘉太郎の顔を知っていたのか？」

「なんでも、去年の暮に、写真の沼田に似た男が、客の煙草《たばこ》を買いに出たなつを呼びとめて、崎山君はまだ居るか、とこっそり訊いたので見覚えている。なつがあとで崎山にそれを言うと、崎山の奴、顔色を変えていたそうだ」

田原は、呼び入れられた部屋で、なつから聞いた通りの話をした。

「そりゃ、面白いな」

時枝は手を拍《う》った。

「君は、勿論《もちろん》、なつの頼みをひき受けただろうな？」

「そりゃ請け合った。名刺も渡しておいたよ。が、むろん、初めから無責任だ」

「なんでもいい。とにかく、そんな女が現われたのは有難い。なにかに手伝って貰《もら》えるかもしれんぞ」

「利用するのか？」

「仕方がない。大義名分のためだ。例えばさ、崎山と野吉とが麻雀で引張って来た二人の旦那衆《だんな》の正体も教えてくれるかもしれん」

「いや、それは、ほんとに知らぬらしい。いまでも『春香』の謎《なぞ》になっているようだ」

「知恵のないことを言いなさんな」

時枝が管《くだ》を捲《ま》いたような言い方をした。

「その女中を、こっちの味方につけておけば、これからの細工で探索はどうにでもなる」

「しかし、君、ただではないよ。崎山をひっ張って来て会わせなきゃならん。これが難物だ。うかうかすると、こっちの化の皮が剝《は》げる」

時枝は腕組みして考えていたが、

「まあいい、とに角、その崎山という法人税課長の面《つら》を拝見しようじゃないか。そしたら、また、うまい考えが出るかもしれんぞ」

と声を上げた。――

翌日の午前十時ごろ、田原典太と時枝伍一はR税務署に行った。新聞社の車を離れたところで乗り捨て、歩いて税務署のドアを開けた。

内部を見渡すと、どこの税務署の構造も同じことで、長いカウンターの向うには、いくつもの列で机がならび、署員たちが仕事をしていた。法人税課、間税課などの標識が机の列の前に出ている。その列の奥まった中央の机が課長席だろうが、そこは誰も坐《すわ》っていなかった。崎山法人税課長も、野吉間税課長も席を空けていた。

外出したのか、それともすぐに席に戻ってくるのか、近くの署員に訊こうと思っていると、

「やあ、珍しいところに二人揃《そろ》って来ているじゃないか」

と大きな声を出す者がいた。

田原典太が見ると、顔馴染《かおなじみ》の他社の記者で、臭い、という顔付をして両人を見ている。

田原は、しまった、と思ったが、咄嗟《とっさ》に、

「うん、実は、ここの署長に遇いに来たのだ」

と出まかせを言った。

「へえ、署長に。君たちが？」

他社の記者は怪しむような目をした。

「うむ」

田原典太は、ここの署長が、いわゆる幹部候補生の若手であるのを思い出した。それは名簿を調べるとき、計理士から聴いた話である。

「実はね」

田原は言った。

「デスクが詰らん企画ものを思いついて、若手の、将来、昇進を約束されている税務署長を訪問して、記事にしてこいというんだ。ここの署長が、さしずめその第一候補というので、来たわけさ」

「ああ、そんなことか」

他社の記者は、急に興味を失った顔で納得した。

「それなら署長は、いま、いるよ」

その記者は、それだけ言い捨てると、大股《おおまた》で、あとも見ずに出口の方へ行った。

田原典太と時枝伍一とは、他社の記者の手前、署長に会う羽目になった。というのは、この会話をきいていた若い税務署員が二人の前に進んで来て、

「署長にご面会ですか？」

と気をきかしたつもりで訊いたからである。二人は顔を見合せたが、仕方がないの

で、

「署長はいますか？」

と改めてきいた。

「ええ、いま部屋におられます」

田原は自分の名刺を出した。ちょっと忙しいからいま会えない、といってくれればいいのにと思っていると、引返して来た若い署員は、

「どうぞ」

と二人を署長室に案内した。こうなっては止《や》むを得ない。署長室は奥まった所にある。個室になっていて、軽くドアをノックすると、

「どうぞ」

という返事が内側からあった。二人は入った。広い机の前に少し痩《や》せぎすの若い男が腰かけている。回転椅子《いす》をまわしてこちらを向いた顔は、まだ三十そこその若さで、眼鏡が窓からの光線に半分光った。若い署長は椅子から起ち上がった。

「どうぞ」

二人を招じた署長の言葉つきも、もの柔らかであった。

田原と時枝とは、しかたがないので椅子にすわった。署長は名刺を出したが、その

指先が女のように、細く、きれいだった。名刺には「尾山正宏」と書いてある。

「お忙しいところをどうも」

田原は挨拶《あいさつ》した。さしあたって目的があって来たわけではないので、田原もちょっと困ったが、

「実は、今日お伺いしたのは」

と、もっともらしく口を切った。

「はあ?」

署長は目を上げて田原と時枝とを見た。いかにも秀才というのはこのような顔であろうと思われるほど、額が広く、面長で、眼鼻立ちが整っていた。こういう端正な容《よう》貌《ぼう》の男に見凝《みつ》められると、田原は、大学で成績が悪かっただけに、優等生に対するような本能的な劣等感をおぼえる。

官吏のなかでも、大蔵省畑は最も成績の優秀な者が入るときいている。ことにこの尾山正宏の履歴は、計理士から聴いたところによると、省内の秀才コースを進み、この税務署長も二年そこそこの実習を済ませると、すぐに本省に帰る予定だそうである。そう思って見ると、署長の服装も、すぐにそのままどこかの社交的な集会に出してもいいように、きちんと整っていた。ポケットから僅《わず》かにのぞかせた白いハンカチとい

い、およそ税務署の署長とは思われないような瀟洒《しょうしゃ》な格好だった。

「実は、今日お伺いしましたのは、この管内の徴税成績についてですが」

田原典太はそう言いながら、ともかくも格好をつけるためにメモと鉛筆を構えた。

「ははあ、なるほど」

若い署長は、ちょっとうつ向いて考えた。これはいかにも慎重で、秀才らしい態度のように見えた。官僚らしく、滅多に失言を与えないような、答弁の前の用意がうかがわれた。

「そうでございますな」

顔を上げて、尾山署長は静かに言った。

「ただいまのところ、徴税成績は概《おおむ》ねいいようです。詳細な数字を申し上げましょうか」

と言ったが、これは聞き手にとって必要のないことなので、田原は慌《あわ》てて、

「いや、数字の方は結構です。管内の景気というものについて、大体のところをお訊《たず》ねしたいと思ってあがったのですから」

尾山署長は、しゃれた煙草ケースから一本を抜き出し、やはりしなやかな指先でライターを鳴らした。

「成績が概ね良いというのは、署長さんがこちらに就任されて、そのご努力で実績が上がったというわけでしょうね？」

時枝がすかさず横からお世辞を言った。

「いや、そういうこともないでしょうね」

尾山署長は女のような微笑を洩《も》らした。

「全体の世間の景気が今年はよくなったようで、これは納税者の協力と署員の努力と相まって成績が向上したということは言えますね」

「ははあ、なるほど」

田原は鉛筆を動かした。しかし、殆《ほとん》ど経済的知識の無い二人は、これから先どのように質問していいか分らなかった。当然、時枝は、署長の個人的なことに話を向ける以外になかった。

「署長さんは、失礼ですが、大学は何年でございますか？」

「ぼくは昭和二十×年です」

「それはお若いですね」

感嘆したように言った。

「この税務署の前はどちらでございましたか？」

「ここに来る前は本省の主税局にいました」

「はあ、なるほど」

田原は心のなかで思った。主税局というのは大蔵省のなかでも中枢部《ちゅうすうぶ》で、いわゆる秀才が雲集していると言われている。

「ところで、署長さんのご家庭は?」

田原は、話のつぎ穂がなく、なんとかこの場の体裁をとりつくろわねばならなかった。家庭のことをきくのは、いわば、インタビューの平凡な定石である。

「女房とぼくだけです」

「はあ、そうすると、お子様は?」

「子どもはまだありません」

尾山署長の顔は、やはりおとなしい微笑が浮かんでいた。

田原は計理士の言葉を思い出した。役人畑には幹部コースというものがあって、尾山という人は、東大を優秀な成績で卒業し、上級国家公務員の試験をパスし、本省筋の有力な引きによって将来の出世を約束されている人だ。いわば、幹部候補生になる人が一応実地の見習いとして、出先の機関を実習に廻ることになっている。尾山君もここ一年くらいじっとしておれば、無事に本省に喚び返されて、お望み次第に、上級ポストの階段を上って行くという仕掛けになっている。――

田原は、計理士のその言葉を、尾山署長の顔を見ながら思い出した。

「署長さんのご趣味はなんですか？」

「いや、ぼくはあまり趣味のない男でしてね」

尾山署長は、片手を伸ばして軽く灰を落して言った。

「まあ、しいて言うなら、碁くらいでしょうな」

「ほほう、碁をおやりですか。すると、相当にお強い方で？」

「いや、ぼくの碁は結婚してから習ったものですから、上達しませんよ」

「ご結婚なさってお習いになったというのは面白いですな」

時枝は調子を合せて言った。

「それは、奥様が碁をおやりになるんで、その影響でございますか？」

「いや」

署長は苦笑して首を振った。

「女房の影響は多少あるかもわかりませんね。というのは、女房が碁をやっているわけではなくて、これは、女房の父親の方が大変好きなんで、いつかぼくも習わされたんですよ」

「はあ、奥様のお父様というと、やはり囲碁の方で？……」

「いや、専門家じゃありません。女房の父親も、やはり大蔵省の役人をしていましてね。まあ、碁は素人《しろうと》では強い方でしょう」

彼の妻の父親が大蔵省の役人をしているという言葉が、田原の耳にひっかかった。

「失礼ですが、お父様のお名前は？」

「岩村と申します」

「ははあ」

田原はそれをメモした。

「大変な失礼なことをお訊ねしますが、その岩村さんのポストはどういうようなところですか？」

すると、署長は、ちらりと視線を田原に投げた。あとで気づいたのだが、その視線は、大蔵省の岩村といえば分りそうなものだ、といったような意味だった。

「次官をしていました。半年前に死にましたが」

田原ははっとした。この秀才は、学校だけの成績でなくて、やはり、ちゃんと上の方とのコネがあるのである。

「はあ、それは……」

田原は言ったが、ちょっと、あとの言葉がつづかなかった。

尾山署長は、知らぬ顔をして悠々《ゆうゆう》と煙草《たばこ》の煙を吐いている。次官の女婿《じょせい》は新聞記者に与えた効果に満足したようだった。

あとで詳しく判ったことだが、岩村次官というのは、与党の実力者の子分で、省内では、その実力者の代表格であった。

田原と時枝とは一応の体裁をつくろって署長室を出た。尾山署長は慇懃《いんぎん》に署長室のドアの所まで見送った。なかなか如才がないのである。二人は事務室を横切ったが、そのとき、ふと見ると、今まで留守だった法人税課長と間税課長の席に人がいた。

田原は、この人物の顔を見るのが目的だったので、時枝の肩を突ついて、一旦《いったん》、玄関脇《わき》の溜《たま》り場に来た。

「おい、煙草」

田原は時枝に煙草を出させ、ついでにマッチを捜した。こういう動作をしているうちに、それとなく二人の課長の顔を見ようというのである。

法人税課長の崎山亮久は、四十四、五に見え、細っそりした長顔で、鼻の下に髭《ひげ》を短く貯《たくわ》えている。なにか、部下を呼んで、気ぜわしそうに言いつけていたが、見るからに税務署役人タイプという格好だった。こういう人物に「春香」のなつが夢中になっているかと思うと、案外だった。もう一人の野吉欣平の方は、崎山とは逆のタイプで、これも年配はほぼ同じだが、赭《あか》ら顔のデップリと肥えた男だった。なにか一心に書類を出して調べている。この二人の顔さえ憶《おぼ》えていれば、ここに来た目的は達したわけだから、田原と時枝とは満足して税務署の重いドアを押して、外へ出た。

空は初夏の光を含んで、眩《まぶ》しいくらい明るい天気である。

「これからどうする？」

田原は時枝に訊いた。

「そうだな」

時枝も考えて、

「差当って記事を書くというわけじゃなし、と言って報告するほどのこともないし、どっかそこいらで冷たいものでも飲もうか」

駅まで歩いて行く途中に商店街があり、そこの喫茶店で、二人はジュースを飲んだ。

「どうもあの署長というのは羨《うらや》ましい人物だね」

時枝は汗を拭《ふ》いて言った。

「あの若さで、税務署の署長だから驚くな、やっぱり、秀才も秀才だが、相当なコネがあるわけだな？」

「そうだ、あの署長の女房が次官の娘というのは初耳だった。なるほど、そういうことだったら、出世は思いのままだろうな」

「僕の学校時代に、若くてえらく出世した教授がいたよ。だんだんきいてみると、ずっと古い大先輩で学界の大御所といわれる人の娘をもらっていたそうだ。学界といい、官僚といい、女房の繋《つな》がりで出世するのは似たところがあるな」

「ところで、あの二人の課長の顔を見ただろう？」

田原はジュースをすすって言った。

「野吉はともかく、崎山の方は、あんな細い体をしていて女好きなんだから、相当なもんだね。それになつが一生懸命に血道を上げているんだから、女の気持というものは分らないよ。僕らにはあんな男は厭《いや》らしいだけだが……」

時枝は笑った。

「いや、顔や姿にはよらんよ。崎山くらいになると、方々の業者の招待もあることだし、遊び方も他人のふところの金で派手だろうから、そういう手合いにくどかれたら、水商売の女というのは案外弱いんだな」

「派手に遊ぶといっても、てめえの金でやるわけではなし、どうせコネをつけた業者に電話一本で吐き出させるのだろうから、これくらいうまい商売はないよ」

「むろん、それは汚職なんだがね、つまり、連中は散々ご馳走《ちそう》してもらっても、免疫《めんえき》になってそれが汚職という観念には全然なってないんだな」

とにかく、一応社に帰ることに話をきめ、二人は社用の車に乗った。編集室に入ると、夕刊の締切りで気ぜわしい空気が立ちのぼっている。

赤星次長は、自分の机の上でせっせと原稿に朱を入れていた。

「ただいま」

田原典太が赤星の横に行って言うと、

「ああ、お帰り」

赤星は朱の筆をおいて見上げたが、顔にも頬にも薄い汗が光っていた。赤星次長はいつも汗かきである。

「どうや、うまくいったか？」

次長は早速訊《き》いた。

「ええ、どうにか。ところで、それについてお話したいんですが」

「そうか、よっしゃ、まあ、今一区切りついたところやから、あっちへ行って話をきこうか」

次長は椅子《いす》をひいて起ち上った。一通り乱雑に散らかった机の上を睨《ね》めまわすと、別室に歩いて行った。

「まあ、順々にきこうかい。ゆっくり話してんか」

赤星はよれよれの煙草にマッチを擦って自分もゆったりと椅子に構えた。

「ゆうべ『春香』に行きましたよ」

田原は話をはじめた。

「お蔭《かげ》で、軍資金はたっぷり貰《もら》ったので、愉快に遊んで来ました」

「愉快はええが、どや、肝心のメドがついたのかい？」

「ええ、なんとなく匂《にお》いだけは探り当てましたよ。まあ、きいて下さい。こういうことなんです」

ここで、田原は「春香」の女中からきいた話を一通りざっと次長に話した。赤星は、小鼻の汗を拭《ぬぐ》いながら、

「うん、うん」

と煙草を吸う合間に相づちを打っていた。全部の話が終ると、

「そうか、そら、ちょっとおもろいな」

と興味を示した。

「そいで、君、なつという女中が崎山にそんなにのぼせとるんやったら、なんとかそ

れをこっちで利用できんかいな」

赤星は、早速、思いつきを言った。

「それは僕も考えているところなんです。とにかく、崎山と野吉とが『春香』に始終行っていたのは、もちろん、どこかのスポンサーづきなんです。で、そこでいろいろ彼らは供応を受けていると思いますが、それを外に立って睨《にら》んでいたのが沼田嘉太郎と思うんです。沼田は、真向かいのバーでねばってみたり、あの辺を始終うろうろして、それとなく、崎山と野吉の動静を監視していたんですな」

「そりゃ、崎山と野吉たちの様子だけを探っていたんかいな?」

「いや、僕は、必ずしもそうとは思いません。沼田嘉太郎が崎山と野吉とを見張っていたのは、彼が過去で自分ひとり崎山たちの犠牲になったのを怨《うら》んで、なんとか彼らを脅迫しようと企《たくら》んでいたんじゃないかと思います。その証拠に、なつがちょっと外に買物に出たとき、沼田に呼び止められています。それを、なつが帰って崎山に言うと、崎山は顔色を変えていたそうですよ」

「なるほどな。ほんなら、沼田という男が、崎山なり野吉なりを、前のP税務署時代の悪事をネタに脅迫していたというわけかいな?」

「はっきりそうとは断定できませんが、少なくとも、P税務署の若い署員の話をきいても、沼田が彼らの犠牲者になったことは確かです。沼田に詰腹を切らせておきながら、その後、自分たちはのうのうとして知らん顔をしているので、さすがの沼田も肚《はら》に据えかねたというところでしょう。そこで、沼田は、二人の動静を監視して、なにか仕返しを企んでいたという推定もできます」

「君は、崎山と野吉に会って来たのか?」

赤星次長は訊いた。

「いや、それが」

と田原は苦笑した。

「ちょうどR税務署に行っていると、他社の奴《やつ》が来ていましてね、僕らをジロジロ見て、なんで来たというような顔をしたので、こっちも悟られてはいけないと思って、実は署長に会いに来たのだ、と、とっさの苦しい知恵を出しましたよ」

「ほう、そんで?」

「会いに行くと、法人税課長席にも、間税課長席にも、二人の姿は見えません。まあ、他社の新聞記者に言った手前と、二人が席に帰って来るのを待つつもりもあって、その署長というのに会いましたよ」

「署長に会って、どうしたんや?」

「別に言うこともないので、ただ、近ごろの徴税成績はどうかとか、景気の具合の話をききに来たような格好をしました。署長というのは、まだ若くて、三十前なんです」

「三十前だって？　ああ、そいつは本省から来た役人で、すぐまた戻って行く奴やろ」

次長は大蔵省の秀才コースを知っている。

「そうなんです。あの年で署長をしているので、実はこっちがびっくりしたくらいです。それで、だんだん家庭の話などをネタのようにしてきいてみると、その署長が若くて出世街道にあるのも道理で、その女房というのは、元次官の娘を貰っているんです」

「ああ、なるほど」

赤星次長は、その次官の名前を考えるような目つきをしたが、

「岩村だろう？」

と顎《あご》をつき出して言った。

「そうなんです」

「岩村という元次官は、与党の有力者Tさんの子分やった。そんなヒキがあるから、

若いのに署長をしてるのも道理やな。ところで……」

赤星次長は煙草の灰を落して、

「大体のところ、おぼろに見当がついたようやな。ただ、沼田嘉太郎の一件が野吉と崎山の線に繋がっているかどうかちゅうことは、まだ分らん。そんでこれからどうする？」

赤星次長は二人の顔を見くらべた。

「差当っての方法は、二人の身辺の内偵ですね。ことに、重点は、P税務署時代の彼らの行動です。それを極力洗って、この二人の人物がどのようなことをして来たかを知っておく必要があります。それについては、例の『春香』の女中のなつというのが、崎山と相当深い仲になっているので、あるいは、崎山からなにかを聞いているかも分りません。むろん、ああいう奴ですから、自分のなにを軽率にしゃべるということはないでしょうが、それでも片鱗《へんりん》くらいは洩《も》らしているかも知れません。なつという女中は、ひどく崎山の不実を怨んでいますから、それをこっちで利用したいと思います」

「ちょいと、可哀《かわい》そうやな」

次長は顔をしかめたが、

「まあ、しかたがないやろ、けど、そのなつをこっちへ懐柔するのは、ちょいとむずかしいのやないかな」

「まあ、なつは、崎山を怨んではいますが、まだ十分未練をもっているので、崎山の不利になるようなことをしゃべるかどうか分りませんが、その工作はできるだけ当ってみたいと思います」

「それだけでは、ちょいと弱いな」

　次長は言った。

「もちょっと全体的な洗い方ちゅうもんはないか？」

「そうですな、税務署というところは、お互い同士、いがみ合ってても、外に対しては共同戦線を張っていますから、なかなか尻尾《しっぽ》は出さないと思います。けれど、なんとなく彼等の輪郭は知っておく必要があります。それをどこから手をつけるかということが、実は、ちょっと今困っているんですよ」

　赤星次長も、頬杖《ほおづえ》をついて自分でも考えるようにしていたが、

「どうや、尾山というその若い署長は、幹部候補生だけに、妙な税務署の泥水は飲んでへんと思うがな、案外、この署長に当って、崎山と野吉のことを訊いた方が早道じゃないか？」

田原は、署長室で会ったあの秀才の顔を再び目に浮かべた。いかにも整理された頭脳をもっている男のようで、こちらが突ついたところで、容易に部下のボロを出さないようにも思えた。しかし、他に方法がないので、やはり、赤星の言う通りにするほかはないようだ。

「君、署長室に行っても無駄やからな、そんなときは、自宅の方に押しかけてみるのや。そうすると、役所とは違って、案外気楽に口を滑らすかも分らへんぜ。こいつは政治部の奴らが政治家の口を裏口から割らせるときによく使う手や」

「そうですな」

8

田原典太は、阿佐《あさ》ヶ谷《や》駅で降りて、南の方へ歩いて行った。

商店街を過ぎ、都電を越して奥に入ると、ひっそりした住宅街で、大きな家がいくつも両側に並んでいる。長い塀と広い庭をもった家ばかりで、歩いていると、到る処にまだ武蔵野の名残りと言っていいような雑木林があった。が、その林も、奥の方に瀟洒《しようしや》な家があって、実は庭だったりして、いかにも高級な住宅地の感じだった。

田原は、尾山署長の住所を調べてみた。そのメモを片手にもちながら、途中の煙草《たばこ》屋などで何度か訊《き》いた上、漸《ようや》く目的の家を捜すことができた。その一角は、坂道を上った高台にあり、近所は長い塀と広い庭の、奥まった屋敷が続いていた。初夏の昼下がりで、もう陰を拾って歩かないと、汗が流れるくらいである。

尾山の家は、邸《やしき》というほどではなかったが、それにしても、あの若さの役人の住宅としては、贅沢《ぜいたく》な和洋折衷の家だった。表札のある門の前に佇《たたず》むと、中からはけだるいようなピアノの音が聞えて来た。

田原はベルを押した。暫《しばら》くそこに立っていると、奥から若い女中が出て来て、門の内側から顔をのぞかせた。

「こういう者ですが」

田原が名刺を出した。

「御主人にお目にかかりたいんです」

女中はその名刺を見ていたが、

「ちょっと、お待ち下さい」

と取次に奥に入った。断わられることも予想していると、五、六分もして、女中が急ぎ足で引返しておじぎをした。

「どうぞ、お入り下さいまし」

田原は、女中の案内で玄関にかかったが、それとなく横を見ると、手入れの届いた広い庭がある。三十にも満たぬ若さでこのような家に住む尾山署長が、田原には羨《うらや》ましくないこともなかった。田原はまだ八畳一間しかないアパート住いである。

玄関に入ると、正面には油絵が掛かっており、応接間に通されても、いろいろな絵画が壁に掛かっている。尾山税務署長は美術が好きらしい。

応接間は洋風で、置かれた調度もかなり立派だった。むろん、これは一介の税務署長の住む家としては贅沢な出来だが、やはり、岳父の故岩村次官あたりの援助が相当あったのではないかと、田原はカンぐった。そこで、お茶を出されたりして、田原が十分くらい待っていると、当の尾山署長が和服の着流しで入って来た。田原は起ち上がった。

「昨日はどうも、突然お伺いして失礼しました」

「いやあ、ようこそ」

尾山正宏は相変らず丁寧だった。尾山の和服は、その洋服と同様に、いかにもしゃれており、実際、その着こなしも似合っていた。

尾山署長は、ゆったりと椅子《いす》に腰かけて、接待煙草などを田原に奨《すす》めていたが、さすがに、新聞記者田原典太が何の用事で日曜日の自宅に押しかけて来たのか、不審そうだった。

田原は、ここへ来るときからそのときの挨拶《あいさつ》を考えていた。

「実は、通りがかりにお宅の前で表札を見ると、昨日頂いたお名刺の名前になっておりましたので、つい不躾《ぶしつけ》ですがお伺いいたしました」

苦しい言訳である。が、普通の人間と違い、新聞記者という多少横着めいた職業だということを、相手も考えてくれるであろうと勝手に思っていた。

「あなたのお宅はこのご近所ですか」

尾山署長は、白い端正な顔を上げて田原を見た。

「いや、近所というわけではないのですが、親戚《しんせき》がこの辺にあるものですから、ときどきここらを通ります。この辺は閑静で結構ですな」

田原は応接間のなかを感心したように見まわした。裸女の石膏《せっこう》像も二つ三つある。

「署長さんは絵や彫刻を大分お集めのようですが、お好きなんですか？」

「ええ、まあ、学生時代から好きなんです」

「ご自分でも絵なんかお描きになるんですか？」

「いや、ときには、いたずらで描きますがね。むろん、鑑賞者の側です」

「相当、お集めになっていらっしゃるんですか?」

「大したことはありません。なにしろ、まだ貧乏役人ですから」

このとき、一人の女性がコーヒー茶碗《ちゃわん》を持って入って来た。田原は、これが尾山正宏の妻であり、故岩村次官の娘であろうと直感した。色の白い、いかにも育ちの良い顔で、背もすらりとして高いのである。

「いらっしゃいませ」

と茶碗を置いて田原に挨拶した。笑い顔が可愛《かわい》い。

「女房です」

と尾山が坐ったまま紹介した。

「どうも、突然お伺いして、お邪魔いたします」

田原は丁寧にお辞儀をした。

「なんのお構いも出来ませんで。どうぞ、ごゆっくり」

割合内気な細君とみえて、その儘《まま》すぐに退《さが》って行った。

その間、尾山署長は目を別なところにむけて煙草をふかしていたが、田原典太は、話が絵のことばかり続くのも芸がないので、そろそろ探りに入らねばならなかった。それに、尾山署長も、何のために田原が自宅まで飛びこんで来たのか分らず、少々迷惑しているようなところもあったので、田原は、務めて笑顔で話しかけた。

「署長さんは、今のR税務署にいらっしゃる前はどちらでございましたか？」

「ポストですか？」

署長は目を田原の顔に戻した。

「はあ、そうです」

「本省におりましたよ。こちらに移ってから間もないので、まだなんにも現地の税務署の仕事は分っていません」

「しかし、どうせそれはざっと実務を見るという程度で、二年くらいたったら、本省にお帰りになるんじゃないですか？」

「さあ、どうでしょうか。これぱっかりは私どもには分りませんね」

尾山署長はおだやかな微笑を見せたが、顔には田原の言ったことを肯定する自信がのぞいていた。

「税務署となると、まあ、いろいろと近頃、厄介な事件が起っておりますが、やはり、業者から誘惑されやすいお仕事ですね？」

田原は、なんとなくその辺から入って行くつもりだった。そのうち、崎山と野吉のことに話を向ける筈《はず》だったが、尾山署長は、表面は一応、愛想はいいが、税務署の仕事の話になって、口が重くなった。
「われわれも社会部の仕事をしていると」
田原は言った。
「たまに、税務署の不祥事といいますか、世間を騒がすような事件に打《ぶ》っつかります
よ。去年の春でしたか、例の金融会社の不正事件に続いて、副産物として、P税務署
の収賄《しゅうわい》事件がありましたね。あれなんかも、僕らが考えている以上に複雑じゃなかっ
たんですか？」
尾山署長は、秀才の眉《まゆ》を少しひそめ、重い口を開いた。
「まあ、税務署全体について言えば、非常にたくさんの人員を擁しておりますから、
中には不心得者があったりします。しかし、僅《わず》かな一、二の腐敗の例をもって税務官
吏全体のことを批判されますと、これはちょっと辛《つら》いですな。悪い人間は、どこの組
織の中にもいますよ」
「いや、税務署を批判しているわけじゃないんです。あの記事はぼくも興味をもって
読んだので印象が深いんですがね。署長さんは、あの事件のことはよくご承知です
か？」
「いや、当時、ぼくは本省から来たばかりで、よくは知りません。ぼくは、第一線の

税務署長になって、はじめてこういう事件を見たのですけれど、本省にいると、全然、税務署の仕事というものは分らないものですよ。まあ、それがために、将来に備えて、われわれを見習いに出すんでしょうがね。とにかく、あの事件はぼくには分りませんね」

それはその通りだと田原典太は思った。当時のことは、本省から来たばかりの尾山署長にきいても分りはしないのである。

いま、税務署長にはなっているが、どうせ実務については部下の練達な課長連中に任せっきりなのであろう。つまり、尾山署長のような場合は、ただ、現場の税務署長をしたというだけの、一つの履歴をとればいいらしいのである。

田原が、崎山と野吉のことをそれとなく訊《き》くと、

「両君とも、実に仕事の出来る人ですな」

と若い署長は讃《ほ》めた。

「長い間、実務に携わって来た人たちだけに、とてもぼくらが叶《かな》いません。いつも、こっちが教えてもらっていますよ」

それも、その通りに違いない。税務署員の下積みから、こつこつと上って来たベテランに、天下りの若い署長は、実務では太刀打ちできないのである。

「崎山君も、野吉君も、誠実な人ですよ」

尾山署長はつづけた。

「ほら、いま、あなたが言ったでしょう。問題のP税務署に、当時、二人ともいたのですが、何ら問題になっていません。それだけでも、両君の人格が判《わか》りますよ」

田原典太は、潮時を見て、尾山署長宅を出た。

何が両君が誠実か。何が人格か。田原典太は、晴れ渡った空を仰向いて嗤《わら》いたくなった。さすがに秀才の、お坊っちゃん署長だ。何も知っていない。それにつけても、こんな署長に、崎山と野吉のことを訊きに来た自分の頓馬《とんま》がおかしかった。

よし、と田原典太は決心したものだ。この上は、おれが、崎山亮久と、野吉欣平とを徹底的に洗ってやる!……

だが、さて、崎山亮久と野吉欣平を徹底的に洗うにはどうしたらいいか。ほかの社会面ダネの事件とちがい、ことが税務署関係だから、田原典太もちょっと困った。とにかくこれは赤星次長に相談しなければならない。

田原典太は翌日の昼ごろ社に出た。

赤星次長は相変らず机の上で原稿の手入れをしている。赤インキの筆を握ってザラ紙に次から次にと朱を入れていく。次長の指先に、赤いものがついていた。

「赤星さん」

と、田原典太は傍に来て言った。

「お早うございます」

「ああ」

赤星次長は原稿に追われて脇目《わきめ》もふらない。見ていると指先につまんだ原稿用紙は次から次と整理されていく。

「ちょっとあなたに御相談したいんですが」

田原典太は申し出た。

「なんや？」

「きのう、例の件で尾山署長の家に行きましたよ」

「ほう、そうかい」

赤星は筆を休めずにうなずいた。

「それで、そのことでちょっとあなたに御相談したいんですが」

「よっしゃ」

赤星次長は答えた。

「もうすぐきりがつくから待ってくれ」

一つの記事の原稿は、ザラ紙にして相当嵩《かさ》張る。次長はその一山を見る間に片づけた。彼は赤い筆を措《お》き、背伸びをして椅子から起ち上がった。

「どこへ行こう?」

と田原に訊く。

「そうですね、喫茶店でも行きましょうか?」

「よかろう」

赤星は机の抽出《ひきだ》しのなかから煙草《たばこ》を取出してポケットに入れ、編集室を出た。

「外に行くのは面倒やな、社内の食堂に行こか?」

「そうですね」

二人は四階に上って社内食堂に入った。ちょうど時刻が時刻なので、あたりにはあまり人がいない。ただ仕事の無い連中が五、六人、片隅でコーヒーを飲んでいた。

「赤星さん、何にしますか?」

「コーヒーでいい」

田原典太はコーヒーを頼んだ。しかしここはふつうの喫茶店とちがって、セルフサービスである。自分でコーヒー茶碗を運ばねばならないのだ。

「おおきに」

赤星次長はコーヒーを運んで貰《もら》った礼を言った。

「昨日、君が署長のところに行ったというが、日曜日で休みやったろう？」

「はあ。ちょうど通りかかったもんですから、自宅に寄ってみたんです」

「署長は気軽に会ったか？」

赤星次長はコーヒーをすすって訊いた。

「会ってくれましたよ。署長といっても、まだ三十ぐらいの男で、あなたの言ったように秀才コースだそうです。税務署には二年ぐらい勤めるだけで、すぐに本省に呼び返される人です」

「そうかい？」

次長は考えていたが、

「そういう人やったら、わりに言ってくれたやろ？」

「いいえ」

田原典太は首を振った。

「さすがに本省から実務見習みたいに税務署にきているだけに、深いことはなにも知っていませんね。ただ崎山と野吉を褒《ほ》めるだけです。誠実な部下だと言っていましたよ」

「そういう手合いは君、実務はなんにもわからへんのや。そら、会ったかて、あんまり参考にならんやったやろ?」

「そうなんです」

田原典太は赤星の言うことに、うなずいた。

「それだけに僕は、崎山と野吉とに少し腹が立ってきたんです。ああいうお坊っちゃん署長を丸めこんでいるかと思うと。この際徹底的にあの二人を洗ってみようと思うんです」

「そら、ええやろうな」

赤星次長は賛成した。彼はコーヒーを呑《の》みほし、よれよれの煙草を出して火をつけた。

「そやけど君、徹底的に洗うといったかて、どないな方法をとるんや?」

煙を吹いて、頰杖《ほおづえ》を突く。

「それはですな」

と言ったものの、田原典太もちょっと困った。税務署関係については彼は全く知識が無いのだ。

「どないにして崎山と野吉とを洗ってええか、方法がつかんやろう。どうや?」

赤星次長は田原典太の顔を眺めて言った。

「そうですね、ちょっと苦手ですが」

田原は考えて、

「この際、あの二人の行動を跟《つ》けてみようかと思うんです。つまりピケを張って探ってみようと思うんですがね、しばらくの間」

「それもええが」

赤星は、ゆっくり言った。

「しかしやな、ピケを張ったかて、これはふつうの事件とちがうがな。税務署関係の事情がわからんことには、無駄足になるかもわからへん。ただ、人間のあとばかりくっついて歩いたかて、しょむないやろう」

田原もそれはそのとおりだと思った。彼らのあとばかりつけても、どこに手掛りがあるのか見当がつかないだろう。

「そら、君」

赤星次長は教えるように言った。

「滅茶苦茶《めちゃくちゃ》にピケを張ったかてあかん。敵の行動を知るには、敵の正体を知らなあかん」

「敵の正体、といいますと？」

「つまりやな、悪質税吏の汚職の手口をまず知るこっちゃ」

田原典太は次長にそう言われて、それはもっともだと思った。しかしその手口というのを、どのようにして知ることができるか。おそらく、そんなものを書いた資料は、社の調査部にも備えつけはないだろう。

「どうするんです？」

すると赤星次長はニヤニヤ笑い出した。

「そら、わしがちゃんと渡りをつけてやろう」

「へええ」

田原典太は次長が思いもよらぬことを言い出したので、その顔を見直した。

「そんな渡りがあるんですか？」

「まあ、わしにまかしとき」

次長はポケットから自分の名刺を出した。そうして裏になにやら文字を書いた。

「なあ、テンちゃん」

赤星はそれを田原に差出した。

「この裏にわしがアドレスを書いたよってに、君、この男のところへ行きイな」

田原はその名刺の裏に書かれた文字を読んだ。それには、

「××区××町××番地　横井貞章」

と書かれてあった。

「これは、どなたですか？」

「わしの友だちやがな」

赤星次長は、ぼそりと言った。

「この男のところに行って、わしからと言うたら話してくれるやろ」

そう言っておいて、次長は、ふと窓のほうを見た。

「ちょっと待ち」

彼は椅子を立って窓のところに行き、空模様を眺めていたが、やがてまたもとの席に帰った。

「きょうは、天気が悪いよってに、あいつ、家にいるやろな」

田原典太は横井貞章という四つの文字を見詰めたまま、一体、この男は何んなのだろう、と思った。赤星が、税務のことならこの男に聞けというからには、その関係の人物には違いなさそうである。しかし、赤星はその説明をあまりしたがらない。わざわざ窓の外をのぞいて、天気が悪いから、今日は家にいるだろうというのも、どうい

う意味なのか分らなかった。

田原典太は、社の車に乗って、名刺の裏に書かれた町に行った。都心から車で三十分くらいかかるところで、坂道の下にあった。

車が走り出すころから雨が降ってきた。運転手は車を降りて、雨に肩を濡《ぬ》らしながら、近所の煙草屋などで、番地などを訊き合せた。ひどく、わかりにくいところである。坂の上は邸町《やしき》になっていて、長い塀を連ねた大きな住宅が並んでいる。が、坂下には小さな家がごみごみと集っていた。

「判ったかい?」

田原典太は、車に戻ってきた運転手に聞いた。

「はい、わかりました。ずいぶんややこしいとこです」

車はまた走り出した。なるほど面倒な場所である。小さな路《みち》をくねくねと回って行くのだが、自動車が大型なだけに、運転も面倒そうだった。車が止まったところは、小さな家が密集している地帯である。運転手が、

「もう車が入りません。番地を聞くとそこの路地を入っていくんですが」

と指をあげて、田原典太に教えた。田原は傘を小さく広げながら、雨滴の落ちている軒先を伝うようにして路地を入った。どの家も小さくて、見すぼらしい。ようやく

のことに、表札に横井貞章の名前を見出した。表札だけは貧弱な入り口に似合わず、いやに大きいのである。玄関は格子戸《こうしど》になっているが、桟が折れ、ガラスが割れていた。

「ごめんください」

田原典太は声をかけた。返事が無いので二度目に大声を上げると、ようやくのことに内側で音がした。だれかが玄関に降りて、下駄を突っかける気配がする。先方のほうで戸を開けてくれたが、それは五十四、五の頬骨の高い痩《や》せ細った男だった。目つきがいやに鋭いのである。よれよれの、垢《あか》じみた着ものを素肌にきていた。

「私は」

田原典太は名刺を出した。

「こういうものですが、R新聞社の赤星さんの紹介であがりました」

「ああ、そう」

その痩せた男は、田原典太の様子をじろりと見た。それから、捲《ま》きつけ帯のゆるんだのを締め直し、

「入んなさい」

と上に請じた。座敷といっても、四畳半に六畳の二間である。畳はすり切れ、赤茶

けていた。襖《ふすま》も隅のほうが破れている。六畳の間にはタンスもなければ本箱もなく、古新聞紙を張った壁がそのまま顕《あら》われ、荒涼としたものであった。

「私が横井です」

無精髭《ぶしょうひげ》の主人は言った。伸びた頭髪も、半分は白い。

「どういう御用件ですかな?」

田原典太にはこの人物の正体がよくわからないので、話の切り出しにちょっと困った。赤星がなんにも説明していないので見当がつかないのである。はじめ税務署関係の人かと思ったが、来てみるとこのような荒れた家に住んでいるし、風采《ふうさい》もまことにみすぼらしい。

「実は」

田原典太は言った。

「私のほうで少し税務署関係のことを知りたいと思っています。それでうちの赤星に相談しますと、あなたのところにいって教えてもらえと言われたので伺ったのですが」

「赤星がそういうことを言いましたか?」

横井貞章という男は、無精髭の顎《あご》を反らした。

「相変らずの男ですな」

きたない歯をむき出して笑っていたが、

「いや失礼」

と田原典太に言った。

「そういうことはあまり話したくないんですがね。しかし赤星の頼みなら仕方がないな。税務署のどういうことを知りたいんですか？」

田原は質問をはじめた。

「これはちょっといやな言い方ですが、税務署の署員の悪質な手口といったものを教えていただきたいのですが」

「なるほど」

横井貞章はにやにやと笑っていた。

「突然聞かれても、どういうことから言っていいかわからないが」

彼は半分に折った煙草をもったいなさそうに吸い出した。

「たとえばですね」

田原典太は言った。

「税務署の悪質な署員は、よく管轄《かんかつ》内の会社なり商店から御馳走《ごちそう》になっているでしょう。あれは汚職と思うんですが、そういうところから実態を聞かしていただきたいんです」

「ははあ、つまり税務署員の供応だね」

「そうなんです」

「それは、君」

横井貞章は唇の端にうすら笑いを浮かべた。

「そんなことは悪質な税務署員の常識だよ、会社や商店にタカって、御馳走になるくらいは日常茶飯事さ。連中にとってはおおっぴらなんだからな。供応をうけることが悪いとも、汚職とも全然、考えていないよ。そんなものは税務署員の悪質手口とは言えん」

「はあ」

田原典太はうなずいてきいた。

「そうするとほとんどの署員はそういうことをやっているんですか?」

「まず、やっていると思って間違いないだろうな。それも全く、ハタに気がねなしにやっているんだから天下泰平だよ。それだけの図太い神経に養われてるんだよ。ひどいのになると税務署の前に会社や商店の迎えの自動車を横づけにさせるんだからね」

「驚きましたね」

田原は呆《あき》れた。

「それじゃまるで供応が当り前みたいじゃないですか?」

「そうなんだ、悪質な連中は、ちっとも悪いとは思っていない。それどころか、なかには御馳走を要求しに会社や商店に行くんだからね。彼らはまず夕飯どきになると、自分の受持ちの先に行って、格別な用事もないのに、なんとなく話しこむんだ。すると向うで察しをつけて、しかるべきところに案内するというわけだね。だがこれはまだ初心のほうだよ。少し馴《な》れてくると、自分で勝手に電話をかけて、おい、これからどこかの料理屋に行こうと誘いにくるんだよ。それからもっと馴れてくると、連中は勝手なところに飲みにいって、その請求書だけがコネの会社や商店に回ってくる仕組もある。むろん、礼は税金に手心を加えることで、交換になっている」

田原典太はポケットから手帳を出した。すると横井貞章はそれをじろりと見て言った。

「そんな些細《ささい》なことを手帳に書いてもしようがないよ。エンマ帳に書くんだったら、わしがもっといろんなことを教えてやる」

田原典太は心のなかでしめたと思った。さすがに赤星次長が紹介してくれただけに、格好な男にぶつかったものだ。

「どうぞお願いします」

田原は頭を下げた。

「よし、じゃ僕がこれから言うことをよく聞いて、わからんことがあったら質問したまえ」

横井貞章は独り者と見えた。田原が先ほどから気がついたのだが、客にお茶を持ってくる人間がいないのである。彼は女房も子供もいない独身者かもしれない。

横井は、そのことに気づいたと見え、田原に言った。

「そうそうお客さんにお茶あげないかん」

と畳から起《た》ちそうになった。

「いや結構です。どうぞおかまいなく」

田原は言ったが、横井はきたない着物の裾《すそ》を煽《あお》って起ち、台所に降りた。なにやらゴトゴトさせていたが、やがてコップに二つ水のようなものを持ってきた。

「まあ、君の口には合わんだろうが」

と、その一つのコップを彼の前に出した。

田原ははじめそれが水だと思った。あまりに貧乏暮しなので、茶を出すかわりに水の振舞いかと思った。それでも、礼儀上、コップを手にとってみたが、鼻にプンと臭ったのは焼酎《しょうちゅう》であった。

「これは」

田原が思わず目をまるくした。

「こんなものは昼間からは頂戴《ちょうだい》できません」

「まあそう言わないで」

横井貞章はにやにやと笑い、

「まあ、君たちが飲むものとは少しちがうが、わしはこれでないとうまく舌がまわらないんだ。失敬してやりながら話すよ」

とコップに唇を吸いつけて言った。

「君の知りたいのは大口のほうかね。それとも小口のほうかね？」

横井貞章はまず質問した。

田原典太はちょっと迷ったが、横井は、それを見て、大口というのは国税庁に所属する分で、年収一千万円以上の納税者を対象とし、それ以下は各所轄の税務署扱いになっている、と説明した。

田原典太は崎山亮久が税務署員であることを思い出した。

「実は税務署の扱いのことで聞きたいんですが」

「税務署というとちょっと、ことが小さいが」

横井貞章はすこし不足そうな顔で言った。

「大口というとどえらいことがあって面白いが、君が知りたいのは税務署ということだから、それは、まあ、やめておこう。小口といっても資本金が小さくて、水揚げの大きい会社や商店はいくらでもあるからな。つまり、年収一千万円以上はあるが、そのとおりに申告しないところがいくらもあるわけさ。そういうのは全部税務署扱いさ。だから実質上は国税庁扱いだが、不正申告によって税務署扱いというのがふんだんにあるわけだ」

「それです」

田原典太は膝《ひざ》をすすめた。

「そういうのをひとつ聴かして下さい」

「そういうのをか?」

横井貞章は、田原の言い方を面白がって笑った。

「よしよし、ではそういうのを話してやろう」

横井貞章のしゃべり出すのを、田原典太はメモしはじめた。

焼酎のかげんか、横井貞章の口は次第になめらかになってゆく。途中で、ほとんど田原典太が口をはさむ余裕すらなくなったくらいである。田原にはよくわからないところがあって、それを質問しようと思うのだが、横井の話しっぷりには油がのっていて、なにか途中で口をはさむのは、せっかくの彼の話術をさまたげるように思えた。

そこで田原典太は横井の言うままに、とにかくメモを続けていった。

それは次の通りになった。

「税務署の職種には大きく分けて賦課《ふか》係と徴収係とがある。このうち課税賦課が税務署の花形であると言われる。なかでも法人税課と調査課がもっとも汚職贈賄《ぞうわい》の機会が多い。徴収係のほうは、文字どおり課税された税金を集めるだけで、そのような機会はあまり無い。贈賄の一般的傾向としてもっとも多い型が、更正決定時の署員への供応である。

たとえば決算期において、実際は百万円の黒字が出たが、これをこのまま申告すれば、約五十万円の税金がかかる。それで赤字決算として申告するのである。すると税務署の調査にかかって、更正決定に回されるのだ。

この場合、悪質調査員への贈賄は、実際の利益に対する税の半分というのがだいたいの相場である。

つまり、百万円の利益に対して五十万円の税金がかかる。その五十万円をのがれるために、半分の二十五万円を贈賄して、百万円を無にするわけである。これが一般のいちばん多い型である。

悪質な現職署員が各商店への食い込み方法としては、ふつう経理指導ということで付き合う。これはむろん違法である。

だが商店側、あるいは会社側も税務署員が売り込みにくると、これをこばむことができない。あとがこわいからである。

また彼らの出入りを許すと、お互いに利益になることがあるので、つい、経理指導をお願いします、ということになる。

この型はとくにホテル、バー、キャバレー、料理屋、問屋などが多く、彼らは昼飯どきに行き、食事の供応を受け、さらにお宅の部屋を貸して下さい、と言って麻雀《マージャン》をかこむ。むろんこの麻雀のあいだにはいろいろな食べものを要求するのである。さらにこれが通例となって、酒が入り、さらに延長してバーやキャバレーの勘定をコネの会社の名前にして飲み食いする。そして彼らが経理指導として受けとる金は、月約三万円程度で、ほぼ税理士の給料と同じである。脱税額の歩合で約束する奴《やつ》もある。

これらの指導商店が管内に三つも四つもあれば、けっこう小遣銭くらいにはなるのである。

また彼らの通例として、自分の管内だけでなく、よその管内の税務署員とも有無相通じているから、こちらからよろしく頼む、と言えば、先方はオーケーで、お互いに便利の相互扶助をしている。

大きく言えば、悪質な税務署員は顔を売った自分の管内のみならず、よその管内（曾《か》つて在任したところが多い）にも手心が自由になるので各地区の同志が共同謀議で供応その他の汚職をしている、と言われても仕方がないのだ。

だから現職の税務署員が各商店や会社なりの経理指導をしているので、事実上の脱税指導をしているようなものである。したがって、会社や商店はむしろ彼らの経理指導を歓迎するのである。

これらは一般の小ものの署員の場合である。が、小ものといってもばかにできない。なかには悪質なものはコネの料理屋なりキャバレーに行って、友だちを大勢つれ、飲み食いし、甚《はなは》だしいのは女を要求し、さらに供応の要求額は次第にふえていく。

ところで、一方、これらの平署員が署内の上級幹部に最も、要求されるのはおみやげと称するものである。『おみやげ』とは、各商店の帳簿を調べたときに、過少申告や脱税の疑いのあるものを言う。この疑いを発見して署に持って帰ると、ただちに幹部は、これを更正決定にもっていく。そこで、会社商店側があわててもみ消しにかかると、政治取引で彼らは甘い汁が吸えるという仕組になっている。

税務署の課長クラスはだいたい四十年配である。すでに自分の将来は見えている。いわば人生のひとつの転機にさしかかっているわけである。

つまり、彼らは署長になるにはまだあいだがあり、或《ある》いは、署長になれないかもしれないのである。さりとて計理士になるにもまだ早い。

このような条件のもとでは、課長クラスは例外なくコネの会社のひとつやふたつは握っている。それはまず腹心の部下を使って、会社の出した報告に因縁をつけて更正決定に回す。そして、話が政治折衝に入ると、自分から会社に乗り込んでいって話をきめるのである。

この場合、彼らは、会社を食いものにするということもいえそうである。会社の方で、もし脈があれば彼らは横すべりをして、その会社の社員におさまるという手もある。汚職がばれて署をクビになった場合、コネの会社の役員とか顧問におさまる税務署員があるのは、大体、この場合と考えてよろしい」

横井貞章の話から取った田原典太のメモはまだ続いている。

「脱税に関してはだいたい三つのケースがある。
①は、前に言ったように、調査課員が調査に行って容疑を摘発し、査察に回すもの。
②は、関係業者または第三者による通報、投書によるものである。いわゆる第三者通報というものを含んでいる。
このケースでは税務関係側が業者に電話とか訪問、または双方と関係のものをつかむという方法で、その通報内容または記録を見せるとか漏らすとかして事実をとる。

このとき、悪い奴になると、投書はだれだれらしいなどと漏らして、業者側からその投書者（通報者がその業者と同業の場合など）へ、村八分的なやり方を教えたり、暴力団でおどかしたりする。さらに悪質な署員は、コネの業者に、その通報者の内幕を通知させて、逆に自分のほうの権能を使って相手をおどかすという場合もある。
③は、甲という業者を摘発したとき、この業者の帳簿から乙の摘発材料をつかむことがある。すると乙を摘発すると同様に、また丙の摘発容疑もとらえるというような場合がある。悪質な税務署員は、その丙を摘発して、乙にこれを極秘のうちに知らせ取引をする方法をとる、また、甲乙丙丁というように関連的に事件が拡大するときには、必ず大きな政治的圧力などがあると、圧力の強いほうを避けて、弱いほうをやるのだ。これは役人の常套《じょうとう》手段である。こうした関連性のある査察を税務署内部では

『資料箋でやる』といっている。証拠に基く連続性というものだそうである。

それから、さらにこの間に悪質税理士が介入することになるのだが、それは暫《しばら》く措《お》く。

商店や小さな会社が税務署の調査にそなえて万全の帳簿を作っていても、調査員に容易に真相を摘発されるのは、税務署員に規格の調査閻魔帳《えんまちよう》があるからである。

その閻魔帳によると、業種によってだいたい標準がきまっている。たとえばクリーニング屋を調べるとすると、電気使用料をまず調査する。電気料百円に対してワイシャツは何枚、ズボンは何枚、夏服なら何枚、冬服なら何枚といったようになる。そうして一人平均最低××円は働くといったようになる。

料理屋の場合ならば、畳の枚数、間数と女中の数などによる。これも電気使用料などを調べて、仕入れや売り上げの基準が出るのである。

これらは一定の公式な基準である。そうして、このような基準に調査官たちは数字を当てはめるにすぎない。それが中小企業の場合は不思議に当るのである。

納税者の帳簿は作られたものである。調査官たちは簡単に数字を当てはめるだけである。

こうしたことを知らない中小企業者たちはいかにも調査官たちは個人的に相当その

業界にくわしいと錯覚を起すのである。もちろん調査官たちは商売の経験の無い者ばかりであるが、調査を一生の天職としているのが百パーセントに近い。それで彼らはひととおりの課税基準をもっているのである。

そういうわけで、大げさに言えば、調査員が脱税事実を発見することは簡単である。それに帳簿が非常に複雑なため、厳重に税法どおりに調査すれば、三つや四つの否認事項は必ず出てくる。(否認事項とは、更正決定のことを言う)これは幹部がもっとも喜ぶ例のおみやげで、このおみやげが多ければ多いほど、税務官吏としては有能なことが証明されるのである。

悪質な納税者があればあるほど、否認事例を多く作ることになる。否認事項を税務署にもってかえれば有能な職員だし、悪質幹部にとっては会社との取引材料にもなるというわけでこたえられない。

無論、税務署員が悉《ことごと》く悪質な人間ではない。なかには純真な役人もいる。しかし、純真な第一線の若い税吏が脱税の資料を集めたり、発見したりしても、単独に自分の意思のとおりに税法を通用させることは困難である。

なぜかというと、それは直ちに上の幹部と業者側との政治折衝になって、大いに課税が減額されるからである。この場合、具体的には調査に行った係員が脱税事実をつかんで、法人税課長に調査報告を提出しても、課長にだまって突返される場合が多いのである。何度書き直しても同じことであり、いつもだまって書類を返されるのである。

ここで係員ははじめて課長などの上役が収賄しているのを暗黙のうちに知らされるのである。

この場合、悪い上役は、係員に相談的な助言という形式をもって取消命令を出す。それによって脱税者をみすみす見逃すのである。

つまり、悪税吏のいる限り悪徳納税者にはわが世の春であり、純真な下級税吏にとっては、悪質な上役に使われる機械の部分品のひとつにすぎない。悪質な上級官吏は政治的圧力によって、部下たる調査係に悪徳納税者の脱税を強要する。

たとえば、或《あ》る調査員が或る業者を調査したとき、第一回の調査のときから脱税の資料を集めた。彼は業者に、一定の期日まで一切の書類を提出させようとする。それは純真な彼が、その業者の信用のために計ったのだが、署に帰ると、すぐに幹部に呼ばれ、その日までの書類提出は見合せるようにと、半ば強制的に相談を受けるのである。

こうなるとなんのための調査官か分らないことになってくる。幹部は悪徳業者の代弁人になっているのかといいたくなる。その幹部の下に勤めている純真な税務官吏は道化役者にすぎなくなってくるのだ。

むろん、税務署に入ったばかりの若い税務官は、純真な気持を持ってこのような署内の悪徳と闘うことを決心する。正義に燃える青年だったら誰しもそうであろう。ところが彼は次第にそのことの無駄であることを悟らねばならない。先輩や上役の仕組がそのようになっているのである。もし彼が抵抗を試みんか、その職場を退くことを余儀なくされる。

なお付け加えたいことは、税務署員には二つの出世の型がある。一つは学閥と閨閥《けいばつ》とによってはじめから上位を約束される、いわば幹部候補生である。税務署の中の用語に従えば、これは『学士』と呼ばれている。もう一つは下積みからこつこつとたたき上げて累進《るいしん》していくタイプで、これらは『学士』に対して『兵隊』と呼ばれている。『学士』は本省詰めになって次第に累進し、部長、局長のコースが予定されているが、『兵隊』は大体地方税務署にあっては、課長クラスが行きどまりである。従って『学士』の方には汚職は無いが、『兵隊』の方は、大体、課長クラス程度が行きどまりであるために、その位置にあるときに、できるだけ余生を有利にしようとして、収賄などの汚職をやるものが多い」

9

田原典太は、このメモを持ってデスクに帰った。彼は、横井貞章が何者であるかわからなかった。茅屋《ぼうおく》に住んできたない格好をしているところを見ると、一見失業者のように見える。しかし税務署の内部にはいやにくわしいのだ。それを赤星次長が紹介したのだから、この二人は前からの知り合いには違いない。

が、田原が赤星次長のところに帰っても、遂《つい》に次長は、横井の正体を明かさないのである。

「実に驚きましたね」

と田原典太は言った。

「税務署の内幕を聞いて、驚きましたよ。あれでは、署員にコネの出来ない正直者の納税者がバカを見ることになります」

「そうか」

赤星次長は、ニヤニヤして、

「ちっとは参考になったかいな?」

と田原を見て訊《き》いた。

「ええ、ずいぶんタメになりましたよ。こういうことを聞いておいて予備知識を持ち、崎山亮久たちの行動を追及したら、立ちどころに彼らのやり方がわかりそうですよ」

「まあ、しっかりやってくれ」

と赤星次長は横井貞章のことには触れないで激励した。

その夕方から、田原典太は崎山亮久を跟《つ》けることにした。彼は、R税務署のおもてに、わざと新聞社の車を使わず、流しのタクシーのルノーをひろって待機した。

五時過ぎになると、税務署の中から、見おぼえのある崎山亮久法人税課長が鞄《かばん》をかかえて出てきた。崎山は門を出るときょろきょろしていたが、やがて通りかかりのタクシーに手を挙げた。

「あれを跟けるんだ」

田原典太は、ルノーの運転手の背中をつついた。

「料金は倍額にするからな。まかれないようにつけてくれ」

「わかりました」

運転手は、はり切って言った。

先方の車はクラウンで、これは田原が見ている目の前で、崎山を乗せて走り出した。

折から、ラッシュアワーである。崎山課長の乗ったクラウンは、車の往来の激しい中を進んで行く。こちらの運転手は、ルノーだから、車と車の間を、縫うように追い越してつけて行った。

やがてクラウンは、ある大きな事務所の門の中に入った。

「このへんでよかろう」

田原典太は運転手に言って、五十メートルばかり離れたところに駐車させた。ここで辛抱強く、崎山課長が出てくるのを待つつもりなのである。

一体、これはどこの会社であろう、と思いながら、彼は、車を降りて、ぶらぶらと門の前に歩いた。すると、そこには、「××電業株式会社」と書いてある。この会社は、東京の郊外を走っている或《あ》る電鉄会社の下請工事会社であった。

時計を見ると、五時過ぎだった。会社の退《ひ》け時である。崎山は、この時刻を狙《ねら》ってやって来たものらしい。まさに、あの陋屋《ろうおく》に住んでいる奇怪な人物、横井貞章の言う通り、「悪質な税吏は、退け刻《どき》に、誘いをかけにぶらりとやって来る」というのにピタリであった。

どうせ、崎山はすぐに出て来るだろう、と田原は考え、タクシーに待ち賃銀を約束して、そこに佇《たたず》んだ。

それほど大きくない事務所の建物は、ひっそりとしていて、二階の窓に明りが射《さ》しているだけである。崎山は、多分、そこで会社の連中と話をしているに違いない。

田原が考えた通り、間もなく、事務所の前に大型の自動車が二台着いた。門の外から窺《うかが》っていた彼は、その一台の車に崎山の姿が入ったのを見て、すぐに、自分のタクシーに引き返した。彼は運転手に、

「今、車が二台、そこの門から出るから、それを尾《つ》けてくれ」

と命令した。眠っていたらしい運転手は、目をこすってハンドルを握った。

この場合、社の自動車を呼ばなかったのは幸いだった。新聞社の社旗を立てていたら、先方に勘づかれるに違いない。

田原が、座席に坐《すわ》って、前方のガラスをじっと見凝《みつ》めていると、さっきの二台の自動車が滑るように出て来た。こちらとは反対側に向かって行く。

「さあ、尾けてくれ」

田原の声に、運転手は、合点《がてん》して、車を走らせた。

その自動車のあとからこちらのルノーは走って行く。間は、ほぼ二百メートルくらいあいていた。先方の二台は、大型の黒塗りのビュイックである。

その二台は繋《つな》がるようにして走って行く。田原の乗っているのはルノーだから、少

しぐらい、間に邪魔な車が入っても、軽快にそれを振り捨てて向うに追い縋《すが》って行く。まず、相手を見失うようなことはなかった。

折から、街はラッシュアワーであった。近ごろは、やたらと自家用車がふえて、この時間はひどく混み合うのである。田原は心配したが、運転手は慣れていた。まだ若い運転手で、この追跡に少々興味を起したらしく、間の邪魔な車の間を縫うようにして走り、目標の車から離れなかった。

二台の車は、お濠端《ほりばた》をゆっくりと走って行く。先方は大型なので、運転も鷹揚《おうよう》だった。

運転手が、田原典太に、肩越しに言った。

「旦那《だんな》」

「前の車は、何ですか?」

運転手は、田原が何を追跡しているのかと不思議がっている。

「なに、あの、今の会社のお偉方《えらがた》が乗っているのさ」

田原は、そう答えた。

「すると、前の車に乗ってるのが、偉いんでしょうね?」

運転手は自分の判断で訊く。

「いや、後ろだって同じだよ。前の車には、ただ、お客さんがいるだけさ」
「へえ、そうですかね」
運転手は、よく呑《の》みこめずに、返事だけで感心した。
田原の見つめている前を、二台の車は、尚《なお》も進んで行く。方向は、どうやら、料亭街のあるA町らしい。
田原は、それを見ながら、口ずさんだ。
前の車には　税吏さま
うしろの車には　社用さま
二つ並んで　はるばると
汚職の車が　行きました
田原典太は、機嫌よく、歌を口ずさんだ。二つの車のうち、どれに、金の瓶《かめ》が入っているか判《わか》らない。法人税課長の崎山にとっては、あるいは、二つとも、彼の金の瓶かも判らなかった。
思った通り、二台の車はA町に入り、両側に軒を並べている料亭街を進んだ。そこまで来ると、向うの車は速力を落した。こちらの運転手も心得たもので、相変らず、二百メートルの間隔を縮めもせず、従って行った。

前の車が或る家の前で停まった。田原典太は、できるだけルノーを片寄せて停め、前硝子《フロント》を見つめていると、先に降りたのが、崎山亮久の姿だった。続いて、あとから、会社の人間であろう、二台とも三人ばかり同時に降りて、門の中にいそいそと入った。
客を降ろした車は、そのまま徐行して、隣の黒い塀の横にピタリとくっつくように停まった。

「おい、運転手さん」

田原は言った。

「今、連中が入った家は、何という料亭かね？」

「あれですか」

若い運転手は言った。

「あれは〝梅本〟ですよ」

「梅本」というのは、田原も、名前だけは知っている。料亭では、この辺でも一流のクラスであった。さすがに、××電業だけあって、供応も、一流のところでしているらしい。

ここで、田原典太は、また、思い当ることがある。このA町は、崎山亮久のいるR税務署とは管轄《かんかつ》違いである。彼らのやり方として、供応は、自分の管轄内を避けている。これは、彼らが気が咎《とが》めるわけでも何でもなく、管内の納税者の誰かに見られては都合が悪いからだ。

しかし、税務署員は、大抵、各地区を順に回っている。一カ所に何年もいるわけではなく、大体、二年半か三年で転勤になるのである。だから、彼らは、どの地区でも「顔」を売っているわけである。崎山亮久にしても、或《あ》るいは、このA町の管轄の税務署に以前勤務したことがあるのかも知れない。

どちらにしても、税務署員の「顔」は、東京全都に跨《また》がっていると言っても大袈裟《おおげさ》ではないのだ。彼らは、何か事があると、互いの税務署間で通牒《つうちょう》し合って便宜な処理をする。この意味で、崎山が、自分の管轄違いのA町に来たといっても、別段、逃避でも何でもないわけである。

田原典太は、運転手に交渉して、待ち時間をうんとはずんだ。その代り、二時間でも、三時間でも、ここに、命令するまで待つことを約束した。大体その見当を二時間と踏んだのは、彼らは、ここ一カ所だけでは済まないと思ったからである。

そのうち、きれいな衣装を着た女たちが、四、五人連れで、「梅本」の玄関に入った。いうまでもなく、芸者である。田原は、崎山の席に彼女たちが呼ばれたのだと悟った。これは、少し、長くなるかも分らないぞと思った。

田原は、何かの参考に、ここで写真を撮りたくなった。

「この辺に、公衆電話はないかね？」

田原が呟《つぶや》くと、運転手は、

「すぐそこに、ボックスがありますよ」

と言った。タクシーの運転手ともなると、東京中の公衆電話の場所を知っているみたいだった。

「行きますか？」

運転手は、車をそこまで動かした。

田原は、ボックスに駆け込んで、社に電話した。赤星次長を呼び出そうとしたのだが、生憎《あいにく》と席にいないという。仕方がないので、ほかの次長に出て貰った。

「至急に、カメラマンを一人、よこしてくれませんか？」

彼は、性急に言った。

「なるべく、隠し撮りのできるようなカメラマンがいいんです」

ところが、その次長は、

「ちょっと、待ってくれよ。今カメラマンがいるかどうか判らないからね」

「何か、事件があったんですか？」

「近くのY市で、火薬の爆発事件が起ったんだ。それで、今、カメラマンが総出で行っているらしい。急ぐのか？」

運の悪い時は仕方がなかった。

「急ぐんです」

「急ぐんでは、困るな」

次長は、電話口で呟いた。

「とにかく、ちょっと、待ってくれよ。聞いてみるから」

次長は、別の電話で写真部と交渉したらしい。

「やっぱり、駄目だ」

と彼は返事をした。

「すぐにはやれないが、帰り次第、そっちに行くと言っているよ」

「A町の〝梅本〟の前です。僕は、そこに、ルノーに乗って待っていますから、それを目標に、車を飛ばさせて下さい」

「判った」

電話は切れた。

田原は、また、大急ぎでもとの場所に戻った。気懸りだったが、例の二台のビュイックは、以前の位置に相変らず停まっている。田原は安心した。

それから、しばらく経《た》った。

料亭の中からは、三味線の音が賑《にぎ》やかに聞えて来る。これは、崎山亮久を客にした、××電業の宴席に違いなかった。仕事とはいえ、田原典太は、少々阿呆《あほ》らしくなった。自分は吹き曝《さら》しの寒い所に、莫迦《ばか》みたいに立っているのだ。敵は、暖かい座敷で、女とご馳走《ちそう》を前に大騒ぎをやっている。

崎山亮久も、給料は僅《わず》か三万円そこそこに違いない、それなのに、彼は、法人税課長という役職にあるだけで、大尽遊びを享楽しているのである。

悪質な税務署員は、管内で公然と言うそうだ。「ご馳走になるくらいは普通のことだ」――こんなばかげた話はない。

現在の官庁のどこに、役人の供応を当然とする役所があろうか。あの横井貞章の言うように、供応などは税務署員には免疫《めんえき》になっているようである。

崎山亮久のように、一流の料亭で接待されるのは、そうざらにはないだろうが、それにしても、税務署員は一般の料理屋で、コネの業者からご馳走になるくらいは平気らしい。いや、彼らは、自分たちの仲間同士で、業者からの供応の多寡《たか》を比較し、自慢し合っているという。

さて、田原典太は、一時間も其処《そこ》で待ったであろうか。ルノーの座席に入っていても落ちつかない。外に出ても気持が苛々《いらいら》した。彼は、徒らに「梅本」の建物を見上げた。

この辺の家の構えによくあるように、門の入口は狭い格子戸《こうしど》になっていて、塀が両方に延びている。塀の上には、暗い植込みの茂みが見えていた。その梢《こずえ》の奥に、障子の明るい灯がちらちらと洩《も》れている。三味線と唄《うた》は、そこから表まで聞えてくるのであった。

悪い時に不慮の事故が起ったもので、普通なら、もう、とっくにカメラマンが来ている筈《はず》だが、まだ、到着しなかった。隠しカメラで、崎山亮久やその招待者の顔を撮っておいたら、あとで、また、何かの参考になりそうなのである。田原は、少し、口惜しくなった。

田原典太の性分として、じっとここに辛抱していることができない。何とか、その豪華な遊びを覗《のぞ》き見したいと思った。これも、後の何かの参考のためである。崎山亮久はどのような供応を業者から受けているか、この目で確かめたかった。これが、普通の安料理屋なら、客になって入って行くのだが、この辺の高級料亭ともなると、フリの客は、無論、相手にしない。また、それだけの金も、彼のポケットになかった。

それでも、新聞記者根性で、何とかなるような気がしてならなかった。田原は、思い切って、「梅本」の門をくぐった。

門から玄関までは長い距離があって、庭石が敷き詰めてある。そこは打ち水で濡《ぬ》れていて、傍の燈籠《とうろう》にはぼんやりと灯が入っていた。幸い、その辺に人影はなかった。

田原典太は、こっそりと玄関の横まで行った。傍に竹垣があり、その奥は庭になっているらしく潜《くぐ》り戸がある。庭に出ると、もっと座敷の様子が分りそうな気がした。

庭から建物の横は真正面の位置になり、多分、庭に向かっては障子があるだけであろう。庭は、風情《ふぜい》を見せるために、松の枝の下の燈籠か何かに灯が入っていて、情緒を漂わせているに違いない。だから、座敷の障子が庭に向かって開いていないとも限らないのである。

田原典太は、枝折戸《しおりど》に手をかけた。が、それが開くか開かないうちに、逆に、内側から戸が開いた。田原は愕《おどろ》いた。

枝折戸をくぐって出たのは、この家の名前を襟《えり》に白抜きに染めた、法被《はっぴ》姿の下足番であった。下足番の方も、思わぬ所に人が立っているので、びっくりしたらしい。田原の様子を、じっと見つめるようにして立った。

「どなたですか?」

男衆は、田原に訊いた。田原は、内心、しまった、と思った。うかつな様子を見せると、泥棒に間違えられかねない。まさか客ともいえないのである。この家の常連でないことは顔でも判る。

若い男衆の方では、いよいよ、田原を怪しいと見た。

「どなた様ですか?」

言葉は丁寧だが、語気が強かった。殆《ほと》ど、詰問《きつもん》するような調子である。

「ぼくは」

田原典太は、とっさに思いついて言った。

「崎山法人税課長に連絡に来た者です。R税務署の者ですが」

これを聞くと、若い男は、俄《にわ》かに態度を変えた。税務署員という身分よりも、「客」の側だと直感したらしい。

「へえ、これは、どうも」

彼は、腰を屈《かが》めた。

「ご苦労様でございます。崎山様とおっしゃると、どなたさまのお座敷で?」

田原は、即座に答えた。

「××電業会社の座敷だと思いますがね」

「は、××電業様で」

男衆は、すぐに、それを取次ぎに玄関の方に行った。

田原典太は、男衆の姿が玄関から消えるやいなや、彼は、門の外に走り出た。うっかり、つかまっては一大事である。嘘《うそ》がばれるばかりか、肝心の崎山亮久の追跡が無駄になるのである。

田原は、表に待たせてあったルノーに逃げ帰った。運転手は運転台に横になって眠っていたが、ドアの音で眼を覚まして、むっくりと起き上がった。慌《あわ》ててハンドルを握ったので、田原は制《と》めた。

「おい、違うよ。まだ、出発じゃない。ここに、もう少し、待っているんだ」

「へい」

運転手は、目をこすった。

「いま少し、後の方にバックしてくれ」

これは、あとで、誰かが門の外に、田原の姿を捜しに来たときを考えてのことであった。この処置は正しかった。

五分も経たないうちに、「梅本」の女中や男衆が三人ばかり、門の外に出て来た。

こちらは、となりの料亭の前で、灯を消してうずくまっている格好だ。先方ではキョロキョロと辺りを見まわしていた。崎山に連絡に来た税務署員が、何処《どこ》かその辺にいるくらいに思っているらしい。あの男衆が、皆に話して、右を見たり、左を見たりして目で捜していた。互いに低い声で話し合っている。

先方は、一応このルノーにも目を止めたが、隣の料亭の客の車と信じたらしい、灯を消して離れて待っているので、これは、当然、そう思う筈である。別段、こちらに来て覗《のぞ》こうともしなかった。男衆や女中たちは、狐《きつね》につままれたような様子をして、門の中に引返した。

田原典太は、座席から身を起した。早くカメラマンが来るように心で待ったが、一向に、社の車が現われる様子はなかった。傍を通る車は高級車ばかりで、近くの料亭の前で、次々と停まるのである。

田原は、もう二度と「梅本」の内に入ることができない。こうなれば、先方が出て来るのを、ここで待っているより仕方がなかった。これから、一時間でも二時間でも、彼らが出て来るまで、ピケのつもりで辛抱する肚《はら》であった。

しかし、それほど、待つ必要はなかった。三味線の音が急に止《や》んだのである。それから三十分も経つと、女中が門を走り出て、塀の傍に灯を消して待っているビュイックの運転手に何か告げに行った。ビュイックは、ヘッドライトを点《つ》けて動き出した。二台の車は、「梅本」の門の前に横づけになった。

田原典太は、凡《すべ》てを察した。敵は、明らかに警戒したのである。おそらく、崎山亮久は、自分がこの料理屋に来ていることを、誰も知らない筈だと思っているのだ。そこに、訳の分らぬ人物が連絡と称して来たので、彼も、急に怯《おじ》気づいたのであろう。三味線の音が俄《にわ》かに止んだのも、その狼狽《ろうばい》を現わしていた。やはり、崎山法人税課長も、脛《すね》に傷を持つ身で、図太く、そのまま落ちつけなかったに相違ない。

ほどなく、女中たちに送られて、四、五人の客が出て来た。その一人に、崎山の姿がある。崎山は、前の車に乗った。

「おい、尾けるんだ」

田原は自分の運転手に言った。

社のカメラマンは、依然として、やって来ない。彼は、心の中で地団駄を踏んだ。向うでは、こちらのルノーには、気をとめていなかった。どこまでも、隣の料亭の客待ちの車だと思い込んでいるらしい。

二台のビュイックが走り出して、街角を曲るや否《いな》や、こちらのルノーも行動を起した。同じく街角を曲る。ビュイックの赤い尾灯《テイル》は、暗い中に光って走っていた。見失うことはないのである。

二台の車の行く先は、銀座の或るキャバレーであった。一度、警戒を起したものの、崎山亮久は、やはり、図太い神経を持っている。それですぐ解散するのではなかった。或いは、彼の惰性が、いつものように、二次会に自分の体を運ばせたのかも知れなかった。

キャバレーとなると、料理屋とは話が別である。田原は、再びルノーの運転手に、待つように交渉して、そのキャバレーのドアを押した。

時間的にも、ちょうど、客の混み合う時である。テーブルは、殆ど客で一杯であった。ボーイがすり寄って来て、

「どうぞ」

と言って先に立つ。彼は、ボーイの後について行きながら、それとなく、目を配った。

崎山亮久の姿が壁際《かべぎわ》に見えた。招待側は三人である。彼らも、今着いたばかりなので、席に坐《すわ》りかけている者や、まだ立っている者もあって、ざわついていた。田原は、それを横目で見て、案内された席に着いた。

ちょうど、この席は、崎山亮久と真向かいなので都合がよい。薄暗い照明だが、向

うの様子ははっきりと分る。

「お飲み物は?」

うるさい音楽の中で、給仕の囁《ささや》く声が聞えた。田原は、ハイボールを頼んだ。

「ご指名のホステスがございますか?」

給仕は、また囁いた。

「誰でもいい」

「かしこまりました」

田原が向うを見ると、崎山の卓に四、五人の女たちが賑やかに寄って来るところだった。ここでは顔馴染《かおなじ》みらしい。田原のような初の客とは違って、向うはひどく歓迎されている。

田原の卓に来たのは、背の低い、肥《ふと》った女だった。田原は、崎山亮久のまわりにいる姿のいい女たちと見比べて、がっかりした。向うの席では、頻《しき》りと、酒やオードブルなどが運ばれている。

警戒心はどこかに飛んだらしく、今は、崎山法人税課長も、愉快そうに大きな声で笑い、屈託がなさそうである。横についている女給が、頻りと、彼の体にしなだれかかっていた。席につく匆々《そうそう》、あのような態度をするのは、崎山の馴染みの女かもしれない。その卓では、揃《そろ》って乾杯をしている。

このキャバレーは、銀座でも、かなり高いことを、田原は知っていた。田原のような、おでん屋を覗いて歩く男には、縁のない場所である。が、仕事となると、仕方がなかった。彼はポケットの金を考えながら、一番安い飲みものを取った。肥った女にも、別に奢《おご》りの酒を奨めない。女は、田原を軽蔑《けいべつ》したような目で見ていた。

田原は、ここで隠しカメラを撮ったら、最も効果的だと思った。今ごろは、カメラマンの奴《やつ》、あの料理屋の前でうろうろしているかもしれない。連絡がとれないのは残念だった。が、今さら、社に電話をかけるのも、遅すぎるような気がしたので、中止した。ここから、じっくりと、この肉眼で見つめるに限ると思った。

崎山の横にいるのは、四十くらいのでっぷりした男で、これが招待側の一番上の社員のようだった。おそらく、会計部長か経理部長といったところであろう。ほかの二人はそれよりも若かった。しかし、三人とも崎山に頻りと話しかけ、機嫌をとるようにしていた。

崎山は傍の女の肩を抱き、ときどき屈み込んではささやき合っている。こちらから見たところ、彼女は美人ではないが、肉感的な女だ。

そのうち、バンドの曲が変ったので、崎山は女と組んでホールで踊り出した。ルンバだが、崎山は器用に足を動かし身体《からだ》を回している。相当に遊び馴《な》れているのだ。

彼らは、ついでに次のマンボまで踊って、席にかえった。招待側は両人のために拍手した。これだけ主客の間がしっくりしていると、会社も相当、課税を負けてもらっているに違いない。崎山も供応だけでなく、現ナマくらいはときどき貰《もら》っていると田原典太は想像をつけた。

コネ無き善良な庶民よ、と田原典太は心でうたった。この場面を見るがいい。零細な収入からは税金が容赦もなく取り上げられる。少しでも遅れると、督促状だの、差押え状などが舞い込んでくる。税務署に出頭して陳情すれば、若い係員から、「オジサン、税金は払うもんだよ、先に払ってから文句を言いな」と毒づかれる。僅《わず》かな細工を申告書に施すと、忽《たちま》ち見破られて、係員は鬼の首でも取ったように、更正決定書や過少申告書重加税などを突きつけてくる。哀れな庶民は、コネが無いから、この決定通りに払わなければならない。

納税は国法に従う義務だから実行しなければならない、しかし、その徴税はあくまで公平を期すべきである、少しでも、情実に絡《から》んだ偏頗《へんぱ》があってはならない。一方では規定通りに零細所得者から税金を取り立て、一方では大口の税金に手心を加える。況《いわ》んや、税吏が己れの私利のために、手心を加えるとは何事であるか、しかも、彼らは供応をうけるのを常識と心得ているに至っては、開いた口が塞《ふさ》がらない——と田原典太は思うのである。

見るがいい。崎山法人税課長のこの贅沢《ぜいたく》な供応の享受《きょうじゅ》振りを。こんな様子を見たら、誰でも、納税意欲を失うに決っている。

そのうち、崎山が、すうと席を起った。手洗いにでも行くのかと見ていると、トイレの方とは反対に入口の方に歩いて行く。

はてな、と思っていると、崎山の横にいた女も、あとから席を起って、自分たちの更衣室の方へ行った。

田原典太は、ぴんと頭にきた。

「おい、会計してくれ」

「あら、もう、お帰り？」

彼の横に付いている女が、鈍い目を開けた。

「急ぐんだ」

金を払って、大急ぎで外へ出た。

待っているルノーのタクシーのところに行くと、運転手は横になっていた。田原は硝子《ガラス》窓を叩《たた》いた。

「え、何処へ行くんです？」

運転手は、また目をこすった。

「何処に行くのか、おれにも分らん。いまに、キャバレーから男と女とが出てくるから、そいつらの乗る車のあとを跟《つ》けてくれ」

田原は、座席の中に入って目を光らせた。

キャバレーのドアマンが道路に出て、流しの空車を呼んだ。ほどなく、崎山の姿が現われてタクシーの中に入った。つづいて女が現われ、あとから乗り込んだ。女は赤いオーバーを被《き》ている。

「あれをつけるんだ」

田原は運転手に言った。

前のタクシーは緑色のクラウンだ。かなりの速度で走ってゆく。田原は腕時計を見た。九時五分だった。これからナイトクラブにでも行くのかと思っていると、クラウンは外苑《がいえん》の森を目差して行く。

「ははあ、あれはホテル行きですな」

運転手は追跡しながら言った。

その運転手の言葉に誤りはなかった。果して、前の自動車は温泉マークのネオンが屋根に上がった一軒の旅館の前に着いた。

崎山亮久は、人目を忍ぶようにして、女と一しょに玄関に入って行った。

田原は腐った。

女との金も、スポンサーが出しているのであろう。崎山亮久は女好きらしい。そこをコネの会社に付け込まれ、崎山もまた、無言のうちに要求しているに違いない。

田原は迷った。崎山は泊るつもりはないと思える。二時間か三時間後には、外に出てくるであろう。それまで、ここに待っているのも阿呆《あほ》らしいが、折角、ここまで跟けて来たのだから、このまま帰るのも惜しい気がした。

よし、こうなったら意地だから、崎山が旅館から出てくるまで待ってやろう、と田原は妙な意地を起した。

「旦那《だんな》、どうします？」

運転手が訊いた。

「うむ、あいつらが出てくるまで、待って居よう」

田原が言うと、

「旦那も、もの好きですね」

と運転手は笑った。

かっきり二時間経《た》って、崎山が女と出て来た。

「旦那、出て来ましたよ」

座席に睡っている田原を、今度は運転手が起した。

「よし、行ってくれ」

崎山と女とが拾ったタクシーのあとを追わせた。

「二時間も外で、ぼさっと待っているこっちは、いい面《つら》の皮ですね」

運転手が追跡しながら、ぼやいた。

「まあ仕方がないさ。辛抱してくれ」

田原は慰めた。

そのうち、先方の車は停まって、崎山だけがひとりで降りた。おや、と思っていると、彼は別の空車を停めた。崎山は女の車に手を振って、停まったタクシーに入った。

「旦那、どっちを追います?」

運転手は訊《き》く。

「むろん、男の方だ。女は構わん」

「へい」

崎山の乗ったタクシーは甲州街道に出て、水道道路に入り、人通りのない道を猛烈なスピードで走った。こちらのルノーも負けてはいなかった。

「おい、大丈夫か？」

田原は心配になった。

「大丈夫ですよ。任せて下さい」

若い運転手は請け合った。しかし、運転手と心中は御免だから、田原が速力を落させようとすると、スピードは自然に落ちた。前のタクシーが速力をゆるめて、街の角に入ったのである。

田原のルノーもそのあとに従う。狭い道で、両側の家は寝静まっていた。庶民的な住宅街である。

前の車は、とある家の前に停まった。こちらの車も、距離を置いて停まり、ライトを消した。

崎山がタクシーから降りて、玄関のベルを押していた。その姿が外灯の光の中に、黒い姿になってみえた。

ここまで確かめたら、用事はないから、田原は運転手に言いつけて、タクシーをバックさせた。

「やれやれ、随分、長い尾行でしたね。しかし、旦那、面白かったですよ」

運転手は水道道路に出てから言った。

「御苦労だったね」

時計を見ると、十二時になっていた。

「ところで、君、今の家のある所は、何という町かい？」

「あれですか、あすこは、もう、吉祥寺ですよ」

「なに、吉祥寺！」

これは、遥《はる》かにも遠くまで追って来たという感慨ではない。田原典太の頭に掠《かす》め過ぎたものがあったからだ。

沼田嘉太郎が殺されたのは武蔵《むさし》境である。吉祥寺とは距離が近い。中央線の駅だと、東京よりから、吉祥寺、三鷹、武蔵境の順となる。甲州街道を自動車で行くと、十二、三分くらいである。

「うむ」

田原典太は、車の中で唸《うな》った。

10

その翌《あく》る日だった。

昼すぎに、田原が社に出勤すると、受付から面会人があることを知らせた。

「誰だい?」

「堀越みや子さんと仰《お》っしゃってます」

受付嬢は電話で答えた。

田原は首を傾《かし》げた。聞き覚えの無い名前である。

が、とにかく、階下に降りてゆき、受付に立っている女の顔を見て、あっ、と声を出すところだった。

「春香」に働いている「なつ」という女中だった。本名を名乗って来るから分らなかった。「なつ」の堀越みや子は、田原の顔を見ると、微笑《ほほえ》んでおじぎをした。痩《や》せた女だ。

「やあ、君だったか」

田原も笑った。

「済みません。突然、お邪魔をしまして」

沼田嘉太郎のことを何か知っていると思ったので、田原は、彼女にだけは、こっそりと名刺を渡していたのだ。

「少し、お話したいことがありまして、上がったんですけれど」

堀越みや子は、受付の女や、あたりの新聞社の人たちの視線を意識したように、恥ずかしそうに言った。

田原典太は、心の中で、しめた、と思った。この女中を何とか味方につけるよう工作しようと思っていたのに、先方から飛び込んで来たのだ。

「どうぞ。ゆっくり、お話を聞きますよ」

田原は、堀越みや子を近所の喫茶店に誘った。大事なお客だから、なるべく丁重に扱った。

その喫茶店は、この界隈《かいわい》でも洒落《しゃれ》た店として知られていた。

事実、田原典太と、「春香」の女中「なつ」こと堀越みや子と話している卓の周囲にも、きれいな服装をした若い男女が占めていた。若やいだ華やかな雰囲気が辺りに漂っている。みや子は、場馴《ばな》れしない所に来たように少しおどおどしていた。和服で来ている彼女は、誰が見ても水商売の女だと知れる。その着物はあまり上等ではなかった。そんなことが、みや子自身に劣等感を起させているのかもしれなかった。

田原は、なるべく彼女の気持を引立てるようにした。コーヒーを頼み、ケーキを取ってやった。

が、みや子は、コーヒーには口をつけたが、ケーキには手を出さなかった。

「君、お菓子は嫌いかね？」

田原は、できるだけ、ざっくばらんな調子で言った。

「いいえ、嫌いじゃありませんけれど」

みや子は、細い声で答えた。

「じゃ、食べなさいよ」

「でも、今、欲しくないんです」

みや子は、菓子に目を落して言った。ケーキは洒落たデザインで飾られてある。

「フルーツでも取りましょうか？」

田原典太は勧めた。

「いいえ、結構です」

何を勧めても、彼女は辞退した。コーヒーも遠慮そうに半分飲んだだけだった。

「ところで、どうです、忙しいですか？」

田原は、彼女が気楽にものを言えるように仕向けた。

「ええ、まあ、忙しい方でしょう」

それにも、控え目に答えた。こんな調子では、せっかく一件を告げに来たと思ったのに、満足に話してくれるかどうか分らなかった。

田原は煙草《たばこ》を出して勧めたが、これにもみや子は首を振った。どうも辺りの雰囲気に馴染《なじ》めないらしい。

「ところで、お話をぼつぼつ聞きましょうか?」

田原典太は、にこにこして彼女を覗《のぞ》き込んだ。

「あなたが、ぼくに会いに来たのは、例の沼田さんのことでしょう?」

「はい」

堀越みや子は、瞬間に緊張を見せた。固くなっている態度がもっと強まった感じだった。

「どういうお話か分りませんが、ここで聞かせてくれませんか。絶対に、だれにも口外しませんよ」

堀越みや子は俯《うつむ》いていた。それは、話すのを自分で決心をつけているような様子だった。彼女はそれほどきれいな女ではなかった。水商売の女中としては、どこかにまだあどけなさがあった。田原の方からは見えないが、彼女はテーブルの下で指を堅く組み合せてでもいるに違いなかった。

「ほんとに誰にも黙って頂けますか？」

不意に顔を上げたが、彼女のその目がぎらぎら光っていた。前よりも頬が上気していた。

「もちろんですとも」

田原は大きく頷《うなず》いた。

「われわれはいつもそういうことには馴れています。裁判所に出ても拒絶するくらいですよ。どんな秘密を聞かして頂いても、ほかに洩《も》れることはありませんから、心配しないで下さい」

田原典太は、ようやく彼女が決心をつけたと思ったので、ここぞとばかり説得にかかった。

みや子の顔に多少安堵《あんど》らしいものが浮かんだ。

「わたしが伺ったのは」

果して、彼女は漸《よう》く言い出した。

「いつぞや、あなたから訊《き》かれた沼田さんのことです。実はわたくし、あのとき黙っていたのは、或《あ》る人のためを思ったからです」

田原典太は膝《ひざ》を組み替えた。自分で、先に姿勢を崩して見せたのは、彼女に、続けて気軽に話させるためだった。

「それは、崎山君のことでしょう?」

田原は笑いながら訊いた。笑ったのも彼女の話を誘うためである。

「そうなんです」

漸く彼女は頷いた。

「でも、今はなんでも申上げられますわ」

田原は、彼女の顔を眺めた。その決心をつけて、すべてを話しに来たという裏には、崎山への恨みからであろう。近ごろ、崎山が彼女に冷淡になっていると聞いたが、男への憎しみが、この女をして田原のところへ来させたのだ。

「あなたから訊かれたとき、それがすぐに沼田さんだと思いました」

堀越みや子は言いだした。

「わたしは沼田さんを前から知っています」

「それはどういう関係で?」

漸くみや子が話しだしたので、田原典太は身体《からだ》を乗り出した。

「なるほど」

「沼田さんはP税務署の法人税課員でした。実は、わたしが前に××町にいたころ、それがP税務署の管内だったんです」

「なるほど。それで、君は××町でも春香のような水商売のうちにいたわけですね？」

「そうなんです」

堀越みや子はうなずいた。

「わたしが春香に移ったのは、一年前です。前の店には三年ばかりおりました。それで、前の店に仕事でやって来る沼田さんを知っていました」

「では、崎山君も当時から知っていたわけだな？」

「そうです。崎山さんもその時からの知り合いでした。いつか、わたしは、沼田さんに煙草を買いに行くときに呼び止められたと話しましたが、あれは嘘《うそ》です。煙草を買いに行く途中に会ったのは本当ですが、その時は、むろん、沼田さんの名前も顔も知っていたわけです」

「なるほど。それで、そのとき、沼田君からあんたは何か頼まれたわけかね？」

田原は想像を言った。

「頼まれたというわけではありませんが、沼田さんはわたしに、崎山はここによく来るかい、と言って春香の店を指しました。わたしがそうだと言うと、沼田さんは、崎山がどういう客と一緒に来るか、どんな遊び方をするかなど、しつこく訊きました。沼田さんのそのときの調子は、ひどく崎山さんを憎んでいたように思われたので、わたしはいい加減な返事をしました。あとで、沼田さんに会ったことを崎山さんに言うと、ひどくわたしを怒りました。今後、あんな男と一緒に話してはいけない、とも言われました。ですが、その後もわたしは外で沼田さんに引留められて、無理に話しかけられたことがあります」

一度思い切って話しだすと、すべてを話してしまうのが、この種の女の癖であろう。「なつ」の堀越みや子も、それからは臆《おく》するところなく話しだした。

「二度目に沼田さんに引留められたときは、沼田さんが崎山さんのためにひどい目に遭い、一人で収賄《しゅうわい》の罪を負って辞めたことを言いました。そして、それからの崎山さんは、沼田さんをボロ布《きれ》のように捨てて少しも相手にしない、と言うのです。沼田さんは、自分が崎山のために騙《だま》されたのだ、あんな男のために罠《わな》に掛かり一生を誤った、とも言いました。生活に困っていようが、前科者になろうが、崎山さんは一切構いつけないで平気でいる、と言うのです。初めのころは、それでも二、三度は機嫌をとっていたようですが、それも最初だけで、あとはハナもひっかけない、と沼田さんは言っていました」

みや子の話は、だいたい想像の通りだった。が、彼女の話はそれだけではあるまい。

田原の期待は、次の彼女の話にかかった。

「その後、沼田は春香の店に、君を訪ねて来なかったかね？」

「いいえ、あの人は一度もわたしを店に訪ねて来たことはありません」

みや子は答えた。

「いつも、春香の前に見張りをして立ってるんです。見張ってるのは、無論、崎山さんが来るからです。そして、崎山さんが誰を春香に連れて来るかを、いちいち手帳に書き控えていたようです。沼田さんは、新しくR税務署に変った崎山さんを監視して、その身辺から崎山さんのやってることを探り、それを警察にバラすつもりがあったんです」

「なるほどね、崎山君はひどいことをしたものだね。それは沼田君が怒るのも仕方がないだろう」

田原は言った。

「しかし、沼田君もまた執念深い男とみえるね」

「あれくらい騙されたら、誰でもそんな気持になるでしょう」

みや子は、少し激しい口調で言った。

「崎山さんは口の巧《うま》い人です。沼田さんを騙したのも、崎山さんの口の巧さからです。沼田さんがあの事件で汚職の罪を背負《しょ》い込んだのは、崎山さんの罠に掛かったからです。崎山さんというのはそういう人なんです」

みや子は、唇を嚙《か》んで俯《うつむ》いた。その様子を見て、田原は、同じ被害者の彼女に同情した。

「話してくれるのはそれだけかね？」

田原は訊いた。彼女がわざわざ彼に面会を求めて来たのは、只《ただ》それだけではあるまい。もっと何か言いたいのであろう。その気負い立った様子が田原には分るのである。

「いいえ、お話したいのはこれからです」

果して、みや子は言った。

「崎山さんと沼田さんとは、そのあとで一度会っています」

「え、なんだって？」

田原は思わず彼女の顔を覗き込んだ。

「二人は会っているのか？」

これは思いもかけぬ事実だった。

「そうなんです。崎山さんは、すっかり沼田さんに恐れをなしていました。それで春香に来るのにもだんだん警戒するようになり、足が遠くなりました。わたしは自分なりの理由で、それが寂しかったのです。それで崎山さんに、この際思い切って沼田さんに会って話をつけたら、と勧めました。初めのうちは崎山さんも悪口を言い、渋っていましたが、わたしがあまり言うものですから、ついその気になったのでしょう。それに本人も、話し合って巧く解決がつけば後腐れが無くなる、とでも考えたのでしょう。沼田が承知すれば会ってもいいと、わたしにその橋渡しを頼みました」

「それで、君は沼田君に会ったわけだね？」

「会いました。やはり沼田さんが店の前に立っているときです」

彼女は答えた。

「崎山さんがこう言ってるから、あなたもいつまでもこんな所に立たないで、この際、崎山さんに会って話をつけたら、と勧めました。すると沼田さんは、よし、それなら会ってやろう、と言いました。それで、わたしが二人を会わせたのです」

「それは、春香で会わせたのかね？」

「いいえ」

みや子は首を振った。

「都内では人目があり、また沼田の奴《やつ》がどんな面倒なことを惹《ひ》き起すか分らないから、人目につかない所で会おう、と言いだしました。そして、あれはいつでしたか、日付は覚えていませんが、一月の末に、深大寺《じんだいじ》という所で会いました」

「なに、一月の末？」

田原典太は思わず目をむいた。

一月の末といえば、沼田嘉太郎が料亭「春香」の前から姿を消したころである。同時に崎山も野吉も「春香」に来なくなったころである。この話で、はじめて辻褄《つじつま》が合った。

それに、深大寺というのも田原の耳を驚かせた。深大寺というのは東京の郊外で、中央線の三鷹《みたか》駅から数キロも離れた寂しい場所である。

そこは深大寺という古いお寺があって、近所はソバの名所としても知られていた。そんな場所を崎山はどのような理由で指定したのか。人目につかない場所といえば、まだほかに便利な所がいろいろある筈である。選《よ》りに選って交通の不便なそのような田舎を選ぶ理由が分らなかった。

「それから？」

田原典太は、その続きを促した。

「そのとき、もうお祭しでしょうが、わたしは崎山さんと特別な関係に入っておりました。今から考えると、そのときが恰度《ちょうど》、崎山さんがわたしに夢中になっていたころです」

堀越みや子は、多少恥ずかしそうに言った。それは、どこかまた懐《なつか》しがるような目付きでもあった。

「深大寺の横にはソバ屋があります。ソバが名物だというので、そういう茶店が幾つも出ているんです。その日は日曜でもないので人が少ないだろう、というわけで、わたしと崎山さんと野吉さんと三人で、ハイヤーに乗って行きました」

「沼田君は来なかったのかね？」

「沼田さんは別行動でした。やはり一緒に自動車《くるま》に乗せるのは拙《まず》いと思ったのでしょう。それに、約束をしたのだから沼田さんは必ず来ると思われたからです。やっぱり沼田さんは深大寺に先に来ていましたわ」

「なるほど。そこで崎山と野吉と沼田と会談があったわけだね。その横に君が侍《はんべ》っていたわけですか？」

「いいえ。わたしなんかとてもそんな場所に一緒に入れてくれませんわ。崎山さんは、わたしを、ただ、お供に連れて行っただけです。ソバ屋の二階は、食事などを畳で食べさせる所がありました。崎山さんと野吉さんと先に来ていた沼田さんと三人で、その二階へ上がりました」

「ちょっと待ってくれ」

田原典太は止めた。

「沼田が先に来て待っていたわけだね。そのあとに崎山と野吉とが来たわけだな。すると、その二人と沼田君とが会ったとき、彼等はどんな表情をしていたかね？」

そこが大事だと思った。

「沼田さんは、その茶店の軒下にある椅子《いす》に、ぼんやりと腰を掛けていました。わたし達が自動車《くるま》で着くと、やっと立ち上がりました。先に降りたのは崎山さんですが、そのとき、沼田さんがじっとこちらを向いた目付きを忘れることができません」

「ほう、どんな目付きだったの？」

「とても凄《すご》い目付きでした。何というか、憎しみを帯びた仇《かたき》にでも出会ったような顔付きでした」

みや子は想《おも》い出したように言った。

「それで、崎山と野吉はどういうことを言ったかね？」

「二人は、よう、と言って手を上げました。このときは、崎山さんと野吉さんの方が、でした。すると野吉さんが沼田さんのそばに行き、何かへらへら笑いながら話していました。沼田さんはむっつりした顔でそれに従い、三人はソバ屋の二階に上がったんです」

何か沼田さんの機嫌をとるような態度でした。沼田さんはそれにも挨拶《あいさつ》を返しません

「君はどうしていた？」

「わたしは、崎山さんが、少しここで待っていてくれ、と言うので、二階には上がらず、階下《した》でソバなどを御馳走《ごちそう》になりました。わたしは階下《した》にいながらも心配でした。あれほど沼田さんは崎山さんを恨んでいたんですもの。何か騒動でも起らねばいいが、と思って、耳を澄ませていましたが、音一つ起りません。話は巧く進んでいるのだと、わたしも安心しました」

「二階の話はどのくらい時間がかかったかね？」

「四十分くらいは充分経《た》ったと思います。だって、わたしがソバを食べ終り、心配もなさそうなので、お寺の境内を一周りして帰ったとき、三人が二階から降りて来ていました」

「なるほどね」

田原はその話にうなずいた。

「二階を降りて来てからの三人の様子は、どうでした?」

「三人ともあまり上機嫌ではありませんでした。どちらかというと、沼田さんの方が薄笑いしていたように思います」

「ほかの二人は?」

「崎山さんも野吉さんも、前のようにへらへらと笑うでもなく、顔色もちょっと悪かったように思います。大へん気拙《きまず》そうな話で終ったことは、わたしも見て察しました」

「それから?」

「それから崎山さんは、沼田さんを送るのだと言って、待たせてあるハイヤーに乗り込みました」

「すると野吉君と君はどうしたのかね?」

「わたし達は、あとの最終バスに乗って来い、と言いました」

「バスで?」

田原は首を傾《かし》げた。

「どうして君達をハイヤーに一しょに乗せないのだろう? 深大寺からだったら、どうせ帰り道なのにな?」

「崎山さんは、沼田さんを別な場所に連れて行くんだ、と言っていました。話し合いの末、そういうことになったようです。野吉さんもそれを承知していたようでした。そして、却《かえ》って崎山さんと一緒に帰りたがってるわたしを慰めて、あとのバスに乗るように勧めました」

「沼田君はおとなしく崎山君とハイヤーに乗ったかね？」

「乗りました。二人はあまり物も言いませんでしたが、諍《いさかい》するような様子もなく、どちらもあまり口数をきかずに、同じハイヤーに乗りました。わたしはそのあとが心配でなりませんでした。だって、あんな気拙い仲でありながら同じハイヤーで二人きりでどこかに行ってしまったんですもの」

みや子が言うまでもなく、田原もそれはおかしいと思った。なぜ二人だけでハイヤーに乗り、みや子には行先も教えずに去ったのであろうか。それに不思議なのは、和解したとも思えない二人が同じ自動車《くるま》に乗ったことである。

「野吉さんにわたしは、あの二人はどこに行ったのですか、と訊《き》きました。すると野吉さんは、いや、別に大したことではない、二人で呑《の》み直しに行ったんだろう、とも言いました。嘘に決っています。呑み直すのだったらわたし達も連れて行く筈《はず》です。けれど、いくら訊いても野吉さんはなんにも言いませんでした」

「崎山君の方はどうかね？　そのあとで君は崎山君に会ったのだろう」

「それは会いました。崎山さんがお店に来たんですもの。そして、崎山さんは、わたしが問うと、あれから沼田君を送って、多摩川べりの川魚料理の家に行ったんだ、と言っていました。それも嘘です。そんな筈はありません。なぜか、崎山さんはどうしても本当のことを言いませんでした」

「なるほどね。その後、君は沼田君に会ったかね？　会ったら何か沼田君の方から言っただろう？」

「いいえ」

堀越みや子は、強く否定した。

「一度も会いませんわ。それっきりあの方の姿を見なくなりましたもの」

「え、それでは、それが最後だったのか？」

田原は、みや子の顔を凝視した。

「そうなんです。それっきりです。そして二カ月後になって、刑事さんたちが春香に訪ねて来て、沼田さんの写真を見せたのです。それは死体の顔でした」

これは重大なことだった。みや子の話によると、沼田嘉太郎はそれ以後ぱったり姿を見せなくなったという。武蔵境から出た死体は三月の末で、そのときは、死後経過二ヵ月ということであった。ところが、深大寺で話し合ったのは一月の末というから、沼田が殺された時日と大体合致するのである。

田原典太は、胸が躍った。

「君が深大寺に行った日は、何日だったかね?」

田原は訊いた。

「さあ、よく覚えていませんわ」

みや子は、顔をうつむけた。

その日付が大事なのである。

沼田嘉太郎は、それ以後姿を見せていない。あるいはそのまま彼は地上から消えてしまったのかもしれない。崎山と一緒に自動車《くるま》に乗って、何処《どこ》かに行ったままにである。

沼田嘉太郎の死体が出て来たのは二ヵ月後だが、生きている姿を人に見せたのはその日限りだったかも分らないのである。

「なんとか、その日を思い出しませんか?」

田原は、みや子に言った。

「例えば、その日、店にもどって何か変ったことがあったとか、あるいは町に行事があったとか……」

田原は、彼女に記憶を喚《よ》び起す努力を強いた。

「そうですね」

みや子は、低い声でつぶやいていたが、ふいと顔を起した。その目が大きかった。

「想い出しましたわ、それで」

声も大きかった。

「分りましたか。何日です？」

田原は勢い込んだ。

「恰度《ちょうど》、わたし達がソバ屋で休んでいたとき、近在の田舎の子が晴着を着ていました。それを思い出したんです」

「ほほう。それはいい所に目を着けましたね。なんでした？　何かお祭でしたか？」

「いいえ、お祭ではありませんが、考えてみると、それが旧正月だったんです」

「ああ、なるほど」

東京都とは言いながら、まだその辺は土の匂《にお》いの濃い田舎である。辺りは農家が多く、畑が無限に広がっていた。古い地方の風習がまだこの辺に残っているのである。旧正月なら、暦を見ればすぐ分る筈《はず》だった。

「間違いないでしょうね?」

これは重大なことだから、田原は念を押した。

「間違いありません。だって、わたしが晴着を着た小さな子供に訳を訊いたんですもの」

「それじゃ確実だ」

田原は喜んだ。崎山と沼田が自動車《くるま》でどこかに消えた日付を手繰《たぐ》り、それから調査を進めれば、何か手がかりが得られそうだった。

死体となって出た沼田は、ただ死後二カ月経過というにすぎない。殺された日までは分らないのである。みや子の言った事実は収穫だった。

ふとその時、みや子は不安な顔付きをした。

「わたしがこういうことを言うのは、崎山さんが沼田さんをどうかしたと告げに来たわけではありませんよ」

みや子にも、崎山を犯人かもしれないという気持があるのだ。が、一方、憎んではいながらも、崎山を犯人だと田原に思わせたくない心理があった。それは田原にもよく分った。

「もちろんですとも」

田原は、強く返事をした。

「まさか崎山君が沼田君を殺したとは思いません。しかし、沼田君は誰かに殺されています。その犯人の見当はつきませんが、崎山君が自動車《くるま》で乗せて行った事実から、案外早く推定がつくかも分りませんよ」

それでも、みや子はもじもじしていた。自分の言った言葉が急に恐ろしくなったような表情だった。

「あの、それを警察にお話しになるんですか、それとも、すぐに新聞にお書きになるんでしょうか」

「いやいや、決して」

田原は、笑って見せた。

「決してそんな軽率なことはしません。これはぼくが胸の中にたたんでおくだけです。誰にも言いません」

「そうですか」

みや子は、まだ不安が去らないながらも、やや安堵したようだった。

「どうか、そのように願います。わたしがこう言って来たのは、ただ、あなたがあまり沼田さんのことを気にかけていらっしゃるからですわ」

「有難う」

田原は礼を言った。

「あなたの気持はよく分りますよ。崎山君もいまにあなたのもとに帰ってきますよ」

みや子は、また、うつむいた。田原が見て、涙ぐんでるようにも見えた。この世界の女は、こうなると普通の女よりも涙脆《もろ》いのかもしれない。喫茶店での話は長かった。漸《ようや》く二人はそこを出た。

田原は、みや子を有楽町の駅まで見送った。彼女の様子は、最初に来たときよりも沈んでいた。何か取返しのつかないことを興奮のまま喋《しゃべ》ったあとの後悔に似ているようだった。

「崎山君のことは、どうか安心して下さい」

田原は、みや子が少し哀れになった。捨てられた男を恨むのあまり、言わでものことを田原に訴えに来たものの、言ってしまってから彼女は、後悔をしているのだ。改札口を入って、人混みの中に消えて行く彼女の後ろ姿は、肩が落ちていた。

田原は、新聞社に取って返した。

社会部に入ると、時枝伍一が、脂汗《あぶらあせ》を浮かせて一生懸命に何か書いている。田原は、机の上に屈《かが》み込んでいる彼の背中に近づいた。

「おい、忙しいのかい?」

時枝は振り向いた。

「いや、そうでもない」

あまり忙しくもない原稿でも、時枝が汗をかいて鉛筆を走らせているところを見ると、誰でも締切時間の迫った原稿を書いているように見える。

「そうか。ちょいと君に耳寄なことを話したいんだがな」

「いいよ」

時枝は鉛筆を投げた。

田原は先に立って社内食堂に入った。幸い時間外れなので、広い食堂は空いていた。田原は自分で窓際《まどぎわ》の隅のテーブルに坐《すわ》った。時枝もその前に来た。その付近は誰もいなくて、係りの娘たちもカウンターの方に固まって遊んでいた。

「なんだい、耳寄な話っていうのは?」

時枝は、鼻の頭に薄い汗をかいていた。

「駆け込みがあったんだ、例の一件でね」

「へえ、又あったのか?」

時枝が、また、と言ったのは、殺された沼田が下宿していた家の娘が、前に事情を言って来たことがあるからである。

「君も知ってる女だよ。ほら、例の春香の女中さ」

「ああ」

時枝は合点合点をした。

「例の、なつ、という女中だろう？」

「そうだ。君は物覚えがいい」

「だって、彼女の前掛けに、なつ、という字が染め抜いてあったじゃないか。あれが妙におれの頭に残っている。その、なつが何を言って来たのだ？」

「実はね」

田原は、時枝に顔を寄せた。

「ぼく達が想像した通り、彼女はやはり沼田を知っていたよ」

「そうだろうね」

時枝はうなずいた。それは当時も二人で話し合ったことである。

「彼女がぼくに話したのは、こういうことだがね」

田原はそこで詳しく語って聞かせた。その間、時枝は目を据えて田原の話に聴き入っていた。鼻の頭の汗はいよいよ多くなった。

「うん、そりゃ、えらいことを言って来たね」

時枝は、半分もう興奮していた。

「待て待て、旧正月はいつだったか、調査室に電話してみよう」

時枝は興が乗ると機敏だった。彼は食堂の電話を借りて調査室に訊き合せていた。戻って来た彼が、田原に見せたメモは「一月三十日」となっていた。

「なるほど」

田原も頬杖《ほおづえ》を突いた。

「一月三十日に崎山が沼田をどこかに連れて行ったわけだな。それ以後、沼田はまず人に姿を見せなかったと思っていい」

「では、この日に沼田は殺されたのかな?」

時枝は、自分の書いた「一月三十日」という文字を見つめて言った。

「いや、そう急には判断できないが、これは重要なデータだな。崎山がどういう理由を付けて沼田を連れ出したか。そして、その行先はどこか……」

二人は、しばらく黙った。時枝は、仰向いて天井を見つめていた。

「深大寺とは妙な所で会ったたな」

彼はつぶやいていた。その声が田原の耳に入った。小さなつぶやきだったが、田原には雷のように聴えた。今までうかつに気がつかなかったのだが、彼にそう言われて、不意に思い当ったのである。

「おい」

田原は、時枝の肩を摑《つか》んだ。

「深大寺という土地は重大だぞ」

「え」

時枝は、何のことかと田原典太を見ていた。

「崎山の自宅さ。あれは吉祥寺じゃなかったか。吉祥寺と深大寺とは、それこそ近い。都心から深大寺に行くには、中央線の吉祥寺駅に下車するんだよ。沼田の惨殺《ざんさつ》死体の出た武蔵境も遠くない。つまり、この三つの地点は、ほぼ不等辺三角形をなしているよ！」

崎山法人税課長の自宅は吉祥寺だ。沼田嘉太郎が崎山と会談した場所が深大寺。沼田の死体の出たところが武蔵境の北方二キロの地点にあ

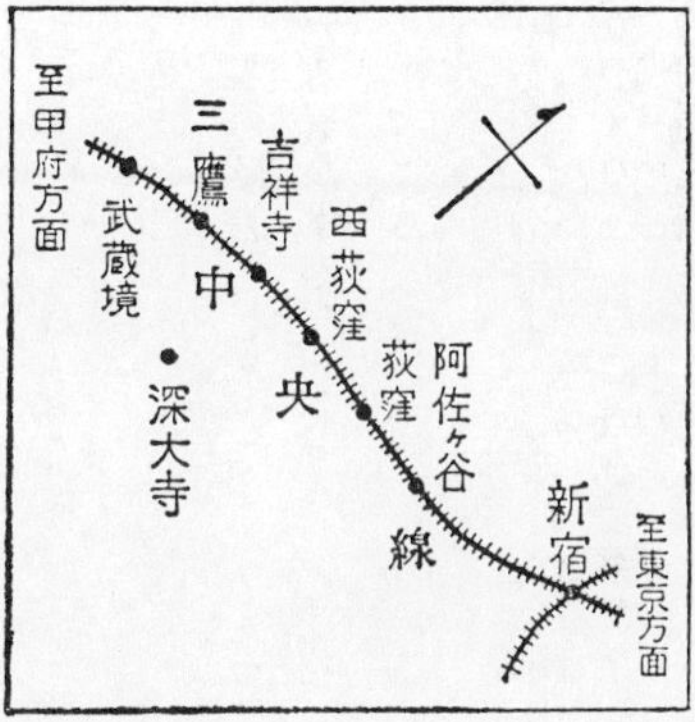

る畑の中。この三つの地点は、ほとんど三角形をなしている。——

田原典太は、自分の考えを時枝に話した。

「それは、おもしろいな」

時枝は田原の発見に賛成した。

「深大寺と死体発見の現場が三角形の底辺をなしているのはおもしろい。こうなると、崎山が何のために沼田を深大寺に呼んだか、半分は分る気がするな」

「半分？　どういう意味だ？」

田原は時枝の顔を見た。

「つまり、地理的に深大寺を選んだということさ。君の話から気づいたのだが、崎山の住んでいる吉祥寺は、扇にたとえると、ちょうどカナメのところに当る。深大寺と、沼田の死体の出た武蔵境の現場とは、ちょうど扇状の両端に当る」

「うむ」

田原は、その説明を聞いてうなずいた。

「そうなると、崎山が地理的に深大寺を選んだとすると、その必然性があるわけだな」

「そうなんだ、崎山の自宅から、この二つの地点はほぼ同じ距離になる」

「すると、君は沼田殺しの犯人が崎山というのかい？」

「いや、そこまではまだ決っていない。ただ、ぼくは、崎山が深大寺のような場所を選んだ理由が、ほぼ分ったというだけさ」

田原は紙の上に略図を書いた。中央線を真ん中に書き、東の方から○印をつけていって、荻窪《おぎくぼ》、吉祥寺、三鷹、武蔵境、武蔵小金井、国分寺、と立川方面の駅名を印した。深大寺にも○印をつけ、殺された現場の武蔵境から少し離れた地点には×印をつけた。

二人は、その略図をじっと眺めた。

「崎山は、沼田を何と言って自動車《くるま》に乗せて連れ出したのだろう？」

時枝は顔を上げて言った。

「さあ、そいつは分らない。とにかく、深大寺のソバ屋での会見は、崎山にとって、あまりうまく運ばなかったようだ。そこで、崎山は下手《したで》にでて、何とか沼田を別の場所に連れ出し、更に懐柔しようとしたのかも知れないな」

「移った場所はどこだろう？」

「それが問題なんだ」

「女中のなつはどう言っていた？　その車の行先を知っていないのかな」

「なつには分らない。あの女中と野吉とは、車をソバ屋の前で、見送っただけだからな」

「野吉は何のために残されたのかな？」

「それは、二つの理由があるだろう。一つはなつだけを残していたのでは、あの女がおさまらないので、野吉を抑えに置いたのだろう。もう一つは、沼田を第二の場所に連れて行くのに野吉を必要としなかったのだろう。つまり、崎山と沼田だけで、充分に目的が果せたのだと思う」

「目的？」

　時枝は、きらりと目を光らした。

「それは、沼田を殺すことかい？」

「直接に殺したかどうか分らないが、少なくとも、沼田を悲惨な死に近付ける一つのステップだったことは確かだ」

　田原は呟《つぶや》く。

「ところで、何とか、そのハイヤーの行先を突きとめたいものだな」

　彼は図面の上に目を晒《さら》した。

　深大寺前の道は、一旦《いったん》調布街道に出る、この街道を北にとれば、三鷹、吉祥寺に向かうし、南にとると甲州街道に出る。更にそれを横断して南下すると、狛江《こまえ》方面から多摩川畔に向かうのである。また、甲州街道を西に行けば、府中、立川となり、東に行けば新宿方面となる。

女中のなつが見た車は、調布街道への途中だから、生憎《あいにく》、その先の方向は見当がつかないわけであった。

「おい、いいことがあるぞ」

田原は、ふと気付いて大きな声を出した。

「ハイヤーを捜すんだ。沼田と崎山とは、ハイヤーに乗っている。そのハイヤーを捜し出せばよい」

「どうして捜すんだ。ずい分、前の話だよ」

時枝は反問した。

「そのハイヤーは、崎山が雇ったのだ。どうせ、奴《やつ》が顔を利《き》かせているタクシー会社の車に違いない。あいつらは、業者の利用に抜け目が無いからね。日ごろの習性として、一々てめえの身銭を切るような料簡《りょうけん》は持っていない。だから崎山が日ごろ使っているタクシー会社に当ってみると、大体、知れるだろう」

「それは思い付きだが、どうしてそのハイヤーを突きとめるのかい?」

「ほら、女中のなつの話にあっただろう。なつが深大寺に行ったのは、旧正月だったってことさ。つまり、普通では一月三十日さ。その日の運転日誌を見れば、深大寺に行った車がすぐ分るはずだ」

時枝は手を拍った。

「なるほど、いい知恵だ。じゃあ、早速当ろうか？」

「崎山が顔を利かせて利用しているタクシー会社を、まず、調べだすんだ。これは、わけは無いよ。崎山の居る税務署の職員に当りをつければ、ほぼ見当がつく。なあに、何軒あったって平気だ。一月三十日の運転日誌に深大寺が出ていれば、簡単だからな」

田原は地図を指の先で小さく破り、時枝と会心の笑みを交した。

田原と時枝とは、手分けして崎山が使っているタクシー会社を調べた。

R税務署に行き、それとなく当ると、三軒のタクシー会社が浮かんだ。そのうち、該当のタクシー会社を田原が発見した。

それは、小さな会社だったが、タクシー部とハイヤー部とがある。当ってみると、ハイヤーの方では、崎山を始終、乗せている。むろん、ロハであろう。

「一月三十日ですね？」

係員は運転日誌を繰ってくれた。

新聞社の名刺を出して、わざと崎山のことは言わず、ある事件調査の手懸りにしたいからと口実を作って頼んだのだ。

「深大寺ですね。ありましたよ」

係員は、運転日誌を窓口に立っている田原に回して見せた。

田原はそれをのぞいて見た。

「一月三十日　××町二時三十分発——深大寺到着三時三十分——客待ち三十分、四時深大寺発——三鷹駅着四時二十分、運転手青木良夫」

田原は一目《ひとめ》見てこれだと思った。実際に「崎山様」と利用者の名前がはっきり書いてある。

「この青木運転手は、今いませんか?」

田原は係員に訊いた。

「そうですね。見て来ましょう」

親切な係員で、わざわざ運転手の溜場《たまりば》まで行ってくれた。

彼はすぐに戻って来た。

「もう、二十分もしたら、こちらに帰って来るそうです」

「そうですか。それじゃ、それまで待たせてもらいましょう」

田原は、そこに突っ立っているのも妙なので、タクシー会社の表に出てぶらぶらしていた。

天気が良く、暖かい陽射しの中を、大勢の通行人が歩いていた。

やがて、田原は営業所の人に呼ばれた。

「青木が帰って来ましたよ」

係員は、青木運転手をそこに連れて来ていた。

運転手は、まだ、二十三、四の若い男である。何の用事かと訝《いぶか》しそうな顔をしていた。

「君が青木君ですか？　忙しいところを済みませんね」

田原典太は運転手に笑いながら言った。

「君は、今年の一月三十日に、R税務署の崎山さんを深大寺までハイヤーで送って行きましたね？」

青木運転手は、ちょっと考えていたが、

「一月三十日かどうか分りませんが、確かに崎山さんを一月ごろ深大寺にまで、お供したことがあります」

「君の運転日誌に、一月三十日となっているんですよ」

「じゃあ、そうでしょう、きっと」

運転手は認めた。

「そのハイヤーには野吉さんも一しょに乗っていましたね？」

「思い出しました」

若い運転手は急に大きな声で言った。

「野吉さんも一緒だったので、はっきりしました」

「この日誌によると、それは、一月三十日です。そのとき、君は深大寺のソバ屋の前で三十分待っていた筈《はず》ですよ。四時二十分に三鷹駅着と日誌に書いてあるが、その通りでしたか？」

「その通りだったと思います」

「有難う、それでそのときは崎山さんと、別なお客さんと二人を三鷹駅に送っていますね？」

「そうです、そうです、崎山さんと、もう一人、ぼくの知らない方をお送りしました」

運転手は、すっかり記憶を呼びもどしていた。

「その人は、いくつぐらいの年配の人でしたか？」

「そうですね、三十くらいだったように思います」

「二人とも三鷹駅前で降りたわけですか？」

「そうなんです。三鷹駅の南口で降ろしてくれと崎山さんがおっしゃいましてね。そこで降ろしました」

「なるほど、深大寺から三鷹駅までは、車で約二十分くらいですね？」

「そうです、そんなものです」

「その間、自動車《くるま》の中での二人の様子はどうでした？」

「さあ」

運転手の目はためらっていた。無理も無い話で、新聞記者が何のために、それを訊《き》くのか、目的が分らないのである。

「いや、御心配なさらなくていいですよ。あなたの名前を出すわけではないし、決してご迷惑になるようなことはありません。われわれは刑事と違って、取材だけすればいいのですから」

運転手は、少しうなずいた。

「ところで、二十分というと、相当な時間ですが、どうです、二人の様子は親しそうでしたか？」

「それほど親しそうに思いませんでした。あまり話はなさらなかったようです」

運転手は、ぼつぼつ答えた。

「君は、バック・ミラーをのぞいて時々座席の方を見たわけですね？」

「そうです。あんまり、座席の方が静かなものですから、一、二度、様子を見ました」

「そのときの状態はどうです？」

「別に」

運転手は簡単に答えた。

「変ったこともなかったです。お客さんはあまり話をしなかったようです」

「すると、二人は、そう馴々《なれなれ》しい間柄には見えませんでしたか？」

「そうですね、何か、二人とも不機嫌そうに黙っていたようです」

田原はうなずいた。

「それでも、客二人は、全然、話をしなかったわけではないでしょう？」

「そうですね」

運転手は、首を傾《かし》げた。

「お客さんの話を、一々気をつけて聞いていたわけではないので、どうも、よく分りません。ただ、ぼくの記憶では、あんまり、話声は聞えなかったようです」

田原は運転手に会えば、自動車《くるま》の中での崎山と沼田との会話が聞けるかと思っていた。しかし、彼らは話をほとんどしなかったという。それは、両人の間が、気まずくなっていたことの証明でもあり、一つは、運転手に聴かれることをおそれて、わざと話さなかったのかもしれない。

それにしても、世間話くらいはするのが普通である。それが無かったというのは、深大寺のソバ屋での会見が、険悪だったことを意味しそうである。

「三鷹の駅に降ろしたとき、崎山さんは、君にどう言いましたか？」

田原は訊いた。

「ここから、電車に乗るから、もう、帰っていい、と言われました」

電車に乗る――田原は首を傾《かし》げた、都心の××町から自動車《くるま》で来たのだから、帰りだけを、わざわざ電車に乗ることは無いはずである。どうせ、車賃はタダに違いないから、金を惜しんで、彼が電車を択《えら》んだとは思えない。

三鷹駅から、その二人は何処《どこ》に行ったのだろう。運転手は二人の乗った電車を見ていない。

11

田原は社に帰って時枝と会った。

「おい、判《わか》ったよ」

田原は、発見したハイヤーの運転手の話を告げた。

「三鷹駅から乗ったというなら、次が武蔵境だから、殺された現場にいちばん近い駅になる」

時枝は、話を聞いて言った。

「では、なぜ自動車で行かなかったのだろう？　わざわざ電車に一駅だけ乗ることはないではないか？」

田原は質問した。

「それは、運転手に行先を知られては拙《まず》いからだ。深大寺から車で武蔵境まで直行すれば、訳はない。しかし、三鷹で降りて、電車に一駅乗ったところが、細工の細かいところだろう」

「そうだ。ぼくもそう思っている」

「そうすると、武蔵境駅で降りて、現場の畑まで、崎山が沼田をまた連れ込んだ、という訳か?」

「そこが問題だ。すぐに現場に連れて行ったかどうかは分らない。待て待て。今、時刻を計算してみる」

田原は、頭の中で考えた。四時二十分に三鷹駅に着き、そこで電車に乗って、一駅先の武蔵境駅で下車する。この所要時間は、電車を待つ間を入れて、十二、三分とふめば、大丈夫だろう。武蔵境駅から現場近くまでタクシーで行ったとしても、五、六分だから、あらましの計算では、五時前になる。

「五時というと」田原は言った。

「一月三十日の午後五時はもう真暗だ。あの辺の畑の中に連れ込まれても、人目にはつかない」

「崎山が沼田を殺した可能性は、まず濃厚というところだな」

「では、殺害の動機は何だ?」

「崎山は、沼田に罪を背負わせて、自分一人が逃れている。そのあとの面倒をみていない。沼田は、崎山の仕打をひどく恨み、その後の崎山の行動を監視している」

田原は、自分の推定を文章の暗誦《あんしょう》のように言った。

「崎山は、P税務署からR署に変ったが、法人税課長として、そこでも悪いことをしているようだ。沼田は、その不正を摑《つか》みたかったのだ。崎山と業者の談合場所が『春香』だろう。だから、『春香』の前に立って、沼田は崎山の様子を探っていた訳だ。彼は確証を摑んで、これを復讐《ふくしゅう》のために暴露するつもりだったかも知れない。崎山の方で、それと感づき、恐れをなして、沼田に妥協を申込んだ。それが深大寺のソバ屋の会見だ――」

田原はつづけた。

「然るに、沼田は強硬で、崎山の妥協を拒絶した。彼としては、崎山には恨み骨髄に徹してるわけだ。そこで、崎山は、自分の身の安全のために沼田を処置しなければならなくなった。野良犬《のらいぬ》のようになった沼田は何をやるか分らない。狡知《こうち》に長《た》けた崎山は、何とか口実を設けて沼田を誘出《おびき》し、三鷹から電車に乗り、武蔵境で降りて、あのだだっ広い武蔵野台地の畑の中で殺害した。一月末の午後五時は、すでに夜になっているから、この犯行に目撃者は無かった。崎山は、沼田の死骸《しがい》を土地の中に埋めて帰った――」

「なるほど」

額に手を当てて田原の話を聴いていた時枝は、しばらく黙っていたが、

「一応、筋道は立っているね」

と言った。

「しかし、なぜ、沼田はのこのこと崎山に犯行現場に連れ出されたのだろう？　深大寺で妥協が成立しているならとも角、話がうまくいかないで決裂した状態だったのだ。崎山がどんなに巧いことを言っても、沼田が一しょに行くのはおかしいよ」

「そうだね」

田原は腕組みした。

「ぼくも、その弱点には気が付いている。沼田が何のために唯々《いい》として崎山と一しょに行ったのか。少なくとも、沼田は不安を感じないまでも、仲の悪い崎山などと一しょに簡単に行く筈《はず》がない」

「崎山が、よほど巧《うま》いこと言ったのかな？」

「それは考えられる。しかし、それだけでは弱い。沼田がのこのことついて行ったのは、それだけの理由があったのだろう。その理由が何か判らない」

二人は、顔を見合せて沈黙した。

「どうだろう？　この際、思い切って崎山に当ってみようか？」

時枝が顔を上げて言った。

「そうだな」

田原は考えていたが、

「迂闊《うかつ》に当ると、こっちの方が足もとを見られるよ。どうやら、崎山は大分役者が上のようだ。それに、もう少しわれわれのデータを固めないと態勢が整わない」

と反対した。

「しかし、これはもう三カ月ぐらい前の話で、傍証の取りようが無いよ。探りを入れる意味で、奴《やつ》に当ったらどうだろう？」

時枝の方では、それを主張した。

「とに角、殺された沼田と最後に一しょだったのが、崎山だからな。そういう点で話を聴きに来た、と当人に訊《き》くんだ」

「どうだろうな？」

田原は迷っていた。

「崎山が沼田と最後に一しょだったというのは、誰も知らない話だよ。野吉か、春香の女中なつしか知らないことだ。それをわれわれがどうして知ったかと向うでは警戒するだろう。今、彼を警戒させると、あとの仕事がやりにくくなる」

「そうだな」

時枝も田原の言うことで考えた。

「誰か、われわれに代って、崎山のその時の行動を探ってくれる者はいないかな?」

それが一番いい方法だった。が、税務署の署員には近づきが無い。迂闊《うかつ》に、第三者に頼むわけにもいかなかった。

「あ、いいことがある」

田原は思いついたように叫んだ。

「なんだい?」

「妙な男が一人いる」

田原はひとりで微笑した。

「妙な男?」

「おれに税務署の内幕を話してくれた男だ。ひどい貧乏暮しをしているが、税務署の内部にはひどく詳しい」

「なんだい、それは?」

「おれにも正体が判らない。横井貞章という男だがね。えらく荒れた所に住んで居る。人間もその棲家《すみか》のように窶《やつ》れて、顔も畳みたいにささくれ立っているがね、話をさせると、なかなか面白い男だ。どういう訳か、家族が一人もいない。独身者のようだ」

「どうして君はその人物を知ったのだ？」

「赤星次長が紹介してくれたのだ。赤星さんも、横井についてはあまり説明してくれなかった。おれは、横井という男は元税務署員だと思っている。それが、何かの事情で貧乏な境涯に転落した、と想像してるがね」

田原典太は、ここで、横井貞章に会見した顚末《てんまつ》をあらまし時枝に話した。

「それは面白いね。そういう男なら、もしかすると、崎山と知り合いかも分らないよ」

「おれもそう考えていたところだ」

「もしそうだったら、その横井という人を使おうじゃないか。そんな貧乏暮しで酒好きなら、御馳走《ごちそう》してやれば、案外、働いてくれるかも分らないよ」

「一つ、当ってみるか」

田原は決心したように言った。

「断わられても元々だ。が、その前に横井なる人物の素性を聞いておく必要がある。赤星さんに、これから話してみよう」

田原典太は、赤星次長のデスクに歩いた。赤星は、例によって堆《うずたか》い原稿を、朱筆片手に睨んでいた。

「赤星さん、この間の横井さんにもう一ぺん会いたいんですが」

「なんや？」

次長は、そのままの姿勢で訊いた。

「ちょっと話が混み入るんです。十分間だけ時間を呉れませんか？」

「しようがないな。よっしゃ」

赤星が朱筆を捨てて椅子《いす》から起《た》った。腹が突き出ているので、ズボンがずり下がってワイシャツがはみ出ていた。

空《あ》いた机の前に赤星を坐《すわ》らせ、田原はこれまでの調査を詳しく話した。

「で、そんな具合で、崎山と沼田が三鷹駅から何処《どこ》に行ったかを知りたいんです。われわれが急に崎山に当っては、先方に警戒心を起させるばかりですから、この際、横井さんにお願いしようと思うんです。どうでしょう、この案は？」

赤星は煙草《たばこ》を喫《す》っていたが、

「それもええかも知れんな。そやけど、横井が承知するかどうか、分らへんで」

「それです」

田原は、身体《からだ》を椅子から乗り出した。

「横井さんが承知、不承知の前に、こちらで横井さんのことを聴きたいんです。あの人はどういう人ですか？　実に奇怪な人物のように思いますがね」

「あいつか」

赤星は、急に曖昧《あいまい》な顔色になった。

「あいつのことは、ぼくの口からあまり言いたくないよ。そやけど、こないだ、君があんまり熱心に税務署のことを訊くさかい、つい紹介してしもうたがな。そやな」

赤星は、ゆっくりと言った。

「まあ、わしの小学校時代の友達にしといてもらおうか」

「小学校時代の友達ですか。でも、赤星さんと大分年が違うようですよ。横井さんは白髪もあるし、随分、老《ふ》けて見えますがね」

「あいつは、いつの間にかあないに年取ってしもたんや。あれでわしとおない年やからな」

「驚きましたね。それで、赤星さんと小学校時代の友達というだけですか。その前身は何でしょう？　税務署のことにいやに詳しいが、その方の出身ですか？」

「まあ、そのへんと思うていいやろ」

赤星の言い方は、あくまでも奥歯に物が挟まったようだった。日ごろ、開放的な彼に似合わない言い方である。

「なんだか妙ですね」

と田原は言った。

「いや、勘忍してくれ。あいつのことはあまり人に言いたくないんや。ただ、君がそんな頼みを持って行き、相手が承知してくれたら心配のない男や。いずれ時期が来たら、あいつの身の上は君に話したるがな。今は勘忍してくれ」

「分りました」

田原は言った。

「とにかく、それでは、これから横井さんに会いに行きます」

「そうか、ぼくからもよろしくと言っておいてくれ」

田原典太は、自動車《くるま》を走らせて横井のアバラ家を訪ねた。

この間、来た道なので、今度は迷わなかった。田原は裏長屋の破れ戸を叩《たた》いた。

「だれか?」

大きな声が家の中から聞えた。

「この間伺った、R新聞社の田原です」

彼が名乗ると、

「入るがいい」

と内側から応《こた》えがあった。

田原は開けにくい戸を開けた。すぐ前が座敷だが障子がボロボロに破れている。破れた穴の間から横井貞章の顔が見えた。白髪《しらが》まじりの瘦《や》せた顔である。今日も垢《あか》で汚れたような着物を着て、胸をはだけていた。胸には肋骨《あばらぼね》が浮いている。

「まあ、上がんなさい」

横井は大きな声を出した。

「失礼します」

障子を開けると、ボロ畳の上に胡座《あぐら》をかいて、横井貞章は今日も酒を飲んで居た。

「この間はどうも」

「いや。まあ、こっちに来なさい」横井は手招きした。「どうだね、いっぱい」

彼は、早速、口の欠けた湯呑《ゆのみ》を差出した。

「いや、まだ勤務中ですから」

「そうか、それでは無理に勧めん」

横井は、その湯呑で酒を注《つ》ぎ、自分の口にもっていった。

「どうだね、この間の話は、少しは参考になったかね?」

横井は、にやにやしながら田原を見た。

「ええ、とても参考になりました」

田原は礼を言った。

「そうか、税務署の話というので話してやったが、あんなことは、まだ小さい。一つ国税局の悪吏の話をしてやろうか。こいつは、悪いことにかけては、税務署の一まわりも二まわりも大きいことをやっている」

「いや、それはこの次ゆっくり伺います」

田原は軽く頭を下げた。

「今日は、実はほかのことでお願いに上ったのですが」

彼は、きり出した。

「なんだね?」

「これは、初めから話をしないと分らないのですが、実は、こういうことです」

ここで田原典太は、もとP税務署員、沼田嘉太郎が、何者かに殺されて、二カ月後に死体となって発見されたこと、その場所は中央線武蔵境の北方二キロの地点の畑の中だったこと、これには、どうやら、崎山法人税課長が絡《から》まっているらしいことや、その他、野吉間税課長も崎山と利害関係の立場にあること、料亭「春香」の前で、崎山に恨みを持っていたらしい沼田が生前に監視に立っていたことなどを、詳しく話した。横井貞章は酒を飲みながら聞いていたが、田原の話が終ると、じろりと目玉を動かして彼を見た。

「それは、おもしろい話だな」

と、彼は口についた酒の雫《しずく》を、穢《きたな》い掌《てのひら》で拭《ぬぐ》って言った。

「その沼田という人の場合は、いかにも税務署ではありそうなことだ。それで、殺人事件が起ったというのも、おもしろい」

横井貞章は、その窶れた痩せた顔に興味の色を浮かべた。

だが、横井の老いさらばえたような顔は、どう見ても赤星次長とは同年配とは思えない。

「それで君は、わしにどうしろというのかね？」

横井は訊く。

「実は、その沼田が崎山と野吉に誘い出されて、深大寺で話し合っているんです。そのあと、崎山と沼田だけが、車で三鷹駅に行き、そこから、どこともなく消えております。つまり沼田の最後の同行者が崎山なんです。われわれは、この事件を、いま、追及しているのですが、そうなると、どうしても、崎山の話を聞かなければなりません、けれど、どうやら、崎山は複雑らしい人間なので、すぐに、われわれが直接に当っても、正直に話してくれるかどうか分らないのです。かえって、先方に警戒心を起させると、まずいことになります。お願いというのは、その崎山に横井さんから当って頂きたいと思うんですが」

横井貞章は、しばらく壁の方に向かって、目を据えて黙っていた。両肱《りょうひじ》を張って背を屈《かが》めるような格好だったが、その姿は、まるで、昔の野武士を連想させた。

「よし、引受けよう」

と言った声も野太いものだった。

横井貞章が崎山のことを調べるのを簡単に承知したので、田原典太の方がかえってびっくりした。もっと難航するものと思っていたのだ。

「ほんとに横井さんは引受けてくれますか?」

田原は念を押した。

「引受けるとも。わしが引受けると言ったら、大丈夫だ」

横井は、湯呑の酒をがぶりと口に含んで言った。片肘《かたひじ》を張っている姿勢は崩れない。

「そりゃ有難いですな。ぜひお願いします」

田原がお辞儀をすると、

「分った分った」

と、横井はうなずいた。

それにしても、この横井という男は何者であろうか。田原が赤星次長に訊いてもよく説明してくれない。税務署のことにいやに詳しいから、その方の関係だ、と見当をつけている。

この機会に、横井に訊《き》いてみることにした。

「そりゃ当らずとも遠からずというところだろうな」

横井は、その質問を聴いて笑いながら答えた。

「赤星次長もあなたのことをよく説明してくれないんですよ」

田原は付け加えた。

「そうか。あいつは仁義が堅いからね」

「それは、どういう意味ですか?」

「いやいや、こっちのことだ」

横井貞章は酔ったように首を振った。

「いずれ、そのうち判るよ」

「そうですか」

田原は、それ以上押す力がない。その田原を、横井はじっとすくい上げるように見た。

「君は、なかなかいい男だね」

横井は、口の端に付いた酒の雫を手の甲で拭った。

「どうだね、えらく酒が進まないじゃないか?」

事実、田原典太の前にある湯呑の酒は、半分も減っていなかった。酒は嫌いな方ではない。飲み屋に行けば、相当飲む方だった。ところが、この薄汚ない座敷で、横井貞章がきたならしい指で茶碗《ちゃわん》を摘《つ》まむのを見ると、ちょっと気味が悪い。

「いや、仕事中ですから」

と、彼は理由を言った。

「なに、仕事でもかまうもんか。どうせ君は社に帰らなくてもすむんだろう。少しぐらいいい気持になった方が、かえって外回りは能率が上がるよ」

田原は、横井貞章が「外回り」という言葉を使ったので、もしかすると、この人物、新聞社に関係があるのではないか、と思った。

しかし、それを訊くと機嫌が悪くなりそうなので、止《や》めた。

「頂戴《ちょうだい》したいのですが、またこれから二、三軒回りますのでね。先方に会って、酒の匂いをさせても具合が悪いですから」

「そうか。その辺はやはり大新聞社だな」

横井は呟《つぶや》くように言った。

田原典太はまた、おや、と思った。横井の言い方は、前に小新聞社に身を置いていたような言い方である。

「それでは、よろしくお願いします」

田原は汐時《しおどき》だと思って、そう言うと、

「まあ、待ち給《たま》え」

と横井は止めた。

彼の顔は蒼《あお》くなり、目が据わっていた。田原が此処《ここ》に来る前から呑んでいるのだ。

「まだ用事は済んでいない」

「え?」

「いや、君から頼まれたことだ」

「そうですか。何かほかに?」

「条件がある」

横井貞章はきっぱり言った。

なるほど、これは迂闊《うかつ》であった。調査を頼む以上、お礼をしなければならない。田原は調査費のことを事前に相談すべきだった。自分だけの考えでもゆかない。といって、うっかりしたことを言い出すと、また機嫌を損ないそうだった。

「どうも失礼しました。実は調査費のことですが」

半分まで聴かないうちに、横井貞章は目を三角にした。

「何を言うんだ、君は。おれは別に金のことを言ってるんじゃないんだ」

「はあ」

田原は縮まった。

「それはすみませんでした。では、適当にわたしの方でさせて頂いてよろしゅうございますか?」

「そんなことを言ってるんではない。おれの条件というのは、君とおれとの間の約束だ」

「はあ?」

「それは、ほかでもない。君がおれに頼んだ以上、あとは勝手におれの流儀でやる。但《ただ》し、その間、どんなに時間がかかっても、一切、君の方から催促しないこと、これが一つだ」

田原は口を入れた。

「ちょっと待って下さい。わたしの方から催促しないのは結構ですが、あんまり日にちを食っても困るんです。中間的に、ときどき、お訊《たず》ねしてもいいでしょうか?」

「分らん男だね。わしは新聞社の仕事ということはよく承知している。そう長くは引っ張らん」

「はい。その点がお分りになっていれば結構です」

「おれの言いたいことは、少し手間がかかると思っても、君の方から催促に来ないことだ。わしは催促されると、すぐ厭気がさす性質《たち》でな」

「そうですか」

田原は逆《さか》らわなかった。ここで逆らっても始まらないし、あとは適当にやるつもりだった。

「ただ、事件の目鼻がつくまでは、おれの勝手にやるが、その間、なんとか格好がつくような態勢になったら、必ず君に連絡する。それはちゃんと約束するからな」

「お願いします」

「また、この事件は大そう混み入っている。普通の殺しではないことは、君も分るだろう?」

「それはよく分っています」

田原は、いちいち逆らわなかった。

「問題の根は深いと思う。また、君が手を上げたように、相手の人間が人間なだけに、容易にしっぽを摑まさんだろう。それだけ探索には骨が折れる」

それはその通りだ、と思った。また、この横井貞章が、「調査」と言わずに「探索」という言葉を使ったので、田原は思わず微笑《ほほえ》んだ。江戸時代の岡《おか》っ引《ぴき》でも使いそうな古い言葉である。

ところで、先ほどから横井貞章の話を聴くと、大分、自信がありげである。田原は訊いた。

「横井さんは、この事件にはもう、およその見当が付いてるんですか?」

「バカなことを言いなさんな」

横井は咽喉《のど》骨を動かして酒を流し込んだ。

「そんなことがおれに判《わか》るもんか。これからじっくりと考えて調査に移る」

横井はそう言って田原を見たが、

「大分、心配しとるようだな。大丈夫だ。そうだな、期限を切ろうか?」

と提案した。

「それは渡りに船です」

「よろしい。一週間の期限を切ろう。その間に、わしの方から君にちゃんと通告する」

「一週間ですか？」

今度は、田原典太の方が意外に思った。これほどこじれた事件を、一週間以内に期限を区切ったのは、彼にも相当な自信があるからであろう。

「ぜひ、お願いします」

田原は、ささくれだった畳に手を突いた。掌に荒れた畳の芯《しん》が刺さった。

12

それから三日ばかり経《た》った。

田原は、横井からの連絡を待っていた。約束で彼は、社に電話するか、葉書をよこすか、どちらかする、というのであった。

田原は、外出のときに電話がかかっては、と思い、時枝と打ち合せた。

「こういう訳だから、君、横井から電話がかかったら、聴いておいてくれ」

時枝は、一部始終を聴いてうなずいた。

「よし、それは承知した」

彼はうなずいたが、

「もし、おれ達二人とも出ていたら、どうしよう?」

と訊く。

「そうだな。そのときには、赤星さんにでも頼んでおくか?」

田原が言うと、

「さあ、どうだろう? あんまり横井と直接に接触したがらないようだな」

と答えた。

そういう印象が確かにあった。赤星次長は横井貞章を紹介はしたが、自分から進んで横井と接触するような風が見えない。

「前に何かあったのかな?」

「どうもそうらしい」

二人は、その意見に落ちついた。

赤星が積極的にならない限り、留守の電話を赤星に頼んでおくのも不安だった。

「仕方がないから、交換台に言っておいて、五時ごろなら大てい社にいる、と伝えてもらおう」

「それがいいかも知れないね」

五時ごろだと、朝刊の早版の締切時間である。この時間は社に帰っている可能性が多い。

「それにしても、横井が一週間に区切ったのは、よほど自信があるんだな」

時枝もそんなことを言った。

「そうらしいね。あの男は、酒ばかり呑《の》んで得体が知れないが、どこか頼もしいところがあるよ」

田原は感想を言った。

「そうかも知れないね。君の話を聴くと、なんだか、陋巷《ろうこう》に住まっている隠士という感じだな」

「隠士はよかったな」

田原は笑った。

「まさにその通りだ。酒を呑み喰らって、あんな破れ家に一人で住んでるところを見ると、確かに現代離れがしている」

「そういうやつが時には素晴らしく推理を働かせるもんだよ。君は、オルチー夫人というのを知ってるか?」

時枝が、突然、妙なことを訊《き》く。

「どこかで聞いたような名だな。そうだ、『紅はこべ』の作者だったかな?」

「そうだ。その方で有名になってるが、実は、彼女には『隅《アン・オールドマン・イン・ザ・コーナー》の老人』という探偵小説がある。こいつは、貧民街の街角で、始終、日向《ひなた》ぼっこしながら紐《ひも》か何かを結んだり解いたりしてる変なおやじだがね、主人公の探偵が捜査に行き詰ると、この老人に相談に行くんだ。すると、老人は話を聴いただけで、快刀乱麻を断つように事件の推理を言う、そういう小説だが、君の話を聞くと、その横井貞章という男も、どうやら浮世離れしたところが似てるね」

「そうかも知れない」

田原は次第にそんな気持になった。

「ちょっと見ると、昔の野武士のような気概もあるしね、頭もそう悪くないらしい。それに、税務署の内幕をあんなに詳しく教えてくれたんだから、その方にも知識がある。ぼくの推定だがね、どうも横井貞章という男は、以前に税務関係のことをしていて、何かの都合で辞め、その後、ジャーナリストなんかをやってたんじゃないかと思う」

「そんなところがあるのか？」

「あいつの話を聞いてるうちに、そういう節《ふし》がないでもない」

「それだな。奴《やっこ》さんがすぐに事件を引受けて、一週間と区切ったのは、つまり、われわれとおんなじセンスなんだ。一週間という締切を設けておいて、その間になんとか目鼻をつけようという神経は普通の人間にはないと思うよ」

「大きにそうかも知れないね」

「ところで」

と、時枝は思いついたように言った。

「横井貞章も結構だが、あのなつという女、あの方も少し探ってみようじゃないか」

料亭「春香」の女中なつは、崎山とは前に関係がある女だ。今は崎山に捨てられて、彼を恨んでいる。この間から情報らしいものを持って来たのは、その腹いせとも言えた。

時枝は、前から、このなつの利用を熱心に主張している男だ。

「それはいいかも知れないね」

田原もそれには同意だった。結局、横井一人に頼るよりも平行してなつの線もやった方が強くなる。一方が崩れても一方がものになる、ということが考えられる。

「それでは、君はなつをやってくれ」

「おれ一人で彼女に当るのか？」

時枝は、少し心細い顔をした。

「いや、こんなことは男二人で当るとかえって大仰になる。彼女も気圧《けお》されて話しにくいだろう。やはりじっくりと一人が当った方がいい」

田原は勧めた。

「そうだな」

時枝は、その役目にまんざらでもなさそうだった。

「それでは、今夜あたり、ひとつ当ってみるか」

と、彼は呟《つぶや》くように言った。

その夕方だった。田原典太が原稿を懸命に書いていると、給仕が、

「田原さん、速達ですよ」

と葉書を置いて行った。

どうせ仕事の関係だろうと思って、見もしないで原稿書きをつづけた。締切間際《まぎわ》なのでトイレに立つ時間も惜しいくらいである。

やっと一きりついたので、机の端に置かれた葉書に、ふと目を当てた。

「田原典太様」と乱暴な字で書かれている。表に名前はなかった。彼は、予感するものがあって裏を返した。果してそうだった。葉書の末尾に「横井生」とあった。

彼は急いで読んだ。走り書きだが、達筆な字である。

「この間は失礼。御依頼の件、大分判《わか》った。いずれ明日じゅうには目鼻がつくと思う。当方より電話をかけるから、なるべく四時ごろ在席ありたし」

翌《あく》る日、田原典太は、午後三時すぎから席に着いた。

このころが一ばん暇な時で、大ていの部員はお茶を喫《の》みに行ったり、面会と称して外を歩いて来たりする。

田原典太は、横井が四時と指定したが、あるいは四時前かも分らないと思い、そのころから席を離れなかった。

時枝の姿は今朝から無い。

横井のことを教えてやろうと思い、庶務の男に訊くと、時枝は夜勤で、六時でないと出て来ないことが分った。

田原典太は、時計を見ながら自分の席でじっと待った。お茶に誘う者があったが、それも断わった。

「えらく神妙じゃないか」

と冷やかす同僚もある。

事実、席は一人か二人を残してがら空きだった。もう一時間もすると全員が揃《そろ》い、息を切らして鉛筆を走らせるのである。

四時を回った。電話は来ない。

横井貞章のことだから、あるいは時間的な約束は守れぬかも知れない。とに角、六時までは我慢して待つことにした。

五時を回った。

電話はまだなかった。速達も来ない。田原は、今日はすっぽかされるのか、と思った。それが五時半になり、六時近くになっても、連絡がないので、田原は、半分、諦《あきら》めかけていた。

「よう」

肩を叩《たた》く者がある。それが時枝だった。六時の交替で、夜勤の出勤時刻だった。

田原は起ち上がった。

この編集室の一隅に、外来客のために簡素なテーブルと椅子《いす》が置いてある。

そこに、田原は時枝を引っ張って行った。

「どうした？　電話があったかい？」

時枝は訊いた。

「四時という約束だからね、おれは外に出るのも我慢して三時から待ってるんだが、未《いま》だに連絡がない。どうも、今日ははぐらかされたらしいな」

田原が気のない顔をした途端、彼を呼ぶ声がデスクの方でした。

田原典太は、自分の机に歩いた。

隣の同僚が受話器を握って待ってくれている。

「どうも有難う」

受取って受話器を耳に当てた。

「ああ、もしもし、田原です」

予想はしたが、やはり横井貞章の渋い声だった。

「田原君だね？」

「そうです」

田原は待ちわびていたのだ。

彼の何とか目鼻がついたという予告は、前にある。この電話こそ、それを田原に教えようというのである。

「やあ、どうも遅くなって失敬した」

横井貞章はだみ声で詫《わ》びた。

「いや、どういたしまして。お待ちしていました」

「速達は見たかい？」

横井は訊いた。

「拝見しました」

「あれに書いた通りだ。大分、判って来たよ。実は、もう目鼻がつきかけている」

「ほんとですか？　それは有難いですな。早速、伺いましょうか？」

「いや、今は某所に居るので、君を此処《ここ》によぶわけにいかん」

「それでは、電話で伺いましょう」

「電話もちょっと困るんだ。実はね、わしの推定が合うかどうかは、これからなんだ」

「すると、今、その裏づけを調査なさってるんですか？」

田原典太は、何となく胸が鳴った。

「まあ、そういうところだ。実はね、今から或《あ》る人物を訪ねて行く。それで見当が付くんだがね」

「そうですか。無論、その名前は伺えないでしょうね？」

「秘密だ。その人物に会ってから、何もかも君に話す。ちょっと危険かも知れんがね」

「は？」

田原はびっくりした。

「危険？ 危険というのは何ですか？」

「いや、その人物のことさ。先方はどうもわしの意図を見抜いているらしい。それで、万一のときは、わしの考えを君に書き残して置きたいと思っていたが、それも時間がないので間に合わない。まあ、大丈夫だろう」

田原典太は、横井貞章の言い方が少々大げさだと思った。それとも、多少、はったりを利《き》かせているのかも知れない。どうも電話の声を聴いていると酒が入っているように思われる。酒呑みの通例として物事を大げさに言いたがるものだ。

横井貞章がひとりで、危険だ危険だ、と言うのが、少しおかしかった。

「少し心配ですね。気を付けて下さいよ」

田原は、それでも相手の機嫌を損ぜぬように、多少、煽《おだ》てるように言った。

「分っとる。充分に気を付ける」

「そんな危険な人物というのは、一体、何者です？ いや、名前は今教えて頂かなくても結構です。大体、職業的な種類は何ですか?」

「言えないね」

横井貞章はニベもなかった。

「それは、今は言えないが、今夜が過ぎたら君に話すことになる」

「そうですか。それは有難いですな」

「しかも、君、原因まで見当がついたよ」

「え、なんですって?」

田原典太は思わず叫んだ。

「そうだな。言うならば、君、……」

電話は考えるようにちょっと途切れたが、

「そうだ、カイダンだ」

「カイダン?」

田原は判らなかった。

「そら、だんだんに登って行く、あの階段さ」

田原は呆《あき》れた。その言葉だけ聴いていると、横井貞章が酔いにまかせた戯言《たわごと》としか受取れない。

「階段というのは何ですか。あ、判りました。何か犯人は階段をトリックに使ったんですね？」

「バカなことを言うな。犯人は階段だ、と言ってるんだ」

「はあ？」

田原は理由《わけ》が分らなかった。

すると、受話器の蓋《ふた》が顫《ふる》えるほど横井貞章の笑い声が聞えた。

「判らんかのう。まあ、いい。どうせわしが話したら君も得心するよ」

そう言ってから、彼は急に急ぐ声になった。

「それから、もう一つ言うと、古物屋を捜したほうがいいな」

「えっ、古物屋ですって？　何です、それは？」

田原典太は理由《わけ》が判らなかった。

「くわしいことを言うと長くなるし、電話では話せん」

横井貞章は口早に言った。

「もう時間がない。じゃ、失敬するよ。いずれ、明日、連絡することになろう」

「もしもし」

田原はあわてた。

「それじゃ、今からその人物にお会いになりに行くんですか?」

その田原の声が相手に届かぬうちに、電話の切れる音が彼の耳に鳴った。

田原がしばらく受話器を握ったままぼんやりしていると、時枝がそばにやって来た。

「どうしたんだ、例のほうから、連絡があったのかい?」

田原典太は受話器を置いた。

「そうなんだ」

ふと、彼の方から席を立ち、今度は時枝の肩に手を当てた。

「結果はどうだった?」

時枝の方が目を輝かした。

「どうも妙なんだよ。横井貞章は訳の分らんことを言ってた」

「どんなことだね?」

「どうやら事件の目鼻がついた、というところまではいいんだがね、これから、その裏づけに相手の人物に会いに行く、と言うんだ」

田原典太はそう言いながら時計を見た。壁には電気時計がある。そのとき、時計を見た時刻はあとまで憶《おぼ》えている。電気時計の針はまさに六時五分を指していた。

「それなら、いいじゃないか」

と時枝が言う。

「そこまでは、まああだがね、相手の名前も職業も一切、明日までは言えない、と言うんだ。ところが、そのあとがいけない、犯人は階段だ、と言うんだ」

「カイダン？」

「そうだ。一階から二階に上がる、あの階段さ」

「へえ」

時枝も呆れていた。

「どういう意味だろう？」

「おれはトリックのことかと思ったら、横井は大声を出して、バカなことを言うな、と言った」

——階段、階段、田原典太は独りで呟いた。

階段とは何だろう。

横井貞章は、確かに何かをさぐり当てているようだ。

「まだ妙なことを言った。この事件には古物屋が関係しているらしいよ」

「へえ、古物屋？」

時枝はやはり唖然《あぜん》としているだけだった。

田原典太は、七時に社を出た。

その晩は、他の飲み友達と一しょにおでん屋を回り、家に帰って寝た。

翌る日は、非番だった。

独身者の田原は、休みの日だと退屈で仕方がない。別に趣味もない。ただ退屈紛れに近所の釣堀に遊びに行く程度だった。

気懸りなのは、横井貞章からの通知である。彼は、昨日の夕刻の電話で、今日になったら大体目鼻がつく、と言った。もしかすると電話がかかるかも知れない。ちょうど悪いことに、時枝も非番なのである。二人とも休んだ場合、横井という人から電話がかかったら、社に五時ごろに電話するようにと交換台に頼んでおいたので、あるいはそのころかかるかも分らない。

しかし、当てもない電話を当てにして、社にわざわざ出勤するのも大儀だった。もし横井が電話をかければ、交換台は今日の非番を告げてくれるだろう。さすれば横井は必ず明日かけてくると思う。

横井からの電話の有無は、交換台に訊《き》けばいいと思った。

田原は、昼過ぎまでゆっくりと床の中で過し、朝食とも昼食ともつかぬ飯を食べて、釣堀に行った。

そこではぼんやりと一時間余りを過した。高い料金を払った割に獲物はなかった。

どうも横井貞章からの電話が気懸りである。彼は公衆電話から社にかけた。

「社会部の田原だがね、横井という人から、ぼくに電話がかかって来なかったかい？」

交換手は田原を知っている女だった。

「いいえ、別にかかって来ませんよ」

と彼女は答えた。

「もし、かかって来たら、今日は、ぼくは休みだから、明日の五時に御連絡ねがいます、と言ってくれないか。横井貞章という人だ」

「あら」

交換手は叫んだ。

「横井さん？　横井テイショウというと、貞淑の貞に、文章の章と違うの？」

「そうだそうだ。君は横井を知ってるのかい？」

「いま夕刊を読んだとこだわ」

「なに、夕刊を読んだ？」

「あら、田原さん、まだ知らないの？　ああ、そうだ。知らないから、横井さんから電話がかかって来る、と言ってるのね。名前が同じだから、きっとこの人かも分らないわ」

田原は吃《ども》った。

「一体、どうしたんだ？　何かあったのかい？」

「その横井貞章という人は、殺されているわ。電話がかかって来る筈《はず》はないじゃないの」

「え、何だって、殺されてる？」

田原は仰天した。

「夕刊に詳しく出てるわよ」

交換手の声は嘲《あざけ》るようだった。

田原は電話口でぼんやりした。今の声が信じられない。

田原典太は、大急ぎで国電の駅に行った。家に帰るよりもその方が近い。駅前の夕刊売りの前に立った。まず、新聞を買う前に、台の下に下がった広告ビラが目についた。

「大森の平和島で殺人」

と赤インキで大きく書いてある。

田原は夢中で新聞を三つ買った。

その場で開いて見る所がないので、駅の構内に入り、隅の壁に背中を凭《もた》せて、買った新聞を片っ端から開いた。

「男の絞殺《こうさつ》死体発見さる

　今朝、大森の平和島海岸で」

この見出しが、いきなり彼の目を奪った。いや、肝を奪った、と言った方がいい。

「今朝、五月五日午前八時ごろ、都内大田区大森の平和島海岸で、五十歳ばかりの男が死んでいるのを付近の人が発見、所轄《しよかつ》署に届け出た。

検死によると、被害者は絞殺されていて、死後経過推定十一、二時間を経ており、四日午後九時から十二時までの間に殺されたものと思われる。死体の洋服の中から発見された電燈《でんとう》料の受取りによって、被害者は都内世田谷区世田谷××番地無職横井貞章さん（四九）と判《わか》った。

横井さんは独身者で、日ごろから近所づき合いが少なく、また、酒呑みの上に偏屈者で通っていた。近所の話によると、横井さんは、昨四日午後五時ごろ、これから人に会いに行く、といって出かけたという。

警視庁捜査一課では、物盗《ものと》りでなく、怨恨《えんこん》とみて、捜査本部を所轄署に設け、犯人追及の活動を開始した。

　なお、現場は、夏場は海水浴や夜間の納涼大会などでにぎわうが、冬から春にかけては、昼間、ヘルス・センターと称する所に多少人出があるくらいで、夜間は全く通行者が途絶えている。被害者は前夜の九時から十二時ごろに現場で殺されているが、その場所は羽田側の海岸なので、ことさらに人が寄りつかず、犯人はこの場所を知っているものと思われる」

　田原典太は息を呑《の》み、新聞を握ったまま、棒立ちになった。

　田原典太は、新聞社に出た。編集室に行くと、赤星次長の姿が見えた。

「赤星さん」

　田原は、彼の背中から呼びかけた。

「おう」

　赤星は、原稿の整理を止めて振り向いた。

「横井さんが殺されましたね」

　田原は、赤星の耳元でささやいた。

　赤星は、二、三度、小さくうなずいた。

「えらいことになりましたな。ぼくは新聞で読んで愕《おどろ》きましたよ」

「君、今日はたしか非番やったな？」

「そうです。あの記事を読んで、じっとしていられなくなってやって来たんです。赤星さん、ちょっと話があるんですが」

「分っとる。ぼくも君と話したいと思ってたとこや。ちょっと待ちいな」

赤星は、やりかけた仕事を猛烈な速度で片づけはじめた。

田原典太は、編集室を見回した。時枝伍一の姿はなかった。午後三時まえの編集室は、最終版の夕刊締切が迫って慌《あわただ》しい空気である。整理部では、大組のゲラを拡《ひろ》げて、しきりと赤インキのついた筆をふるっていた。

「一きりついた。どや、そっちの方に行こか」

赤星次長は、椅子から起ち上った。ずんぐりした身体《からだ》なので、前のワイシャツがズボンからはみ出していた。頭は薄いが、顔はいつもつやつやしている。その額が汗ばんでいた。

編集室の隅に、衝立《ついたて》で仕切った来客用の応接場所がある。赤星次長は、田原をそこに誘った。

「君、横井といつ会ったんや？」

赤星は坐《すわ》るなり訊いた。いつもの細い目が精一ぱいに開いて、田原を見つめていた。

「五、六日前です。赤星さんに教わったあの自宅に、会いに行きました」

田原は答えた。

「そんとき、なんぞ変ったことはなかったか?」

「べつに気づきませんでした。例によって酒を呑んでいましたよ。変ったことどころか、ひどく元気でした。ぼくの頼みを快諾してくれましたよ」

「君の頼みって何や?」

「例の一件です。われわれでは手が出ないから、崎山のことを調べてくれ、と頼んだのです」

「そんで、本人は承知したんやな?」

「そうです。ひどく乗り気でしたよ」

「そうか」

赤星次長は考えるように煙草《たばこ》を出して火をつけた。

「赤星さん」

田原は椅子を引いた。

「横井貞章という人は、どんな人ですか? この間からあなたに訊くけれども、なんだか、はっきり言ってくれないようですね。こうなったら、もう遠慮はないでしょう。

くわしく話していただけませんか？」

「古い友達や」

赤星は烟《けむり》を吐いてぼそっと答えた。

「あいつが殺されようとは思わなかったな。自殺するかも知れへんなとは思ったが」

「えっ、自殺ですって？」

田原の方がびっくりした。

「どういう意味です？」

「あいつは、君も察したように、一種の性格破綻者《はたんしゃ》や。酒無しには生きて行かれへん男や。アル中やさかいな」

それは、田原も察していたところだった。

「履歴はどうなんです？」

「わしと学校の友達でな。そりゃ大学のときはようでけてた。みんな、秀才や思うてたわ。わしらもあいつには一目《いちもく》おいてたんや。学校を卒業して、しばらく会わなんだが、そやな、十四、五年も経《た》ったやろうか、ひょいと、東京の街であいつと出会ったんや。すると、あいつ、そのとき、新聞記者をやっとる言うてた」

「どこの新聞社です？」

「普通の新聞社やない。なんちゅうか、税務関係の新聞でな。そやそや、税務毎報たらいう新聞に勤めていると言うのんや」

「それは業界紙ですね？」

「まあ、業界紙といえば業界紙や。一種のたかり新聞やろ。税務毎報ちゅうのは、表向きは、納税者に税務知識を普及するちゅう立派なことをうたってあるが、ほんまのところは、国税局や税務署の幹部連中から寄付を貰《もら》ってやってゆくような新聞や」

「どうしてそんな妙な所に入ったんです、そんな秀才が？」

「それやがな。あいつ、前には大新聞に入ってたんや。そやが、酒好きでな、それも呑むと酒癖が悪うなる。そんで、そこの部長と喧嘩《けんか》して、すぐ辞めたそうや。それから先のことは、あいつくわしく言わんが、とにかく、そういう新聞に勤めているちゅうことだけは言いよった。本人も、そのころから、ちょっと変やったな」

「変だと言いますと？」

「まあ、身を落した者が必ず陥る自己嫌悪《けんお》ちゅう奴《やつ》や。人嫌いというか、とにかく、もうすね者になってたわ。だが、仕事は出来るらしい。そりゃ当り前や。あんな秀才はめったにあらへん。うちの社かて、幹部の中に、あれぐらいの者はいやへんで」

「その後、ずっと付き合われましたか？」

「いや、その後、また音沙汰《おとさた》なしや。そのとき、二人で一ぱい呑んで別れたきり、あいつの消息を聞かなんだ。その次に会うたときは、また五、六年経ってた。それも電車の中で会うてな。ぼくの坐ってる斜め前に、妙にくたびれた男がいると思うたら、それが横井や。向うの方でもぼくに気づいたらしく、よう、ご機嫌さん、ちゅうてやって来よった。復員服のような変な洋服を着て、ズボンに下駄履きという妙な格好やった。それも道理で、あいつの息を嗅《か》いだときに、酒のにおいがぷうんとしてたからな」

「そのときは、もう税務毎報という社は辞めたんですか？」

「そうやがな。もう辞めてしもうたと言うてた。あんまり久しぶりに会ったんで、ぼくも途中の駅で降りて、駅の前のおでん屋で一ぱい呑んだ。そのときの話は、ちょいと面白かった」

「どんな話です？」

田原典太は、赤星次長の口がいよいよ横井貞章の身の上に触れそうになったので、聴き耳を立てた。

赤星の話を聞いていると、横井貞章の風丰《ふうぼう》が目に泛《う》かんでくる。破れ畳の上に、きたない着物をひっかけて、傲然《ごうぜん》と肘《ひじ》を張っている姿が見えるようであった。

白くなった長い髪毛を振り立てて、茶碗《ちゃわん》酒を呑んでいる頬の尖《とが》った顔は、なるほど狷介《けんかい》な面《つら》つきであった。

「おでん屋で、どんな話が出たんです?」

田原典太は先を促した。

「そのとき横井は、ぼくが察したように、その税務毎報の新聞社を辞めて職もなく、尾羽うち枯らしていたのや。そんで、ぼくは彼に酒を奢《おご》ってやった。あんまり、ええ酒じゃなかったが、日ごろから焼酎《しょうちゅう》ばかり飲んでいるとみえて、えらく悦《よろこ》びおった。ぼくがなんで、あの新聞社を辞めたのや、と言うたらあいつ、そのときばかりは目から泪《なみだ》を出しよった」

赤星次長が言った。

「へえ、何か、口惜しいことでもあったのですか?」

「そうやな。ぼくもそれを聴いて人ごとながら憤慨したわ」

「どういうのです?」

「以前《まえ》にも言った通り、税務毎報ちゅうのんは国税局や税務署のお偉方《えらがた》から寄付をもらって成り立っていくような新聞や。ところが寄付というたら表向きでな、ほんまは、国税局や税務署の落度を探して、それをネタに強請《ゆす》ってたんや。まあ、インチキ業界紙いうたら、大ていそんなもんや、ところが、横井は頭のええ男やさかい、そのうち、どえらい脱税事実を掴《つか》まえたんや」

「と言いますと?」

「或る国税局の関係でな。某船会社が十億円の脱税をやりおって、そいつが暴露《ばれ》たんや、それから政治折衝で、たった三億円に負けてやったという事件や、そいつを、横井が、かぎつけよってな、どうしても納税者のために、これを公《おおや》けにする言いよった。言い忘れたが、あいつは、そん時、編集長のような格になっていたんやな」

「それが問題になったんですか?」

田原典太はそこまで聴くと、それから先の成り行きがおよそ想像できた。

「そうや、その税務毎報の経営者ちゅうのかな、なんや知らん、そういう社員を使って、自分で懐《ふところ》を肥《こ》やしてた男やったんやな。こら、よけいなことかも知れへんが、大体、官庁関係の業界紙は、日ごろからお役人たちに、ご馳走《ちそう》になっとるんや、熱海や箱根あたりに招《よ》ばれて、一ぱい頂戴《ちょうだい》し、そんで、いくらか金ももらって帰る記者もあるちゅう話や。それがまた、お役人たちの新聞操縦術でな、お互いがそんな腐れ縁で、持ちつ持たれつしているのんや。そやな、こんな話があるわ。ある大手筋の会社が、税務署長を箱根で招んだとき、そのあとから、こっそり業界紙の記者が自動車《くるま》で跟《つ》けて、現場に乗り込み、両方からしこたま金をもろたそうやが、そんなことは有りそうやな。まあ、横井の勤めていた税務毎報ちゅうのんも、そんな新聞やった。ところが、横井の奴、どうしても、その一件を書くと言うとな、社長は大いにやってくれと勧めたそうや。そんで、出来上った記事をゲラにしたところ、社長は、それを持って船会社に乗り込んだのや、これから先のことは、もう、君にも分るやろ？」

「分ります。横井さんは社長と喧嘩して、辞めたんですね？」

「そうや。そんときの、つまり、十億の脱税を、たった三億に負けてやった法人税課長は、今は、その船会社の経理顧問に納まっとるよ」

「怪《け》しからんですね」

「なに、そう怒ることあらへん、そんなことざらや、たまたま、横井のような奴が、そんな業界紙に身を置いたのが、破滅やったのや。それから、あいつ、ますます、アル中になりおった。ある日、一ぱい機嫌で、その船会社に怒鳴り込みに行ったんやな。こいつが、まんまと敵の策略にひっかかって、恐喝罪《きようかつ》に問われよった。あいつ、一年ぐらい、くらいこんだちゅうことや」

「ひどい話ですね」

「そうや、まだ、それだけではあらへん。横井が出て来たときは、細君が遁《に》げてしもうてな、子供も一人いたが、それは細君が引き取って実家に帰りよった。実家の方は、あんな男、もう見込みがないというわけで、横井とは縁切れや」

「それは、少し、細君もひどいですね」

「まあ、ひどいといえばひどいが、酒は飲むし、飲んだら暴《あば》れるし、収入は無いし、だれかて辛抱はでけへん。その細君ちゅうのは、横井の失職中、飲み屋かどこかで働いていたのやが、横井が刑務所に入ると、もう、がまんができんで、実家に帰ったのんやな。横井も、諦《あきら》めて、かえって、子供のためにええと言うとった。むろん、ヤセ我慢や。その女房ちゅうのは、きれいな女でな、横井の初恋の相手や」

「なるほどね」

田原典太は、思わず、しんみりとなった。

「それから、あいつのアル中は、いよいよ、ひどくなり、何をやってたか知らんが、飯《めし》が喰えんときでも、焼酎だけは、何とか、飲んどったらしい。ぼくは一度だけ、あいつが来い来いというからその家《うち》に行ったが、それが君も行ったあのひどい家や。ぼくは、こんな状態では、今に、こいつ、自殺せえへんやろかと思うてたがな、この間、君が税務署のことを、あんまり訊《き》くので、横井なら、ちょうどいいと思うて、紹介してやったんや」

「赤星さん」

田原典太は、或《あ》ることに気づいて訊《たず》ねた。

「その横井さんをぼくに紹介して下さったのは、ほかにも、赤星さんの気持があったんですね？」

赤星次長は、ちょっと照れた目つきをした。

「そうや、取材に行って礼をせんことがあるかいな。取材費の名目で、会計から横井に金を送らせてやったよ」

田原は、それで横井貞章の気持が判ったように思った。横井の協力は、赤星の好意への感謝があったからであろう。

しかし、それがかえって仇《あだ》になったといえそうである。横井貞章は、田原典太の頼みを聞いたばかりにその生命を失ったのである。

「君は、どない言うて横井に頼んだのやな？」

赤星次長は今度は田原に訊いた。そこで、田原典太は横井に、事件の顚末《てんまつ》を語って、協力を依頼したことを説明した。

「ふうん」

「赤星次長は、思案したような顔をしていた。

「それは、横井さんを殺した犯人がだれだと思いますか？」

「分らんな」

赤星はかなしそうな顔をした。

「ぼくが横井さんに頼んだあと、横井さんから電話で連絡があったんです。そのとき犯人の見当はついたと横井さんが言うものですから、だれですかとぼくが訊き返すと、カイダンだと言ったんです」

「カイダン？」

赤星次長が目をむいた。

「何や、カイダンちゅうのは？」

「二階に上るあの階段です。ぼくには何のことか分らないんです。そのとき、説明を求めたのですが、横井さんは、いずれ分るといって、電話はそれきり切りましたよ」

「へえ、けったいなことを言うもんやな。あいつが言うのやから、何ぞ、しっかりした心当りがあったんやろな」

「それに、もう一つ、古物屋を捜せ、と言ったんです」

「なんや、古着屋やと？」

赤星次長にも見当がつかない。

「なにしろ、その電話では時間がないと言って、詳しく教えてくれませんでした。あのとき、もう少し何か言ってくれれば、もっとはっきりするんですがね。横井さんは、何かを摑んでいるんです。赤星さん。ぼくはやりますよ。あの横井さんを殺しただけでも、犯人の追及を懸命にやります」

田原典太は興奮して言った。

「それは、ぼくからも頼む。しっかりやってくれ。ぼくにとっても旧《ふる》い友だちやさかいな。あいつの仇《かたき》をとってやりたい。部長に言うて取材費をうんともろてやる。田原君、頼むぜ」

13

田原典太は、今日も非番だった。

だが、非番だからといって、こうなると休んではいられなかった。彼は、すぐ、警視庁の記者クラブに電話した。キャップは岡田宗太郎といって、田原の先輩である。

「岡田さんですか？」

「おう」

という野太い返辞が電話口から聞えた。

「田原です、田原典太です」

「おう、しばらくじゃないか」

「岡田さん、今日はちょっと頼みがあるのですが」

「なんだい？」

「平和島の殺しの一件です」

「ああ、あれか。それがどうかしたのかい？」

「ぼくは係りではありませんが、ちょっと、捜査本部を覗《のぞ》いてみたいんです。いきなり行くのもなんですから、向うの捜査主任にちょいと電話してくれませんか？」

「ああ、それは気やすいがね。なんだ？　典ちゃん。ちょっとおかしいな」

岡田宗太郎は、早くもこちらの腹を疑ったらしい。だが、こればかりは岡田には言えないことだった。まだ自分一人の腹に納めておきたい。岡田にしゃべってしまえば、折角ここまで漕《こ》ぎつけたのがめちゃめちゃになりそうだった。

「いや、べつに関係のあることじゃありません、悪いが、ちょっと言えないんです」

さすがは先輩だし、了解してくれた。

「捜査本部の主任は、本庁から行っている捜査一課の三係の出島警部だ」

「出島さんですね？」

「そうだ。ぼくから電話しといてやる」

「お願いします」

「おい、典ちゃん」

電話で岡田は引き止めた。

「抜けがけは困るぜ。最後には、おれの方にもちゃんと筋を通してくれよな」

実は、それが辛《つら》いところだった。岡田の釘《くぎ》はちょっとこたえた。

「分りました」

岡田は電話口で声を立てて笑った。その笑い声が、田原典太に妙に温かく聞えた。

田原は、赤星次長から自動車伝票の判こを捺《お》してもらい、車を出させた。

外は暮れていた。運転手は、灯の輝く京浜国道を飛ばした。

O署に着くと、署の前には、各社の自動車が列を作って駐車していた。田原はわざと、それから離れた所に車を着けさせた。

署の玄関から入るのはまずかったが、捜査本部が署内のどこにあるか分らないので、仕方がなかった。案の定、玄関を入るときに、他社の記者とすれ違った。向うはカメラマンと二人連れだったが、田原典太の顔をじろりと横目に流して行き過ぎた。このぶんでは、他社の記者の警戒が厳重で、うまく捜査主任に会えるかどうか分らなかった。そこで初めて、捜査本部は署内の柔道の道場が当てがわれていることを知った。

薄暗い廊下を通って裏手に行くと、突き当りが柔道室になっている。表には「平和島殺人事件捜査本部」と、例によって貼紙《はりがみ》がべたりとしてあった。辺りを窺《うかが》うと、新聞記者は一人もいなかった。ドアの前には、刑事が二人見張っている。閉め切ったドアの中では、捜査会議が開かれているらしかった。

田原典太は思い切って、その番人のような刑事に言った。

「R新聞社の者ですが、捜査主任さんにちょっと話したいことがあります」

張番の刑事は、とんでもないという顔をした。

「駄目ですよ。今は会議中ですから」

ニべもなく断わられたというよりも、怒った声で締め出されそうになった。

「しかし、重大な聞き込みがあるんです。参考までにお報《しら》せしたいのですがね」

その刑事はちょっと目を動かしかけたが、すぐに警戒的表情に戻った。

「そんなことは取り次げません。とにかく、新聞社の人はここには来てはいけないことになっていますから、早く向うに行ってください」

立番の刑事は、田原典太が顔なじみでない記者だったので、言葉だけは丁寧だった。

「いや、これは主任さんに通じてあるのです。確かに、わたしの方の岡田が主任さんに話してあります」

二人の刑事は顔を見合せていたが、田原の最後の一言《ひとこと》が効いたらしい。一人がそっとドアを開いて中に入った。田原が覗《のぞ》き込もうとすると、刑事は彼の肩を押えた。

「困りますよ」

田原は仕方なく退《さが》った。首尾はどうかと待っていると、ドアから肥《ふと》った男が出て来た。甚《はなは》だ不機嫌な顔で田原を見た。

「君ですか？　岡田君からの話にあったのは」

「主任さんですね？」

田原典太は逸早《いちはや》く名刺を持って、その前に進んだ。

「そうです」

「実は、わが社に駆け込みがあったんです」

「何ですか？」

主任はあまり信用しない顔をしていた。というよりも、早く帰ってくれと言わんばかりの表情だった。田原の出した名刺を指の先で揉《も》んでいる。

「殺された被害者が、死ぬ前に口走ったそうですがね」

「ふむ」

主任の顔色がちょっと動いた。

「その話の出所は、ちょっと言えません。ただ、これには階段が関係しているんです」

「カイダン？」

果して主任は目をむいた。

「カイダンというのは何だね？」

「上がる階段ですよ」

田原は、手真似《てまね》で段々をあがる格好をした。そのしぐさを見て、主任は呆《あき》れた目をした。

「どういう意味だね？」

「実は、それはこちらで知りたいのです。今、捜査の途中ですが、そのなかで階段は出て来ませんか？」

主任は明らかに、ばかな、という顔をした。うまうまと新聞記者に誘い出されたと思ったらしく、目を怒らせた。

「そんなものは何も出ていませんよ。とにかく、今、会議中だから、これで帰ってください」

「もしもし、もうちょっと。この事件に古物屋は関係ありませんか？」

「古物屋？」

主任は田原典太を睨《にら》みつけた。

「忙しい最中に、くだらんヤマをかけないで下さい。さあ、帰って帰って……」

田原典太は、見張りの刑事に小突かれるようにして捜査本部の前を追い出された。

捜査本部には「階段」が判《わか》っていない。一体、「階段」とは何だろう。彼は首を傾《かし》げながらO署を出た。

田原典太は、社に帰った。編集室に入ると、時枝伍一の顔が見えた。彼の方でも田原を認めて大股《おおまた》でやって来た。

「えらいことになったな」

彼は興奮していた。

「まさか、あの横井貞章が殺されようとは思わなかったな」

「そうだ、おい、時枝、こうなったら、おれたちもひとつ本腰を入れなければならないぞ」

「もちろんだ」

時枝の方がすっかり上気していた。

「ちょっと、君に話がある」

田原は、時枝を部屋の隅の方に呼んだ。

「横井貞章が殺されたのは、おれたちの責任もあると思う。なにしろ、おれは横井さんに崎山のことを頼んでおいたからな」

「すると、崎山が犯人というわけか？」

「いや、それは急に断定は出来ない。だが、その線で横井さんが殺されたと断定していいと思う。つまり、横井さんは或《あ》る線まで迫ったのだ。現に、彼は犯人は階段だ、と言った」

「そうだったね。その意味は判らないが、とにかく、そこまで言うには、あるいは核心に迫っていたのかも知れないな」

「ところで、階段と古物屋の一件だが、おれは捜査本部に行って来たよ」

「へえ」

時枝は、田原の顔を眺めた。

「君は非番じゃなかったのか?」

「そうなんだ。だが、非番もくそもない。こうなると、この事件にかかりきるよ。ところで、横井貞章の人物については、先ほど、赤星さんから話を聴いたよ」

田原典太は、ここで一通りの説明をした。

時枝は腕を組んで聴き入っていた。

「なるほど、そうか」

彼は溜息《ためいき》をついた。

「それで税務署のことがいやにくわしいと思ったよ」

「横井貞章は、税務署の悪吏を憎んでいた。あの口吻《くちぶり》は義憤そのものだった。国民の税金を取り立てる連中が、自分の私利私欲のために、勝手に税額を大幅に負けたりするなど以《もつ》ての外だ。正直に取り立てられている一般庶民がばかをみるよ。おれたちをみろ、ガラス張りに否応《いやおう》なしに取られてるじゃないか。一方、中小企業者は税金で喘《あえ》いでいる。だのに、大口の会社などは悪徳税吏に賄賂《わいろ》を使って税金を負けさせ、のほほんと構えている。これは徹底的に税務署の悪口を言いたくなるのは分るよ」

「そうだ。この殺人事件を機会に、税務署の汚吏の実態がさらけ出されたら、儲《もう》けものだな。おれは、なんだか、身体《からだ》がむずむずしてきたよ」

それから一週間が過ぎた。

この一週間の内容は、あとになって大切なことが判った。しかし、表面ではそれほどの動きはなかった。まず、捜査のほうから言うと、平和島を中心に聞込みや地取りがしきりと行われたが、結局、有力な手がかりは摑《つか》めなかった。犯行時間が夜のせいで、現場付近にはあまり通行人がない。付近は民家も少なく、夜は早く戸を閉めるのである。捜査本部は難航をつづけているようだ。

時枝のほうは田原と打合せて、「春香」の女中のなつを受持つことになっていた。

しかし、横井事件が起って、時枝もこのほうに巻込まれたかたちとなり、彼が「春香」に電話をしてなつを呼び出したのが十五日だった。

ところが、その電話に出た者が、なつは十二日から休んでいると言う。

翌《あく》る日、時枝は田原に会ったとき、これを話した。

「十二日からというと、昨日まで四日間休んでいる。病気でもしてるのだろうか?」

田原は首を傾《かし》げていた。

「電話で朋輩《ほうばい》に聞いたのだが、べつに病気というようなことは言ってなかったようだ」

「今はどうだろう、店に出ているかな？　出ていれば、彼女に当ってみたいが、休んでいるとなると、ちょっとおかしいよ。これは突き止める必要があるな」

「よし、行こう」

時枝伍一は、もうコートを取りそうになった。

二人は表へ出た。

すぐに自動車を走らせた。

春香の前に着いた。繁華な一画の中だが、いかにもそこが料理屋のあり場所として適当な裏通りだった。艶歌師《えんかし》が肩にギターを担《かつ》いで通ったり、若い女が男客の袖《そで》にもつれて歩いたり、この辺の土地柄の風景だった。

春香には、灯がまだ赤々とついている。宴会でもあるのか、三味線と太鼓の音が奥のほうから聞えていた。

時枝は、玄関脇《わき》の下足番の老人を手招ぎした。

「おスミさんを呼んでくれないか？」

時枝は、百円玉を下足番の掌《てのひら》に載せた。

「へえ、かしこまりました」

下足番は奥に向かって大きな声で、おスミさん、おスミさん、と呼び立てていた。

「おスミさんというのが、君がコネをつけた女中かい？」

「まあ、そうだ」

「君も相当な腕だな」

二人は、春香の表口の暗い場所に身体を避けていたが、顔を見合せて笑った。

しばらくすると、玄関脇から、背の高い女中が出て来た。

「やあ、今晩は、おスミさん」

女中は、時枝の方に向いた。

「どなたかと思いましたわ。先日はどうも」

彼女は、腰を屈《かが》めた。

「いいや、こちらこそ。これは、ぼくの友人だ」

時枝は、田原を紹介した。

「知ってますわ。先日、お二人で、税務署の方だと言っておあがりになったじゃありませんの」

「君、知ってたのか？」

「知ってましたわ」

女中はおかしそうに笑った。

「ところで、おスミさん、なつさんは今夜来てるかい？」

「いいえ」

おスミは顔を振った。

「なつさんはまだ来てません。あれっきりです」

「どうしたんだい？　病気でもしているのかね？」

「なんだかよく分りませんわ。お客さま方に訊《き》かれると、病気だと言って、わたしたちは体裁をつくろっていますが、本当のところは、どうも病気ではないらしいんです」

「何だね？」

「よく分りません。どうやら、なつさんは自分のアパートにいないようですよ」

「へえ、好きな男のところにでも転がり込んだのかな」

「そんな粋《いき》筋ならいいんですけれど」

おスミは口に手を当てた。

「なつさんには、そんな芸当は出来ませんわ。あの人はまだサーさんを想《おも》い詰めてるんですもの」

サーさんとは崎山のことだと二人には判った。

「ぼくたちはね」

と田原典太は春香の女中に言った。

「どうしても、なつさんに会いたいんだ。わるいが、なつさんの家《うち》を教えてくれないか？」

「さあ」

おスミは、少し困った顔をした。

「ね、おスミさん」

時枝は横から顔をつき出した。

「ぼくたちは、何も変な気持で行くわけじゃないよ。彼氏が来ているようだったら、おとなしく引き下がるから、会うだけは会いたいんだ。ちょっと、いろいろ訊きたいことがあってね」

「そうですか。人には言わないで下さいよ」

「大丈夫、大丈夫」

「じゃあ、教えますわ」

スミは、なつの住所を教えてくれた。それは甲州街道沿いだった。

「どうも、ありがとう」

時枝は彼女に五百円札を握らせた。

「あら、結構ですわ。こんなこと」

「まあ、いいよ。どうもありがとう。また、何か訊きに来るかもしれないから、頼むよ。いつも、こんなことで申訳ないが、いずれ、みんなを連れて飲みに来るからね」

「ありがとうございます。すみません。戴《いただ》いておきますわ」

スミは、五百円札を帯の間に入れた。

田原と時枝は、車に乗って教えられた町に走った。

そこは、甲州街道から横に入ったところだった。夜の空に洋裁学院の黒い建物が、あかあかと灯を点《つ》けていた。踏切を越して、その巨大な建物の横に進んだ。なつのアパートは小さな二階建だった。

表に「若葉荘」と出ている。

アパートに入ったが、スミの話では、なつの部屋は二階の六号室だという。廊下を突き当った左側と教えられた。

アパートの玄関には、古いサンダルや草履などが脱ぎ散らしてあった。二人は、黙って階段を上がった。

廊下には薄暗い電灯が点いている。両側の部屋は、どこも入口のガラス戸の向う側にカーテンを閉めていた。鍋《なべ》をかかえた婦人が、二人の姿を怪しむように横をすり抜けた。六号室の前に立ったが、ここは灯がなかった。入口のドアのすりガラスは暗かった。田原はノックしたが、むろん、応答はなかった。

「管理人に聞いてみるか？」

時枝が言った。

「そうしてくれ」

時枝が下に降りている間、田原はその廊下に立って煙草《たばこ》を喫《す》っていた。どこかの部屋から、ラジオのジャズがかすかに聞えていた。やがて、時枝は、五十ぐらいのおばさんを連れて来た。

「今、管理人の方に訊いたんだがね」

と時枝は管理人のおばさんを紹介した。

「堀越みや子さん、つまり、なつさんのことだが、堀越さんは四日前の十二日から、旅行にゆくと言って出たままだそうだ」

田原典太は、そのおばさんに頭を下げた。

「お邪魔をします。堀越さんは、どこに旅行にゆくと言っていましたか？」

「さあ、どこだかよく知りません。わたくしたちは、あまりいろいろなことを訊かないことにしています。こういうアパートをやっていますと、いろいろと面倒なことが起りますのでね」

「なるほど。で、その出かけるときは、堀越さん一人でしたか？」

「ええ、一人でしたよ」

おばさんは目を光らせていた。この男二人が、堀越みや子と特別な関係にある客と思っているらしい。

「いつごろ帰ってくるように言って出ましたか？」

「そうですね、一晩泊りで帰って来る、と堀越さん言っていましたが」

「えっ、一晩泊り？　今日は、もう四日目でしょう？」

「そうですね」

おばさんは人ごとのように言っていた。田原典太は、その六号室の黒いドアをじっと見つめていた。

「おばさん」

と田原典太は管理人を振り返った。

「この部屋の合鍵《あいかぎ》をお持ちですか？」

「ええ、それは持っていますが」

おばさんは怪訝《けげん》な目つきをした。

「では、その合鍵でこのドアを開けてくれませんか？」

「え？」

おばさんは目をまるくした。が、次に、猜疑《さいぎ》的な目つきになった。

「それは困りますよ。他人の部屋ですからね、無断で合鍵で入ったと判《わか》ったら、大変なことになります」

「いや、もっと大変なことは、この部屋に入ってから判るかも知れませんよ」

時枝は田原の言葉を聴いて、これも黒いドアの方を凝視した。

「おばさん、何か臭《にお》いはしないかね？」

田原は言った。

「えっ、どんな臭いですか？」

「そら」

と、田原はぴったりと閉まっているドアに自分の鼻の先をつけた。そして、おばさんを振り返り、

「おばさん、あんたも嗅《か》いでごらんなさい」

とすすめた。

田原に、嗅いでみろ、と言われて、おばさんはドアの間に鼻を付けた。しばらくそうしていたが、妙な顔をしてそばに立っている田原典太を振り向いた。

「何も臭っていませんがね」

おばさんはきょとんとしていた。

「臭わない？　こんなに臭ってるのに、おばさんには分らないかな。失敬だが、おばさんは鼻が悪いことはないかね？」

田原は、管理人の女房の肥満した鼻翼を見つめた。

「いいえ、べつに鼻が悪いとは思いませんがね」

おばさんは仏頂面《ぶっちょうづら》をした。

時枝は、田原の言葉を聞くやいなや、中腰になって、自分の顔をドアに押し当てた。

「田原君」

時枝は蒼《あお》い顔になっていた。

「すぐ開けて入ろう」

「君も臭うか？」

「これが臭わないでどうする。おばさん、合鍵を持ってるんだろう。その合鍵を貸してくれ」

時枝は、おばさんの握っている鍵束を奪った。

鍵を差し込む手間ももどかしそうだった。

「待て、時枝君」

田原は制《と》めた。

「ぼくたち二人が入っただけではまずい。警官を呼ぼう」

「よし」

時枝は、手を止めて、合鍵を田原に渡した。

「おばさん、交番はどこだね？」

管理人のおばさんは、すぐに声が出なかった。

「こ、交番は、す、すぐ南へ一町ばかり行ったところですが」

と吃《ども》った。

「いったい、何が起ったというんですか？」

二人のただならぬ様子に目を奪われていた。

「何でもいい。とにかく、どえらいことが起ったんだ。じゃ、ぼくが行って来るよ」

時枝は、そう言い残して、階段を急いで降りた。

田原が部屋のドアをじっと見つめていると、おばさんは声をうわずらせた。

「あなた、何を勝手にお巡りさん呼ぶんです？　何が起きたんですか？」

見知らぬ男二人が突然やって来て、巡査を呼んで来ると言ったものだから、何か変事が起ったとは覚りながら、おばさんも平静ではなかった。

「まあまあ、おばさんの鼻に臭わなきゃしようがないですよ。今にこの戸を開けてみたら判りますからね」

田原はなだめた。

「じゃ、わたしが開けてみます」

おばさんは田原の手から合鍵を奪いそうになったので、田原はその手を引っ込めた。

「いけないよ。いくらあんたが管理人でも、こういうときは巡査に開けてもらわないと、あとでえらい迷惑を蒙《こうむ》るよ」

田原は叱《しか》った。

「けど……」

おばさんは田原の剣幕にたじろいで、そのままおとなしくなったが、その顔にははっきりと不安が露《あら》われた。

「生憎《あいにく》、うちのひとは外に出ているし、どうしていいか判らない」

おばさんはおろおろ声で言った。

田原は、おばさんがドアに手を触れぬように気を付けた。うっかりすると、彼女はそのドアに手をふれないともかぎらない。

幸い、このアパートは勤人が多いとみえて、どの部屋もがらんとしていた。女房たちの顔も見えない。これは弥次馬《やじうま》を集めないためには好都合だった。

警官が来たのは、それから二十分経《た》ってからだった。もう四十年配の交番巡査は、時枝に案内されて、緊張した顔で部屋の前に立った。

「どうも御苦労さまです」

田原典太は、巡査に名刺を差し出した。

「どうも変な臭いがするんです。様子がおかしいものですから、御足労ねがいました」

「ああ、そうですか」

巡査は、田原の名刺をポケットに突っ込んで、帽子の庇《ひさし》を上にあげ、ドアのところに鼻を付けた。

それから振り向いたときの巡査の顔は硬張《こわば》っていた。

「合鍵がありますか？」

田原がそれを渡すと、巡査はそれでもハンカチを出して南京錠《ナンキンじょう》に当て、合鍵を挿し込んだ。

「その辺の戸には触れないでください」

巡査はうしろの人間に注意した。

　巡査から先に内部に入った。巡査は用心深く手袋をした。

部屋は六畳ぐらいだった。いかにも女ひとりの住居《すまい》というように、粗末ながら鏡台もあるし、なまめかしい座布団《ざぶとん》もあった。整理箪笥《だんす》の上には小さい仏壇が置いてあり、人形なども飾られてあった。

巡査は、しばらく部屋の中央に立って、忙しく呼吸した。鼻が鳴った。

「どうもあの押入れらしいですよ」

後ろから入った田原が巡査に指さした。

巡査はうなずいて押入れの方に進んだ。それは一間の押入れで、陽に灼《や》けた襖《ふすま》が閉まっている。

巡査はおもむろに襖を開けた。強烈な臭いが、すぐ後ろに立っている田原と時枝を襲った。二人はあわててハンカチを顔に当てた。

不安そうに後ろに立っていた管理人のおばさんも、さすがにこの臭いは鼻につんと来たらしかった。彼女は真《ま》っ蒼《さお》になった。

襖は完全に開いた。巡査が中腰になり、懐中電灯を出して、奥を照らした。すぐ横に並んで、同じように覗《のぞ》いていた田原典太が思わずあっと声を上げた。

今の今まで、悪臭の主はこの部屋の間借人堀越みや子、つまり「春香」の女中「なつ」とばかり思っていた。しかし、巡査の懐中電灯の光の輪の中に一部分見せた腐爛《ふらん》死体は、半裸の男だった。足とズボンとが先に見えた。

しかし、すぐそのあとで、もっと愕《おどろ》くことがあった。巡査がこれを本署に連絡し、警視庁から捜査係員が急行した。係が現場の状況写真を撮ったのち、男の死体を引き出して見ると、それは年齢四十歳くらいの背広姿だった。

それまで立会っていた田原と時枝とがその顔を一目《ひとめ》見るなり、思わず声を上げた。

「あっ、崎山だ！」

R税務署法人税課長崎山亮久の死体であった。

引き出された死体の顔は見るかげもない。身体全体が巨人のように膨《ふく》れ上がっていた。唇は反《そ》り返り、歯をむき出している。眼球が飛び出しそうになっていた。顔面はどす赤黒く、頸《くび》の下には女の腰紐《こしひも》が三重に捲《ま》きついていた。見ていたおばさんが血の気を失った。

この赤鬼のような巨人の顔を、崎山亮久とすぐに判別するのは困難なくらいだった。

田原も時枝も、一目見てそれと判ったのが不思議なくらいである。この部屋が堀越みや子のものでなかったら、その判別は働かなかったかもしれない。

「おや」

捜査係長が二人の方を振り向いた。

「何だね？　君たちは。この死人を知ってるのか？」

嶮《けわ》しい顔つきだった。

「はあ、知っています」

ふたりは、すぐに崎山亮久の職業と名前を言った。それから名刺を揃《そろ》って出した。

「新聞記者か」

名刺をじろりと見て、係長は言った。

「新聞記者だけに早いね？」

「いや、この人たちが報《しら》せてくれたのです」

交番巡査が発見の顚末《てんまつ》をあらまし言った。

「ふん。君たちは、被害者の顔をどうして知ってるんだね？」

係長は、また二人の方を向いた。

「新聞記者ですからいろいろな人に面会します。前に、この人にも税務署で二、三度会ったことがあります」

係長はじろりとふたりの顔を見比べた。

「君たちは、どうしてここに用事があって来たのかね？」

これはふたりにとって痛い質問だった。正直に言えば、自分たちでやってる内容が警察に判ってしまう。それは捜査に協力することなので構わないが、警察に判ると他社に洩《も》れるのが辛《つら》いのだ。今までの苦心が全部無駄になってしまう。殊《こと》に横井貞章のこともあるので、迂《う》濶《かつ》には言えなかった。

「この部屋は、春香という料理屋の女中さんがいるんです。われわれはよくそこに呑《の》みに行くので、自然とその女中さんと個人的に親しくなり、或《あ》る用事でここにやって来たようなわけです」

苦しい言い訳だった。

「その用事というのは何だね？」

「いや、べつに大したことではありません、個人的なことですから」

田原はわざと正面から断わった。

係長は鼻を鳴らしたが、

「あとでいろいろ事情を聴かせてもらうか分らないが、とにかく、ここを一度出て行ってくれ」

と言った。

田原も、時枝も、管理人のおばさんも追い出されて廊下に出た。部屋の中では、死体の詳細な検死が行われている。

おばさんは目を吊《つ》り上げて蒼い顔をしていた。

「おばさん、しっかりしなさい」

田原は激励した。時枝は気を利《き》かして炊事場に行き、コップに水を汲《く》んで持って帰り、おばさんにそれを飲ませた。

「さあ、おばさん、いろいろと訊《き》きたいことがあるんだ。堀越みや子さんが一晩泊りで行って来ると出かけたのは、何日だったかね？」

田原典太は手帳を取り出した。

「そうですね」

おばさんはまだ興奮が静まらなかったが、時枝から背中をさすられたりして、ようやく答えた。

「たしか、四日前ですから、十二日だったと思います」

「五月十二日だね。すると、それは何時ごろだったの？」

「午《ひる》からの三時ごろだったと思います。あの人は料理屋に働きに行っているので、早番と遅番があって、早番のときは十一時ごろ出かけて行っていたようです。遅番のときは三時ごろでした。だから、そのときはいつもの時間と思ってるから、たしか三時ごろに出かけたように思います」

「それっきり帰って来なかったかね？」

「そうです」

「みや子さんは、部屋を出るとき、いつもちゃんと自分の部屋に鍵をかけて出るんだろうね？」

「あの人は几帳面《きちようめん》ですから、必ず鍵をかけて出るんです。なにしろ帰りが遅いですからね」

「その外出の後、みや子さんの部屋に、みや子さんと一しょに誰かが入って来たということはないだろうね？」

「わたしは見ませんでした。そんなことはなかったと思いますけれどね」

おばさんの答え方がはっきりしないのは、一つはこのアパートの構造からである。

このアパートは、大ていのアパートがそうであるように、玄関から入っても管理人はいちいち見咎《みとが》めない。また、管理人の部屋は玄関脇《わき》にあるが、出入りの者を始終気を付けているわけではなかった。それに、夜遅く帰る人のために玄関は始終開いている。いわば、玄関があっても各人の部屋に入るまでは往来と同じだった。

それに、先ほど気を付けて見て判《わか》ったのだが、堀越みや子の部屋の前も、両隣も、がらんとしていて、人がいるような気配がしない。

「えらく静かなアパートだが、みんな何をしてる人ですか？」

時枝が不審に思って訊いた。

「へえ」

と言ったが、おばさんは少し間をおいて答えた。

「堀越さんと同じような水商売の人が多いんです。夫婦者は、この二階にはあまりいません。だから、午前中までは寝てる人もあるが、昼過ぎて今時分になると、殆《ほとん》ど留守になります」

それで、これほどの騒動が起きながら近くの部屋から誰も出て来ないことが判った。

「どうだね、みや子さんの所にはよく人の出入りがあったかね？」

田原典太は訊いた。

「いえ、あの人の所にはあまりお客はなかったようです。それでも、ときどき、遅くなると、勤先の朋輩《ほうばい》のような女の人が泊りに来ることはありましたよ。でも、男はあまりなかったようです」

「おばさんは、今の死体の顔を見ただろう？」

時枝が代った。

「あの人がここに来たことがあるかね？」

「いいえ」

おばさんは思い出したように顔を歪《ゆが》めて首を振った。

「一度も見たこともありません」

「しかし、よく考えてごらん」

と田原は言った。

「死体があんなに膨れ上がってるのは、腐敗ガスのためなんだ。ちょっと見ると大男みたいになっているが、人相はだいたい判るだろう。訪ねて来たことはなかったかね？」

「いいえ、見ませんよ」

おばさんは激しく首を振った。

「こんなことなら、早く気が付けばよかった」

おばさんは呟《つぶや》いた。

「隣の人が、臭い、と言ったときに、この部屋を調べたらよかったわ」

　この呟きが田原の耳に入った。

「なに、隣の人が臭いと言っていたのかね?」

「そうです。やはり女の人ですがね。あまり臭いというので、気持悪がって、昨日《きのう》、引っ越しましたよ。あたしはその人の部屋に入って嗅《か》いでみたのですが、ちっとも臭《にお》わないのです。わたしの鼻が悪いのでしょう」

　そこに、死体の検死が終って鑑識課員がひとり出て来た。部屋の中ではまだ現場撮影がいろいろな角度からしきりと行われているらしい。

「死因はやはり絞殺《こうさつ》ですか?」

　田原典太は鑑識係をつかまえた。死体の頸に捲かれた腰紐を眼に泛《う》かべて訊いた。

「そうです」

　若い鑑識係は仏頂面をしていた。

「死後経過はどのぐらいですか?」

「さあ、今のところ九十時間ということです」

　彼は、しぶしぶ答えた。

「死体には、ほかに外傷はありませんか?」

「それはないようですな」

「何かほかにありませんか?」

「さあ、そういうことは係長に訊いてください」

若い鑑識係は田原たちを振り切るようにして階下に降りた。

九十時間というと、大体、四日前の十二日である。みや子はその日の午後三時にアパートを出たとおばさんが証言しているから、彼女は一旦《いったん》、外出のあと崎山亮久と一しょにこの部屋に戻り、そこで絞殺したに違いない。当日は日曜日だった。

むろん、女の手で大の男を絞殺することは出来ないから、多分、崎山が眠ってるところを殺《や》ったのであろう。こういう推測を田原典太はすぐに立てた。

田原は、先ほどから、その部屋のドアを見ている。自分たちがこの部屋に来たときも、ドアの表はちゃんと鍵《かぎ》が掛っていた。現に、管理人のおばさんの合鍵で交番巡査が開けたくらいである。

部屋の両側は隣室に面した壁で、一方はアパートの裏側になっている。この方はガラス戸になっているが、それにもネジ錠が差されていることを田原は見て取っていた。いわば、密室の状態の中に崎山亮久は死んでいたのである。

だが、これは完全な密室ではない。つまり、犯人と思われるみや子が崎山を絞殺して部屋を出たあと、鍵を元の通りに掛けて逃げたのだった。

それにしても、崎山と一しょに戻ったみや子が、よくもほかの部屋の連中に見られなかったものだ。尤《もっと》も、これは、まだ全員が帰っていないので全部の証言が聞けないから、何とも言えない。しかし、おばさんの言うところによれば、午後三時ごろから水商売の部屋の借主たちが出払ってしまうから、夜中の十二時ごろまでの間は、殆どこのアパートの二階は人のいない状態が考えられる。

それだと、みや子が崎山亮久を連れ込んでこの凶行を行ったのは、そのような状況をよく知っていての上の計画だとも思われる。

崎山亮久を殺したのは、堀越みや子以外にない。彼女は崎山をひどく愛し、かつ恨んでいた。彼女の悩みは、田原もよく聞かされていた。彼女は最後に崎山を自分のアパートに誘い込み、そこで遂《つい》に彼を殺害したのであろう。だが、一体、みや子はどこに逃げたのか。すでに、この凶行から四日も経《た》っているのだ。

もしかすると、彼女はどこかで自殺しているかもしれないのだ。それが一ばん考えられそうだった。

「時枝君」

と田原は言った。

「すぐにデスクに電話して、写真班を呼んでくれないか」

時枝は承知して階段を駆け降りた。

さすがに、このころになると、タダならぬ様子に気づいたのか、階段の上には階下の連中が集り、顔を揃《そろ》えて覗《のぞ》いていた。

田原は、すぐ前の部屋を見た。それは堀越みや子の部屋の隣に当っている。戸は閉まっていた。

「おばさん、この部屋かね？　臭いがして逃げ出した人がいたというのは」

田原は訊いた。

「そうです。わたしは嘘《うそ》だと思っていたんですが、やっぱりほんとうだったんですね。わたしの鼻が悪いものだから、臭いが嗅げなかったんです」

おばさんは悔やんでいた。

「今、部屋は空《あ》いてるわけだね？」

田原は、戸の閉まっている部屋の外からじろじろ見て言った。

「そうなんです。それも、昨日《きのう》、空いたばかりです」

「今までは、やっぱり女の人ひとりだったのかね？」

「ええ。その人も水商売の人で、バーかなんかに勤めていたと思います。ですが、なかなかの勉強家でして、あたしには、働きながら勉強するんだ、と言って、勤めに出るまでは本を読んでいたようですよ。実際、その言葉どおり、外出のたびに、何か厚い本を四、五冊ぐらいは買って帰っていましたね」

「ふむ」

田原にとってそんなことはどっちでもよかった。

「バーに働く女でも、なかなか感心な子がいるんだな。それで、その人が臭いがすると言い出したのは、いつごろかね?」

「一昨日《おとつい》あたりからですよ。ですから十四日ですわ。さかんに苦情を言うものですから、わたしはその人の部屋に入ったんです。まさか、隣の部屋にあんなことがあろうとは思いませんでしたからね。わたしの鼻にはちっとも臭わないので、何かケチをつけるつもりだと思ったものですから、つい、言い争いになりました。その人は腹を立てて、昨日、荷物をまとめて出て行きましたよ。たくさんな本でしてね。それを蜜柑《みかん》箱や行李《こうり》の中に詰めて、さっさと引き揚げました」

「その女はひとりだったのかね? 旦那《だんな》はいなかったのかね?」

これは戻って来た時枝が横からした質問だった。

「旦那かどうかよくわかりませんが、何か男が晩に来ていたらしいですね。なにしろ、その人はここに来てまだ短いものですから、わたしは顔もよく知りませんが」

なるほど、このアパートの構造からいえば、死体のあった押入れは、隣室のすぐ壁《かべ》際《ぎわ》になっていて、安普請《やすぶしん》だから、壁の隙間《すきま》から隣室に臭って来たに違いない。少し潔癖な人間だったら、このやりきれない臭いに逃げ出すのも当然のように思われた。殊《こと》に、管理人のおばさんは鼻が悪いときているので、癇癪《かんしゃく》を起したのであろう。

「それにしても、堀越みや子は思い切ったことをしたものだね」

時枝は表に出て田原に囁《ささや》いた。

「そうだな。あの女がまさかそこまで思い切ったことをやるとは思わなかった」

田原は、何度か会ったみや子の顔を想《おも》い出して言った。

「やはり素人《しろうと》と違って、ああいう商売の女は思い切ったことをする。だが、彼女にしても無理はないかもしれない。あれほど命を賭《か》けて打ち込んだ崎山に冷淡にあしらわれたのだから、カッとなったんだろう」

「いや、これは計画的だよ」

と田原は言った。

「だって彼女は崎山をわざわざ自分のアパートに連れ込んでいるだろう。その前には、管理人のおばさんに、一日泊りでどこかに行く、と言って出ている。彼女は、このアパートが一時誰もいない時間になることを知っていたのだ。だから、その時間に誰に見られることもなく崎山を連れ込んだのだ」

「しかし、崎山がどうしてみや子にのこのことくっついて来たんだろう？　そんなに嫌ってる女のところに来るというのが妙じゃないか」

時枝が疑問を言った。

「やはり崎山としても振り切ってしまうのも後味が悪いし、最後の女の頼みで、しぶしぶ来たんだろうね、それに、きっと、これでお別れにしましょう、などと、あのみや子が言ったかもしれない。ぼくの想像するところでは、別れのビールぐらい飲んだと思うな」

「君の想像だね？」

「いや、想像だけじゃない。だって、いかに崎山に力が無くても、相手は男だろう。そうむざむざとみや子の力で頸《くび》を締められはしないよ。そこで、崎山が眠っている時間しか考えられない。その無抵抗の状態にしておいて、みや子が腰紐《こしひも》を解いて崎山の頸を締めたと思うね。だから、飲ましたビールの中には睡眠薬が入っていたと思う」

14

崎山亮久の殺害事件は、その翌日の朝刊に大きく出た。それは捜査本部の発表であるが、犯人は堀越みや子と推定され、指名手配がなされている、と報じた。原因は痴情関係で、凶行は五月十二日の午すぎと推定された。九十時間も経《た》っていると細かい時間は割り出せないらしい。

R新聞も田原と時枝とが手を分けて記事を書いた。これも捜査本部の発表どおりに従った。

崎山のことを一番くわしく知っているのは田原と時枝だが、知り得た崎山をめぐる事実については省かなければならなかった。

それは殺された沼田嘉太郎に関係があると信じられたのだが、肝心の崎山が死んでしまったのだから、沼田殺しは無意味になってしまった。

田原も時枝も、意外な崎山の死にがっかりした。

「まさか崎山が殺されるとは思わなかったな」

ふたりは安っぽい喫茶店で茶を喫《の》みながら話した。

「沼田嘉太郎を殺害した有力な犯人が殺されてしまっては、もう手も足も出ないところだ。ぼくは、なんだか今までの張り切った気持が急に緩んだような気がするよ」

田原は頰杖《ほおづえ》を突いて言った。

「ぼくもそうだな」

時枝も同感した。

「今まで崎山とばかり目を付けていたのが、これで急に舵《かじ》を失ったわけだ。女というのは怕《こわ》いね。われわれの方向まで妙なところから狂わしてくれる」

「その通りだ。堀越みや子が横からあんなことをしなければ、今に崎山のしっぽを摑《つか》むところだった」

「まあ、崎山のようなやつは殺されても仕方がないといえば仕方がないが、もう少し、こちらで彼と沼田殺しとの因果関係を洗ってやりたかったな」

ふたりはお互いにぼんやりと勢いのない目を見合せた。

「しかし、君、ちょっと妙だぞ」

田原は言った。

「崎山が殺されたのは十二日だね。これは捜査本部が解剖の結果発表したところだから、まず間違いはないだろう。時間的な誤差はあっても、十二日の出来事というのは狂っていまい。すると、横井貞章が殺されたのは四日の晩だ。死体発見は五日の朝だからね。横井が殺されて、つづいて崎山が殺される。どうだね、この点ちょっとおかしいと思わないか?」

「そうだな」

時枝は、ザラ紙を机の上に置いて、鉛筆でいたずら書きをした。

「連続殺人事件だね」

「そうだろう。一週間おいて二人が殺されている。まあ、この二つの殺人犯人は違うかもしれないが、妙に接近して続いてるね。ぼくは……」

と田原は自分でも紙を出した。

「横井貞章という男が、奇妙に好きなんだ。あの人はぼくたちのために殺されたようなものだ。沼田嘉太郎もさることながら、横井殺しの犯人をどうしても挙げたい。ところで、横井を殺した人間は、ぼくたちは今まで崎山亮久とばかり考えていた。これは何《なん》にも実証はないが、直感でそう思うだけだ。沼田も崎山が殺《や》ったと思うから、横井も崎山が殺《や》ったように考えていた。ところが、横井が殺されてまもなく、今度は崎山自身が殺されている。あんまり因果応報がはっきり出来過ぎてるじゃないか」

「そりゃそうだ。ちょっと話が出来過ぎている」

「そりゃ堀越みや子が崎山を殺したことははっきりしているから、横井を殺した人間は別だと言ってもおかしくはない。まさか、あの女が横井を殺したとは思えないからね。だが、この四日、十二日とつづいて起った殺人事件には、何かほかに意味があるような気がするね。待て待て」

田原は自分の額を手で叩《たた》いた。

「まだわれわれが悲観するのは早過ぎるようだ。まあ、崎山であってもなくても、もう少し、横井貞章を殺した人間を追及する必要があるね。この男こそ沼田嘉太郎を殺害したのと同じ人間だと思うんだ」

「そうすると、また崎山にかえって来るね」

「堂々巡りする議論は止《よ》そう。とにかく、真実を知ることが一番だ。その結果、崎山にかえっても仕方がないよ」

「では、どうする?」

「もうひとり崎山の仲間が居ただろう。野吉さ。野吉欣平《きんぺい》だよ、R税務署の間税課長さ」

「あっ、そうか」

野吉欣平は崎山とP税務署で同僚だった。そこからふたり揃《そろ》って現在のR税務署に転勤となっている。

「野吉と崎山とは一つ穴のムジナだ。あいつらはP税務署で一しょに悪事を働いてる。それは死んだ沼田嘉太郎のことで、ぼくが聞いたP税務署の若い署員の言葉でもはっきりと分る」

田原典太は少し元気づいて言った。

「ただ、野吉の方は、崎山がちょっと先輩だし、役者も上だものだから、何となく崎山に片棒担《かつ》がされたところがある。どっちにしても、野吉は崎山の秘密を知っている筈《はず》だ」

「よし」

時枝は、メモと鉛筆をいそいでポケットにしまった。

「これから野吉に会いに行こう。あいつが正直に言うとは思えないが、その反応を見てやるだけでもいい。とにかく、参考になるからね」

「よかろう」

「では、どういう質問をする?」

「そうだね」

ふたりは、ここで少しばかり打合せをした。それが済むと、その喫茶店を出て行ったが、田原典太の肩は思いなしか元気を回復していた。

二人は、R税務署の前に着いた。素早く門の中を見ると、よその社の車が一台、ぽつんと来ているだけだった。

「やってるな」

時枝は囁《ささや》いた。

「なに、崎山がこの署の法人税課長だものだから、彼についての話でも聴きに来たのだろう。大したことはないよ」

「しかし、あの車が帰ってから、われわれは内に入った方がいいだろうな」

時枝の方が慎重だった。

ふたりは、自分たちの車を少し先にやって待っていると、十分も経たないうちに、先着の社の車が動き出した。田原たちが待っている車とは反対の方に、その社の社旗を靡《なび》かせて走り去った。

「行こう」

安心して、今度は車を税務署の門の中に入れた。

「おい、あれは警察の車じゃないか」

田原が目敏《めざと》く見付けた。建物の陰に、黒塗りの乗用車が一台、隠れるように置いてあった。

「そうだね、崎山のことでも調べに来たんだろう」

「どうする?」

「まあ、中に入ってからのことにしよう」

ドアを押して入ると、この前来たように正面が長いカウンターで、署員たちは何列もの机の上で仕事をしていた。もちろん、正面の法人税課長の席は気の毒に空いている。目を移すと、間税課長の席に野吉欣平が元気のない顔で坐っていた。

警官たちの姿はそこに無かった。野吉は、むずかしい表情で俯《うつむ》きながら書類を眺めている格好をしていた。

田原は、カウンターのすぐそばにいる若い署員を呼んだ。

「間税課長さんにちょっと話があるんですが。課長さんの席のすぐそばではちょっとまずい話です。恐縮ですが、どこか離れた所でお目にかかりたい、と言ってください」

若い署員は、田原の名刺を課長席に運んだ。

野吉は名刺を眺め、遠い所から顔を上げてこちらを見た。その顔つきには、瞬間、当惑がありありと現われた。

断わったら乗り込むまでだ、と思っていると、野吉は椅子《いす》を引いて起ち上がった。先方からのこのことここに来るつもりなのである。カウンターの出口を回って、野吉は歩いて来たが、目をきょろきょろさせて、顔の筋肉も硬張《こわば》っていた。

「野吉さんですか。名刺を差し上げた者です」

田原はことさらに丁寧にお辞儀をした。

「今度は、崎山さんがとんだことで、どうも」

もう一度お辞儀をした。

「いや」

野吉欣平は明らかに当惑していた。四十近いと想われるが、覇気《はき》のない顔である。これなら、崎山に抱き込まれて存分に利用されても仕方がないような男と思えた。頭は前が薄く禿《は》げ上がり、頸《くび》が長かった。永い年月で、やっと現在の地位に上ったのであろう。田原は横井から聞いた「兵隊」の言葉を思い出した。

「崎山さんのことについて、ちょっと伺いたいんですが」

切り出すと、野吉は困った顔をした。

「さあ……」

「いや、御迷惑はかけません。ちょっと、崎山さんの生前のことでも伺えば、それでいいんです。お忙しいようですから、時間もあまり取らせません」

田原は強引に言った。こういう男は、こちらから踏み込んだ方がいいのである。

「そうですか。ぼくは、崎山君のことはよく知らないんですがね」

野吉はぼそぼそ言いながら田原たちを促して、自分から建物の外に出た。署員たちが執務している前では言いにくいようにみえた。

建物の横は、ちょっとした草花を植えている。その中に三人は立った。

「どういうことですか？　今も言う通り、崎山君のことはよく知りませんよ」

早くも、野吉は新聞記者二人に警戒していた。

「いや、なんでもないんです。新聞でも御承知と思いますが、堀越みや子、これは料理屋の女中ですが、その女のアパートで崎山さんは絞殺《こうさつ》されました。それで、伺いますが、堀越みや子という女性と崎山さんとは、どういう関係でしたか？」

「さあ、それは、わたしにはよく分りません。なにしろ、個人的なことですからね。それに、こういう事件が持ち上がると、ことさらに言いたくありません」

野吉は口を閉じた。そして、早く解放してくれ、と言わんばかりにもじもじした。

「いや、よく分ります。なんですか、野吉さんは崎山さんと特別に仲がよろしかったそうじゃありませんか？」

田原は訊《き》いた。

「いや、そんなことはありません。崎山君とは同僚というだけですよ。個人的な付き合いもあまりしていません」

「しかし、ですね」

時枝が横から進み出た。

「ずっと前のことですが、崎山さんとあなたと、いま行方不明になっている堀越みや子と、それにもうひとり或《あ》る人物と、四人連れで、深大寺のソバ屋に行かれたそうじゃありませんか」

「ええっ」

野吉欣平は飛び上がらんばかりにした。彼は目を大きく開き、顔を真《ま》っ蒼《さお》にした。急に声も出ずに唇だけを痙攣《けいれん》させた。

その顔を見ると、小心な税吏の恐怖がまざまざと出ていた。

「どうです、野吉さん。われわれの方には、ちゃんとそういう確かな情報が入ってるんです。深大寺へは何のためにおいでになったんです？　名物のソバをわざわざ食べにおいでになったんですか？　あのときは堀越みや子も一しょだったので、われわれは問題にしてるんです」

「いや、絶対に、絶対にそんなことはありません。な、何かの間違いでしょう」

野吉欣平は声をふるわせて言った。

「ですが、野吉さん……」

そこまで言いかけたとき、税務署の正面のドアが開いた。

警察の連中が三、四人、どやどやと出て来るところだった。それを見送るようにして青年があとから現われた。彼と警察官とは互いに挨拶《あいさつ》した。この税務署の若い署長だった。曾《かつ》て、田原典太がその自宅に訪問したことのある尾山正宏署長だった。警察の一行も、殺された崎山のことについて署長の話を聞きに来たものらしい。

その隙《すき》に、野吉間税課長が二人の前からこそこそと逃げ出した。

野吉間税課長に逃げられて、田原典太と時枝とは、ポカンとそこに立った。

「何だい、あいつは」

時枝がぼやいた。

「署長の姿を見たら、急に逃げ出したぞ」

「署長が怖いんだ、ああいう男だからね、署長には余計気を使っているのさ。だから、此処《ここ》でぼくらと話しているところを見られるとまずいと思ったんだろう」

「案外、気の小さい男だね」

時枝はあざ笑うように言った。

「小役人根性といってね、ああいう奴《やつ》はそんなものさ。納税者側には威張っているが、上の方にはすごく弱い」

二人が話している間にも、玄関前に立った署長は、車に乗った警察の一行を見送っている。

「おい、典ちゃん、ひとつ、あの署長に当って見ようか。今度の事件でご感想は、と訊けば、案外、ネタが摑《つか》めるかもわからないよ」

「さあ」

田原典太は首をかしげた。彼は、前にもこの若い署長に会っているし、その自宅にも行っている。その時の印象は、非常に秀才タイプで、容易なことでは失言などしそうにないように見えた。

だが、此処で署長の顔を見たことだし、時枝の言うのも一理あった。彼は賛成した。警察官の車が走り去って、尾山署長は、玄関の内側に戻った。二人は、それを追うように続いた。署内に入ると、署長の姿は署長室の前に来ていた。

「署長さん」

田原は後から声をかけた。署長が振り向いた。

「いつぞやお伺いした、R新聞社の田原です」

尾山署長は眼鏡の奥の目を訝《いぶか》しそうにしかめたが、田原の顔を憶《おぼ》えていた。その額の広い長い顔が忽《たちま》ち微笑した。

「やあ」

片手を、ドアのノブにかけたままだった。もう隠れようがないから、彼に新聞記者を断わる理由はなかった。

「この間は、ご自宅まで押しかけて行って、失礼致しました」

田原典太は頭を下げた。

「いや、どうも、その節は」

署長は、柔らかく応じた。

「ちょっと、お話を伺いたいんです。長い時間はお邪魔致しません。ほんの十分だけで結構です」

田原は言った。

「はあ、どういうご用件でしょう?」

署長は眼鏡を光らせて、二人の顔を見た。

「此処では、ちょっと、まずいんです」

田原はその言葉の中に、暗に、崎山のことを匂《にお》わせた。

「そうですか」

若い署長はうなずいて、どうぞ、と自分で署長室のドアを開けた。

田原典太は、チラリと事務室の方を見た。崎山のところは空席になっているので、その向う側の野吉の席がよく見える。野吉は、机の上に書類を出して、一心に調べているような格好だったが、明らかに、こちらの成り行きを窺《うかが》うような心配そうな表情が見えていた。

野吉は恐れているのだ。二人の新聞記者が署長に何を言いに来たのかといったような不安が、彼の見せかけの仕事の姿勢の上にはっきりと見えていた。

田原は、心の中でせせら笑った。

「どうぞ」

署長は、二人を応接卓の前に請じた。自分はその向かい側に腰かけ、まず落ちつくように、シガレットケースから煙草《たばこ》を抜きとった。口にくわえてライターを鳴らし、ゆっくりと火をつける。これが洗練された動作で、年齢は若いが、こうして署長室に納まっていると、もう彼に貫禄《かんろく》めいたものが感じられた。

怕《こわ》いようなことだった。この若さでも、署長室に構えているとなると、新聞記者の田原自身が、微《かす》かな圧迫を受けるのだった。

その尾山署長は静かに蒼《あお》い煙を吐いている。眼鏡の奥に見えている切れ長い目は適当に高慢だった。細長い顔が眼鏡とよくつり合ったし、知的な印象を受けた。それに彼の長身のスタイルがやはり、ほかの署員とは格段に違って立派だった。

「今度は、大変なことになりましたね」

田原典太は椅子《いす》に浅く腰を下ろして切り出した。

「署長さんも、ずいぶん、ご心配でしょう」

この質問は予期していたと見えて、署長の表情に別に変りはなかった。

「驚きました。崎山君のことは、ぼく自身が何も知らなかったので、警察から報《し》らせを受けて、びっくりしているような始末です」

若い署長はそう答えた。

「今、警察の一行が帰りましたね、ちょうど、ぼくがここに着いた時、すれちがったようですが」

田原が言うと、

「そうです」

と、はじめて少し当惑げだった。

「今度のようなことが起って、署長さんは、どうお感じになりますか?」

質問をはじめた。

「大変、遺憾なことだと思っています。崎山君のことについては、今度のことが起る前、事情が判《わか》っていたら、ぼくの方で然《しか》るべき処分をするのでしたが……」

「すると、署長さんは、全然ご承知なかった?」

「そうなんです。崎山君は仕事では優秀な男で、ぼくは信頼していたんですが、今度の事件のことは役所とは無関係です。だが、プライベイトなことと言っても、崎山君の私生活がそんなに乱れているとなると、これは問題ですからね。亡《な》くなった崎山君にはお気の毒だが、当署としては全く迷惑なことで、署長としてのぼくも道義的な責任を感じています」

尾山署長は、煙草を口から外して神妙だった。

「警察の方から来て、どんなことを訊いて帰りましたか?」

田原は身体《からだ》を楽にして訊いた。

「その質問は、ちょっと、困るんです。警察の方から口止めされていますからね」

「それほど重要なことを訊かれたんですか?」

「いや、別に、大したことはなかったんですがね、先方ではいろいろ訊かれるのですが、ぼくは何も崎山君の私生活を知っていないので、これはあまり答えようがないわけです。まあ、この程度で勘弁して下さい」

「今度の事件では、崎山さんの地位が法人税課長で、いま犯人と思われて捜査されている堀越みや子は料理屋の女中です。そういうところは、公務員として、一般世間に何か不明朗な感じを与えると思いませんか？」

この質問は痛かったらしく、尾山署長の顔の筋肉が微かに動いた。

尾山署長は少し低い声になって答えた。

「困ったことです。だが、こちらで調べた限りでは、最近の崎山君は、その女中さんの勤めていた料理屋に足が絶えています。その関係は多分、此処に来る前のP税務署の時代ではないかと思いますがね」

「ははあ。しかし、今度の事件が起ったところを見ると、P税務署時代からの因縁がずっと続いていたわけですね？」

「詳しいことはぼくには判りません。多分、おっしゃるようなことではないかと思います。しかし、ぼくは、崎山君が今度のような結果になったのは、全く個人的なことからで、役所の業務上のことが原因ではないと確信しています。この点はいろいろと調べたんですが、その事実は全くありません」

「署長さん、ところで、どうでしょう、ああいう料理屋の女が崎山さんを殺したという事実について、どうお考えですか?」

「そうですね。まあ、これも、現代社会の不安の一つの現われではないかと思いますね」

「不安の現われ?」

田原典太は、署長の奇妙な言い方に、思わず、その顔を見た。

「そうですよ」

署長は難かしい顔をして、煙草を再び口にくわえた。

「ぼくは、これは、一種の社会病だと思いますね。というのは、近頃、ノイローゼが非常に多いことでも判ります。現代社会が非常に複雑になってくるにつれて、人間の思考状態も神経過敏になって来たことは事実です。ほら、この頃、新聞広告にもノイローゼの薬がやたらに出るでしょう。あれを見ても判ります。昔はそんなことはなかった。ぼくの兄貴は精神病の医者ですがね、彼もそう言っています。以前は、入って来る患者が、大抵、黴毒《ばいどく》性の脳疾患か、先天性の分裂症が多かったが、近頃は、ノイローゼで入院する患者が絶対多数だそうですね」

「ははあ。署長さんの兄さんは、精神病のお医者さんですか?」

「そうです」

署長はまた煙を吐いた。

「つまり、兄貴のそういう話でも判るんです。それに、近頃、女の患者が非常に多くなったそうですよ。ですから、今度のことも、まあ、崎山君がああいうふうになったのは、やはり、そういった近頃の傾向の現われだという見方も、成立しないではないですね」

「どうも、有難うございました」

田原と時枝は、椅子から起ち上がった。

「どうも」

署長も椅子を引いた。

「まあ、どうぞ、お手柔らかに願いますよ」

眼鏡の奥の目が、また、愛想よく細まった。

「お忙しいところをどうも」

「いや、いや、またどうぞ、通りがかりの節にでも家の方へ寄って下さい」

これは、自宅に来たことのある田原典太に向かって言った言葉だった。愛想がいいのだ。

「また、伺います。奥様によろしく」

田原は、思わずそう言ってしまった。

尾山署長は、二人を署長室の出口まで送った。田原が、ふと広い事務室に目をやると、野吉が間税課長席から心配そうにこちらを窺《うかが》っていた。

二人は外に出た。

「若いが、なかなか秀才型だね」

時枝は感想を言った。

「ああいうのが、典型的な官僚コースに乗る人だろうね。署長はほんの腰掛けで、間もなく本省に呼び返されることを十分に意識している顔だ。だから、あの話し方は、できるだけ自分の責任にならないように気をつけている」

「そうだ。それは十分に判るね。何と言っても腰掛けだからね。腰掛けの間に部下の不始末で責任をとらされ、出世がストップしては詰らないからな。そういう気持が、あの秀才型の顔にありありと見えているよ。若いだけに、ちょっと、気の毒みたいなものだな」

「あの署長の女房の親父《おやじ》は元次官だからね、黙っていても、あの男は相当な地位までは行くだろう。運がよければ、次官ぐらいになるかもわからないよ」

「しかし、詰らないな。いまの署長の話などは記事にしたところでほんの二、三行だ。野吉のために此処に来たのだが、何か、余計な道草をくったような気がするな」

「これから、どうする？」

「ともかく、捜査本部に帰ろう。その後の変化も気をつけなければならない」

二人は、待たせてある車に乗り、捜査本部に帰った。

捜査本部の置いてある所轄《しょかつ》署の前には、新聞社の車が、儀式のようにずらりと並んでいた。新聞記者連中も、署の中からはみ出して玄関に屯《たむ》ろしていた。

田原と時枝とは、できるだけ何気ない顔をして、そのかたまりの中に入った。気負い込んだ顔をしていると、すぐに他社に気づかれてしまう。だから、その辺でソバでも食って来たような顔をしていた。

田原は、自分の社の、山根という同僚の姿を見た。山根に耳打ちすると、彼は頷《うなず》いて、ぶらぶら散歩するような格好でついて来た。田原は山根を誰もいない裏庭の方に引っぱって来た。

「どうだい、その後の様子は？」

と訊《き》いた。

「うん。堀越みや子の足取りは、依然として摑まえられないらしい。今、みや子の勤めていた『春香』の女中のヨシ江というのがやって来てね、帰ったばかりだ」

「参考人だね？」

「そうなんだ。ヨシ江の話は、今日の夕方、本庁で捜査一課長が記者会見の時に公表するそうだ。だから、大体、内容はもうこっちに判っている」

「どういうことだな？」

「ヨシ江という女は、十三日の夕方、つまり崎山課長が殺されたと推定される日の午後五時頃、国電の五反田駅でみや子とバッタリ逢《あ》ったそうだ」

「五反田駅で？」

田原は首をかしげた。

「それは、ちょっと、おかしいな。だって、みや子のアパートとは方向がまるで違うだろう。なんで、そんな所にみや子は降りたんだろう？」

「それは判らない。とにかく、ヨシ江が改札を入って跨線橋《こせんきょう》の階段を上る途中で、電車から降りたばかりの人混みの中からみや子と遇ったそうだ。そこで二人は短い会話をしている。ヨシ江も、みや子が思いがけない駅で降りてくるので、どうしたのだと訊いたそうだ」

「なるほど」

「すると、みや子は、ちょっとその辺に知り合いがあって、これから行くところだ、と言って、ひどく浮き浮きしていたそうだ」

「へえ。何だろうな。ほんとにその辺に知り合いがいるのかね？」

「捜査本部で今調べているらしいが、どうも、それは嘘《うそ》のようだな。彼女はヨシ江には言ったそうだ。もしかすると、もう勤めを辞めるかも知れない、というようなことをね。なにしろ、ヨシ江の方は『春香』に出勤する途中だし、向うでも何か急ぐような様子なので、詳しい話ができず、そのまま別れたそうだ」

「そうすると、それが、アパートを出て行った後の堀越みや子を目撃した唯一《ゆいいつ》の証言だな？」

「現在ではそうだ」

「しかし、どうだろう。その会話は、もっとほかのことにも触れていたのではないか。本部の方でそれを隠しているのではないだろうな？」

「さあ、そいつは判らない。大事なところは隠しているという線は考えられるな」

「ほかの連中はどうしている？」

「ヨシ江を追っているよ。彼女から直接話を聞こうというので、大分追っかけて行っているようだ。だが、多分、無駄だと思うな。ヨシ江にしても、捜査本部に堅く口止めされているに違いないし、大勢の記者に押しかけて来られては、言いたいことも言えないだろう」

「しかし、なぜ、堀越みや子はそんな駅に降りたんだろうな？」

田原はまたそれを考えていたが、

「五反田駅というのは、確か池上線が出ているし、都電も通っている。彼女はそのどっちかに乗り換えたんじゃないだろうか？」

「他社の連中も、みんなそれを考えている。その時は、既に彼女は凶行を終って後だからね。だから、いそいそとしていたというのはヨシ江の目の誤りで、実は、興奮していたんじゃないかと思うんだ」

「それは考えられるね。そうすると、彼女は、崎山を殺してすぐに遠方に逃走したのではなくて、どこかに中継地があったわけだね。そこに一旦《いったん》寄って、それから本格的な逃走にかかったということは考えられる」

田原典太は、腕組みしながら呟《つぶや》いた。

「それと、すぐに高飛びするのは危険なので、どこかにアジトを拵《こしら》えていて、そこに身を寄せるということも考えられる。この場合のアジトというのは、勿論《もちろん》、最初から用意しておいたものでなく、知人か友人の家だろう。それも、彼女とは仲のいい人間でなければならない。ただの通り一遍の付合いなら、新聞にデカデカと事件が出るので危ないからね」

「捜査本部でも、同じ考えらしいね」

と山根は言った。

「刑事連中が、五反田を中心にして、沿線を洗いに出かけているよ」

「そうか。どうも有難う」

署員が出入りしている花壇のある中庭を通って、田原はまた玄関に戻った。時枝は、他社の記者たちに交ってぼんやりした顔で煙草《たばこ》を喫《す》っていた。

「ちょっと」

田原は、時枝に何か耳打ちして、車に戻った。時枝の方は、ブラブラと退屈そうな足どりで後からついて来る。果して玄関前に集っている他社の連中が、胡散《うさん》げな目つきで二人を見送っていた。

二人は街角を曲ると、流しのタクシーを急いで止めた。

「運転手さん。このまま、ずっと走って行ってくれ。行く先は、大体、品川方面だ」

田原は運転手にそう言っておいて、

「時枝君、今、山根の話を聞いたがね」

と大体のことを話してやった。

「ぼくは思うんだが、みや子は五反田の駅を降りたのだが、それは、乗り換えのためではないと思うよ。あの辺には連込み旅館が相当あるからね。水商売の女だから、みや子は、そういう家に一旦行ったのではないかと思うよ」

「うむ、そうか。それは当っているかも知れない」

「ね、そうだろう。序《つい》でだが、このヨシ江だって、五反田の近所から出勤するかどうか判《わか》ったものじゃない。案外、彼女もデートのあとかも知れないよ。ともかく、あの連中は夜が遅いからね。その前に好きな客としけ込むのはそういう場所だ」

「すると、みや子は誰かに逢いに行ったということになるな」

「そうだ。堀越みや子は、五反田の駅に下りて誰かに逢いに行ったんじゃないかという気がする」

「しかし、みや子の好きな人は、殺された崎山だぜ。そのほかに男がいたんだろうか?」

「それは判らん。ただ、ぼくの直感ではそういう気がするんだ。ああいう商売の女は、本当に惚《ほ》れた男と、その次には、熱心に自分に言い寄ってくるので何となく付き合っているという男と、二人くらいの愛人はあるものだ。ぼくの考えでは、みや子が逢いに行った男というのは、その第二の方じゃないかと思う。そして、その男を彼女の方が利用しているのじゃないかと思うね。勿論《もちろん》、それは共犯ではない。共犯ではないが、凶行の後、いいようにみや子に利用されているような気がする」

「ちょっと待てよ」

車に揺られながら、時枝が宙に目を据えた。

「ヨシ江がみや子に逢ったのは、駅の階段の途中と言ったな」

「そうだ」

「おい、それが例の横井貞章の言うカイダンではないかな？」

「うむ、カイダンか」

田原典太もちょっと迷った顔になった。

「横井が殺されたのは、階段に関係のあるトリックだ、と君は前に言ったな？」

「そうだ。横井は確かにカイダンという言葉を言ったからね。しかし、まさか、それが駅なんかの階段じゃあるまい。これは考えようがないよ」

「そうだな。いや、ぼくもちょっと思いついただけだ。とにかく、横井の殺害がどういう意味か分らないが、階段に関連があることは確かなようだね」

「君は、横井貞章殺しの犯人と、みや子とが連絡があると思うかい？」

「ぼくはそう考えたいね。何かあるよ。だから、みや子がその五反田の駅に降りて行ったのも、その関係からだと思う」

田原典太は腕組みして言った。車は目的もなく走って行く。他社に気づかれないために、ただタクシーに乗っただけであった。

15

この事件に関しての、警視庁捜査一課長の記者団への発表は、その日の午後五時過ぎに行われた。

夕刊には間に合わなかったが、朝刊の早版には、この記事をゆっくり入れることが出来るのだ。

捜査本部を設けるくらいの事件になると、大抵、捜査一課長がスポークスマンになって新聞記者と折衝する場合が多い。記者のなかには刑事の宅を朝晩襲ったりして活動するので、捜査の妨げになることが多い。そのために、捜査の進行状態は捜査一課長が記者団に発表することになっている。

もっとも、この「公式」発表は、警視庁がその手の内を全部さらけ出すわけではなかった。捜査上、犯人の逮捕に支障がありそうな部分は秘匿《ひとく》しておく。だが、とにかく、この発表の席上では、あとで記者団と当局側との一問一答が行われるので、新聞社側としても重視しなければならなかった。

田原と時枝とは、定刻までに警視庁に行った。会見の席は、一課の会議室が使われた。一体、どのようなことを課長は発表するのか、田原典太は人一倍興味を持った。各社とも全部揃《そろ》い、カメラマンも構えている。なにしろ、税務署の現職の法人税課長が料理屋の女のアパートから死体となって現われたのだから、これは衝動的な事件だった。

捜査一課長は、眼鏡を掛けた痩《や》せた男である。手に白い紙を持って、時間通りきっちりと現われた。

彼は、記者一同を見回して、椅子《いす》に坐《すわ》った。気の早い社では、ニュース・カメラマンが照明を課長に浴びせた。

「どうも御苦労さまです」

課長は、記者連中に愛想をふり撒《ま》き、眩《まぶ》しい照明に目をチカチカさせながら紙に書いたものを読みはじめた。途端に、ジ、ジーとフィルムの回転する音が聞える。

「R税務署法人税課長崎山亮久氏の殺人事件は、その後、捜査したところ、以下のことが判《わか》った。
①崎山課長の死体の出たのは、「春香」の女中堀越みや子のアパートの部屋で、みや子は同課長の死亡時刻には行方を晦《くら》ましている。それで現在のところ、みや子を殺人の疑いとして捜査を行っている。
②崎山課長と堀越みや子とは、二年前から相当緊密な交渉があった事実が判った。
③殺害当日の十二日午後五時ごろ、「春香」の女中の山本ヨシ江が跨線橋《こせんきょう》の階段で上から降りてくる堀越みや子と出会っている。そのときの会話は僅《わず》か二、三分だったが、堀越みや子は、知人宅が近所にあるから、そこに行くような口吻《くちぶり》をヨシ江に洩《も》らしていた。なお、その付近一帯を聞き込みに回ったが、堀越みや子の知人宅と思える該当者は居住していない。そのときの堀越みや子の様子は、ひどく浮き浮きしていた、と目撃者のヨシ江は語っている。
④現在のところ、堀越みや子の行方は、五反田の駅を最後として手がかりがない。
⑤崎山課長は、殺害された前日、十一日の午後三時ごろ、外線からの電話を署で受けている。この電話の声は女であった。このとき受けた人間が名前を訊《き》くと、「崎山さんに出てもらえば判るから」と言っている。そこで、崎山課長を呼び、電話を代ると、「分りました。それでは、その時間にこちらから行きます」と言う声が、ほか

の仕事をしている署員に聞えている。この女の声は誰だか判らないが、「出てもらえば判る」と言った言い方や、名前をわざと言わなかったことや、崎山課長が、「それでは、その時間にこちらから行きます」と言った事実から総合して、その電話の声の主は堀越みや子と推定される。課長の電話の言葉がていねいだったのは、署員に気どられないためだと思われる。

⑥以上によって、堀越みや子は崎山課長を公衆電話で呼び出したと思える。従って、或《あ》る時間、堀越みや子と崎山課長とは同行していると思えるふしがあるが、この点もまだ捜査線上に具体的には現われていない。

⑦投書や、電話はその後も捜査本部にかかって来るが、殆《ほと》んどが悪戯《ガセ》の電話で、捜査本部としては迷惑している。

⑧崎山課長が殺されたのは、死体の出たみや子のアパートと思われる。というのは、もし、よそで殺し、死体を外からアパートの二階のみや子の部屋に運ぶには、相当な力の持主でも一人では困難であり、同宿人の手前、そのことは至難と思われる。従って、崎山課長は、堀越みや子に公衆電話で呼び出されて、みや子のアパートに直行したのではないかと思料される。

今までの捜査の結果は、ざっとこんなことです」

課長は、読み終ってから、その紙を机の上に置き、ふたたび新聞記者の顔を見回した。

「事件は捜査中で、それに関係したことは詳しくは言えないが、何か質問があればお答えします」

すると、メモを書いていた新聞記者の中から、早速、質問する者がいた。

「捜査本部の見込みとしては、崎山課長を殺したのは、堀越みや子の単独犯と思われているのですか？　それとも、ほかに共犯者がある見込みですか？」

「今のところ、堀越みや子の単独犯だ、という見込みをつけています」

課長は顔をその方に向けた。

「しかし、堀越みや子が五反田駅で降りたのは犯行後であるということだし、彼女と五反田とはどう結び着くのですか？」

別の新聞記者が訊ねた。

「その点は、目下、調べています。堀越みや子のアパートとは全然方角違いで、さっきも発表した通り、その五反田駅付近には、彼女の知人は浮かび上がっていません。彼女が五反田駅で降りたのは、事件を解く一つの鍵《かぎ》かもしれませんね」

課長は、目の向きを変えて言った。

「堀越みや子と崎山課長とは以前《まえ》からの関係だ、ということですが、それは、現在のR税務署の中では相当知れわたっていることですか?」

後ろの方から質問者が出た。

「いや、それは判っていないのです。この二人の関係は、課長の前任であったP税務署時代からはじまっているようです。だから、今度の事件が起るまでは、現在のR署では判らなかったのです」

「崎山課長はP税務署からR署に移っているのですが、同じR署の野吉間税課長もP税務署から来ています。捜査本部は、野吉間税課長について事情を聴いたわけですか?」

田原典太がそのあとにつづいて質問した。

「野吉氏も確かにP税務署から来ています。だが、野吉氏はあまり詳しいことを知らないようです」

捜査一課長は答えた。

「しかし、崎山課長と堀越みや子との関係をR税務署で判らないとすると、野吉氏しかいないようですが、その事情が判ったのは、野吉氏を調べて判明したのではないのですか?」

「必ずしも野吉氏ひとりではありません。とにかく、当方でいろいろな方面の調査を総合して、そういうことが判ったのです」

課長は、ちょっと困った顔になっていた。

「堀越みや子の行方が現在のところ判らない、という話ですが、彼女に第二の男性があるという想定はありませんか?」

時枝が訊《たず》ねた。

「それは考えられますね」

課長は、ちょっとうなずいた。

「本部でも、そのような意見が一部にあります。ですから、彼女は一時、そこに身を隠しているという推定も成立つわけですね」

「堀越みや子が逃走したときの所持金は、判っていますか?」

「それは大体、見当がついています。大体、二、三万円程度ではないかと思います。春香では長いこと女中をしているので、相当小金を溜《た》めたようなところもあります」

「二、三万円を持ってると、相当の高飛びが出来るわけですね」

「そうです」

「崎山課長は、月々、堀越みや子に手当をやっていた、という事実はありますか?」

「いや、それはないようです。これは崎山課長の奥さんに訊ねたのですが、給料日に持って帰る金額は、さほど減っていないのです。だから、二人の関係は金銭ずくではなかったと思います」

「課長。堀越みや子の足取りが摑《つか》めないとなると、当局としては、これを公開捜査に移すつもりがありますか?」

「それは考えています」

課長は、質問に合点合点をした。

「目下、堀越みや子の写真を作成し、全国の警察に配布して、一般の協力を求めるつもりでいます。この写真は、もうすぐ出来る筈《はず》ですから、新聞社の方にもお願いして、掲載していただくようにしたいと思います」

あとになって、この堀越みや子の写真は各紙とも掲載された。だが、彼女に似たその写真の女を見かけたという届出は、どこからもなかった。ただ、似たような女を見た、という情報はかなり入ったが、調べてみると、それらは全部違っていた。

16

堀越みや子の行方は分らなかった。——

彼女は、崎山法人税課長を電話で呼び出し、自宅に泊めたうえ、これを殺害して押入れに匿《かく》し、行方を晦《くら》ました、というのが捜査本部の推定なのだ。

熟睡している男だから、女でも絞殺《こうさつ》することは可能である。原因は、もちろん痴情関係と推定した。

さらに本部の推測によれば、堀越みや子の所持金は二、三万円程度である。だから、かなり遠方まで高飛びすることが出来るわけだ。捜査本部は、彼女の立回り先には全部手配した。

ところが、かなり日が経《た》っても、彼女の行方はさらに摑《つか》めなかった。二、三万円ぐらいの金は瞬《また》く間に費消してしまう。

そこで当然考えられるのは、彼女に第二の男がいることだった。つまり、彼女は凶行後その情夫のところに身を潜めているのではないか、という推測である。

ここで彼女の職業のことが考慮された。料理屋の女中だから、お客も相当持っていたと考えていい。その中に、彼女と特別な仲になっていた男はいなかったか。捜査本部は、「春香」について詳しい聞き込みを行った。

ところが、女中仲間の話によると、事実、彼女には好意を寄せている男たちが相当あった。彼女を名指しで呑《の》みに来る客も多かったことが分った。本部は、それらの客についてシラミ潰《つぶ》しに調査を行った。しかし、これは、と思う有力な線は出なかった。

だが、水商売の女たちは、そのような情事《いろごと》には賢く立回りがちである。主人や朋輩《ほうばい》に知られないように、こっそり交渉をつづけることは極めてあり得る。その意味で、捜査本部は、堀越みや子に第二の情夫がいたという筋をあくまでも捨てなかった。

でなければ、彼女の足取りが掴めない筈《はず》はない。五反田の駅の跨線橋《こせんきょう》で、その友達にばったりと出遇ったのを最後として、堀越みや子はこの世から消えたように痕跡《こんせき》を絶ったのだ。

捜査本部は、彼女の自殺の場合も考えた。それで、全国の警察署に照会して、最近の身元不明の変死者も調査した。だが、これは該当者がなかった。捜査本部にようやく焦燥の色が見え出して来た。

捜査本部の期待は、堀越みや子が遠くに飛んだというよりも、逃走先をむしろ近県に置いて考えていた。何故《なぜ》かというと、五反田駅で出遇った「春香」の女中の証言によると、堀越みや子は手荷物も持っていなかったという。着ているものも改まったものではなかった。この点から、本部としては、高飛びは無いものと推定した。だから余計に、彼女に第二の男の存在を考えたのである。つまり、彼女の手がかりが未《いま》だに摑めないのは、その情夫のところに匿《かく》まわれているという推測をつけたのだ。

しかし、このアジトは、どのように捜しても分らなかった。

見知らぬ人間が近所の者から見咎《みとが》められる場合は、都会よりも田舎の方が確率が多い。田舎では割合に近所関係の付き合いが濃密だが、都会ではそれぞれが孤絶している。

戸数が密集している割合に、個人関係の繫《つな》がりはかえって都会では薄いものである。一人の人間がかくれている場合は、東京周辺の住宅地が最も適格のようだ。捜査本部はこの点にも着眼した。

しかし、その努力にも拘《かかわ》らず、堀越みや子の行方は相変らず知れなかった。

田原典太は、商店街で買物をした。果物屋に入って、詰合せの一番大きいのを買った。土産物はかさばった方が見栄《みば》えがする。

田原は、それから堀越みや子のアパートに行った。わざと社の自動車《くるま》を遠くに待たせて、家の前まで歩いた。近所の子供が道端で輪を描いて遊んでいる。

管理人のおばさんとは、以前《まえ》に来たことがあるので顔なじみだ。先方でも田原の顔を憶《おぼ》えていた。

「この間は、どうも失礼しました」

田原は重い果物籠《かご》を手に提げて挨拶《あいさつ》した。

「いいえ、その節はどうも」

おばさんの方でも、あの変事の際に来合せていた新聞記者に笑いかけた。ついでに提げている土産物にちらりと視線を走らせた。

「つまらないものですが、これは通りがかりに買ったものです」

田原も、それを差出した。

「おや、まあ、そんなお気遣いは、どうぞなさらないで」

おばさんは歯茎《ぐき》まで見せてにこにこした。押問答の末、結局、おばさんは、それを嬉《うれ》しそうに受取った。重いし、大きいので、おばさんは一たんそれを抱えて奥に入った。

「この間は大変でしたな」

おばさんは、自分の部屋に田原を請じて、お茶を出した。

「ほんとに、びっくりしました。生れて初めてですわ」

おばさんは茶をすすめながら、田原に大仰な表情を見せた。

「なにしろ、押入れから死体が転がり出たのですからね。それをこの目で見たのだからたまりません。あんなに飛び上がったことはありません。しばらくは、あの夢の見つづけで毎晩うなされましたよ。いや、大変な人をうちに置いたものです」

「それは迷惑でしたね」

田原も相槌《あいづち》を打った。

「ところで、あの堀越みや子さんは、あのまま行方が分らないのですがね。おばさんのところには、いろいろと警察の人が訊《き》きに来たでしょう？」

「ええ、そりゃもう大変」

と、おばさんはやはり大げさに顔をしかめた。

「うるさいくらいでしたよ。毎日、入れ替り立ち替り刑事さんが来ましてね。そして、訊くことはみんなおんなじなんです」

「ほう、どういうことなんですか？」

「あの女のところに男の人は遊びに来なかったかとか、手紙は始終来ていないかとか、男から電話がかかって来なかったかとか、そんなことばかり、そりゃしつこく訊かれるんです」

「おばさんは何と答えましたか？」

「知ってることしか言えませんからね。わたしはこのアパートの管理人ですが、そういちいち、ここにいる人たちのことを監視しているわけではありません。あの女がどんなことをしていたか、詳しくは分りませんよ」

「しかし、ぼんやりとは分るでしょう。堀越みや子さんのところにどんな客が来ていたかは？」

「分るといえば分りますがね。けど、ほかのこととは違い、うっかりしたことを警察にはしゃべれませんよ、とんだ迷惑をかけることになり、延いては、わたしまで引合いに出されますからね。このうえ迷惑をかけられてはたまったものではありません」

「それはそうですな。しかし、おばさん、ぼくは警察とは違うから、あなたの知ってることを、差支えのない限り話してくれませんか。いや、べつに新聞に書くわけではないから、その点は安心して下さい」

おばさんは、しばらく曖昧《あいまい》に笑っていたが、先ほどの土産物の義理を感じてか、少しずつ口を開いた。

「堀越みや子さんは、ご存じのようにああいう商売の人ですから、時折、泊りに来る人もありました」

「ほう、それはどういう人ですか？」

田原は目を輝かした。

「いえ、それは大抵女の人ですよ」

「女？」

「それも、夜遅くなって、あたしたちが睡《ねむ》っているときに表で自動車《くるま》の停まる音がし、そして、どやどやと二階に上がって行くのです。それは、堀越さんの働いている料理屋の女中なんですよ。お座敷で飲んだあげく、ベロベロに酔って堀越さんのところに泊りに来るんですね」

みや子の部屋に泊るのが男でなく、彼女の朋輩と聞いて、田原はちょっとがっかりした。

「そういうことは度々ありましたか？」

「そうですね。一月《ひとつき》のうち三度くらいはありましたよ」

おばさんは言った。

「その度にみや子さんは、翌《あく》る日、わたしのところに来て断わりを言っていましたよ。どうも夜中に騒がせてすまないと言ってね。自分としても断わりたいのだが、朋輩だし、つい、断わりきれなくて押しかけられた人を泊めるようになる、とこぼしていました。まあ、わたしも、一旦《いったん》、お部屋をお貸しした以上、どなたを連れてこようと、その人のお客さまのことまで、一々、干渉できませんからね。なるべく、ほかの部屋に迷惑にならないようにとは言っておきました」

「なるほど、それで男の人が泊りに来るということはなかったのですか？」

「さあ、それはあたしの知っている限りではなかったようです。そういう人があれば、まさか、ここでは逢《あ》えないでしょうからね。きっと外で逢っているんだと思いますよ」

　おばさんは妙な笑い方をした。

「電話なんぞはどうです？　みや子さんに取り次いでくれ、といったような男の声はありませんでしたか？」

「それも刑事さんから、さんざん訊かれました。ところが、あなた、男からの電話は一度もないのですよ。いつも女の声で取り次ぎを頼まれるんです」

「それも春香の女中ですか？」

「そうです。堀越さんの朋輩ですよ」

「手紙なんかどうです？」

「そういえば余り手紙も来なかったようですね。ここに居る人の手紙は、玄関に状差しが区分されて置いてありますがね。そこに配達する人が差し込むわけですが、いつ見ても堀越さんの郵便受けには、何も入っていませんでした。わたしは、あれほど付き合いの少ない人はないと思っていたくらいです」

田原典太は、実はここに来たのは、堀越みや子のことを、もう一度、確かめたいからだった。彼女の行方に手懸りが失われた現在、もう一度、振り出しに戻って、彼女の生活ぶりを調べてみたいと思い立ったのだ。

だが、おばさんの話は彼の期待を裏切った。これでは捜査本部発表のものと大して違いはない。

「あの部屋はどなたか後《あと》を借りましたか？」

「それが、あなた」

と管理人のおばさんは、顔を曇らせた。

「ああいう事件があったあとですからね。未だに借り手がつかないんですよ。こんなに家のないときですから、借り手は一ぱいあるはずなのですが、あの部屋だけは、みんな尻込《しりご》みします。それで、あたしも大弱りなんですよ。ひいては、このアパートも今につづいて空き部屋が出るようになりゃしないかと思って心配です」

しかし、田原は、堀越みや子の部屋がそのままになっていると聞いて、心の中でしめたと思った。

だが、顔色にはそれを出さず、おばさんに同情するような表情を見せた。

「それは、いつまでも迷惑ですね」

「ほんとに、こんな災難はありませんよ」

「ところで、その部屋をもう一度見せてくれませんか?」

「まだ、何かご覧になりたいのですか?」

おばさんは、不機嫌な顔になりかかった。

無理もないが、ここで断わられると、何のために来たか分らない。

「出来たら、ぜひ拝見したいですな」

田原は強引におばさんに言った。

「なにしろ、われわれの商売は競争が激しいのでしてね、少しでもほかの新聞社には負けられないのです。ぼくがここに伺ったのは、実は、堀越みや子の部屋から何か新しいヒントを取りたいと思ったからですよ」

田原は力説した。

「そうですか……」

おばさんは仕方がないように承知した。やはり大きな果物籠を貰《もら》った義理を考えたらしい。

あまり気が進まない様子で不承不承に起《た》った。田原はあとに従った。

階段も、廊下も、田原には記憶があった。堀越みや子の部屋は、二階を上って奥の左側である。おばさんは鍵《かぎ》を出してドアを開けた。人の住んでない部屋はがらんとしていた。調度が無いと、六畳の間も案外、広く見える。

「なるほど、ここでしたな」

田原は部屋を見渡した。

「おや、襖《ふすま》の紙を替えましたね?」

田原は押入れに目を止めた。

「ええ、あんなことがあって気持が悪いからね、襖も替えたし、押入れの中も造り変えましたよ」

おばさんは襖を開けた。すると、押入れの中の床板が新しくなっている。田原はがっかりした。

実は、押入れの隅から何か新しい発見でもないかと思って、半ば空頼みして来たのだが、こんなに改造されては、その望みもなくなった。

「やっぱり押入れだけでは駄目ですね」

と、おばさんは横に立って言った。

「この部屋全部を改造しないと、人が入ってくれないようです。だけど、この部屋だけの改造では、ほかの部屋と比べてチグハグになりますから、やっぱりほかも手を着けなければならなくなります。そうすると大普請《だいぶしん》ですからね」

おばさんは、その出費に屈託しているらしかった。

もうこの部屋に残っていても大した収穫はない。田原は、おばさんを促して廊下に出た。

ふと、廊下を歩いて通りがかりに見ると、隣の部屋のドアが少し開いていて、内からミシンの音が聞えていた。ドアの隙間《すきま》からは、若い女がしきりとミシンの手を動かしている。その女は廊下の足音を聞いたのか、ひょいとこちらに顔を上げた。そして、管理人のおばさんと目が合うと、向うから軽く頭を下げた。

「御精が出ますね」

おばさんは愛想よく声をかけた。

階段を降りながら、田原はおばさんに小さい声できいた。

「あの隣の部屋は、もう借り手がついたんですか？」

「ええ、あれはお陰さまで塞《ふさ》がりましたがね、いやなことのあった例の部屋だけは、みんなよく知っていて、借り手がつきませんよ」

田原はおばさんのすすめるままに、また彼女の部屋に戻った。

おばさんは、また新しい茶を出した。

「隣の部屋は、洋服を仕立てる人ですか？」

田原はもう少しここにねばりたかったので、そんな話からはじめた。

「ええ、あれは、あの奥さんの内職ですよ。旦那《だんな》は保険の外交とかいって、朝早く出て、夜遅く帰るようですがね」

田原は、ドアの開いた隙間から、ちらりと見たミシンがけの女の顔が目に残っていた。

「まだ若い女《ひと》のようですね」

「新婚早々だそうですよ。今ごろは、結婚しても夫婦共稼ぎでないと、若い人はやっていけないんでしょうね」

それから思い出したようにおばさんはつづけた。

「今の御夫婦からみると、その前の夫婦は変ってましたね」

「そうそう、隣の部屋の臭《にお》いがする、と言って引越した人ですね？」

「そうです。あれは奥さんの方が騒ぎ出したんですよ。なにしろ、奥さんというのはバーの女給だそうですがね。やたらに本が好きと見えて、ここに来るときも、大きな行李《こうり》いっぱいぎっしり詰めて引越して来ました。朝から本ばかり読んでるような女《ひと》でしたよ」

「それは、この前ちょっと聞きましたな。そんな感心な女給さんも今ごろはいるんですね」

「なんだか知りませんが、それで足りなくて、しょっちゅう本を買って来ていたようですね。そして、夜はちゃんとバーに働きに行くんです」

「その女給さんは、きっと、小説書きでも志している女《ひと》かも分りませんね。まるで林芙美子《ふみこ》さんみたいだな」

と言ったが、相手には林芙美子が通じない。

「あんな本好きの女《ひと》も珍しいですよ。ここに引越したときに、その本を一ぱい詰めた行李をあたしが手伝いましたがね、そりゃ重くて、この梯子段《はしごだん》がちょっとやそこらでは上がらないぐらいでした。引越のときは、旦那が手伝いましたがね、やっぱり男の力でも行李を動かすのに手古摺《てこず》っていましたよ」

「その女給さんが隣の部屋の押入れの臭いを嗅《か》いで、くさいくさいと言い出したんですな？」

「そうです。あたしは初め、そんなことはない、と言って頑張ったんですが、やっぱりわたしの負けでしたね。わたしの鼻が悪かったかもしれません」

田原は、堀越みや子の部屋の押入れの構造を考えた。それは、恰度《ちょうど》、隣の部屋の壁《かべ》際《ぎわ》になっている。だから、死体が腐爛《ふらん》して屍臭《しゅう》が壁越しに臭うということはあり得るのだ。

だが、このとき、田原にふと疑問が起った。しかし、それはおばさんには言わなかった。

「その女給さんは、銀座の何というバーで働いてるのか、聞いていませんかね？」

「いいえ、そんなことは聞きませんでしたよ」

おばさんは首を振った。

「大体、わたしはああいう商売が嫌いでしてね、余計な詮索《せんさく》はしませんでした」

「その夫婦が部屋を借りて居たのは、僅《わず》かの間ですな？」

「そうなんです。引越して来てから出て行くまで四日間ぐらいでしょうか。その臭《にお》いのことで、あたしは、入る早々ケチをつける人もあるものだと思って、少し腹が立ちましてね、臭いがするという場所に立って、鼻をくんくん鳴らしてみたんですが、一向に臭いません。それでちょっと口喧嘩《くちげんか》みたいになったんです。それが気に入らなくて、その夫婦は出て行ったんですよ。だけど、今も言った通り、あたしの鼻が利《き》かなかったせいか、あの女の言うことが本当でしたね」

「その若夫婦の旦那の方は学生だということでしたね、どこの大学でしたか？」

「さあ、なんでも私大と言っていたようですが、学校の名前は聞いていません」

「おばさん」

と田原は言った。

「その若夫婦の名前は何と言いますか？」

おばさんはちょっとびっくりしたように田原を見た。

「その夫婦がおかしい、と言うんですか？」

「いや、そうとは決っていません。だけど、堀越みや子の隣の部屋にいた夫婦だから、何か彼女のことについて知っているかもしれませんからね」

「それはそうですね」

と、おばさんは納得した。

「なにしろ、同じアパート内でも、あたしは離れた所にいるので、そういうことでは、隣にいた人の方があたしより詳しいかしれませんね。ちょっと待って下さい」

おばさんはごそごそ何かやっていたが、帳面を取出した。

「男の名前は、中村敏雄さんと言います。奥さんの方は、雪子さんです」

田原は、早速、それを手帳に書き取った。

「それは、米の配給通帳どおりの名前ですか?」

「それが、あなた、その夫婦は米の配給通帳を持っていなかったんですよ。あたしは何度も催促したのですがね、今までいたところから移動証明が済んでいない、とか言って、あとで配給の手続をするようなことを言ってました。まあ、当節は、配給でなくてもヤミ米が幾らでも手に入りますからね、不自由はないのですが、そのうちに、ああいう騒動になって出て行ったんです」

「へえ。すると、その夫婦が前にいた土地はどこですか?」

「なんでも千住の方だと聞いていましたがね。これも詳しいことは分りません」

「越した先も分らないわけですか?」

「それも何とも言わないで出て行ったから分りません。なにしろ、半分、喧嘩別れみたいでしたからね、こちらも向うが言わないのだから聞きませんでしたよ」

田原は、そこで引揚げることにした。おばさんは、彼を戸口まで送ってくれて、土産物の礼を改めて述べた。

田原典太は待たせてある車に歩いた。運転手はハンドルの横で睡《ねむ》り込んでいた。田原が扉《と》を叩《たた》くとあわてて起き上がった。

「今度は、どちらに参りますか?」

運転手は目を擦《こす》りながら訊いた。

「そうだな、社に帰ってもらおうか」

自動車は走り出した。

田原は流れる街の景色を何となく見ている。頭の中では、アパートのおばさんの話が繰りひろがっていた。

街にはワイシャツだけで歩いている人が多い。商店街も夏むきの飾りつけをしていた。田原の目に向うにある電話ボックスが入った。

「ちょっと、君」

彼は運転手を制《と》めた。

「ちょっと、電話かけたいんだ」

運転手は少し行きすぎて車を停めた。

田原が電話ボックスに入ろうとすると、運悪くエプロン掛けの女が、彼より先に走り込んだ。田原は舌打ちした。

女の電話は長い。彼は余程、次の公衆電話のある場所まで車で走ろうかと思っているとき、案外、女は早く出て来た。田原は入れ違いにボックスに飛び込んだ。受話器を握ると、ナマ温かいぬくもりが残っている。

彼は手帳を出してダイヤルを回した。

「監察医務院です」

交換手の声が答えた。

「佐藤先生にお願いします」

佐藤博士は、監察医務院の部長だった。これまで警視庁の委嘱で何百体となく変死体を解剖している人だ。仕事の関係で田原典太も博士を知っていた。

「佐藤です」

と博士の太い濁った声が聞えた。

「先生、お忙しいところをすみません。R新聞社の田原ですが」

彼は丁寧な口調で言った。

「やあ、しばらく」

博士は微笑を含んだ声で応《こた》えた。

「いつも、お世話さまになります。お忙しいところ、毎度、恐縮ですが、ちょっと教えていただきたいのです」

田原は頼んだ。

「何だね。また、難かしいことを訊《き》くのかね？」

「いや、簡単です」

田原は言った。

「先生、人間の死体が腐爛しはじめて、その死臭がひどくなるのは、死亡後、何時間くらいからでしょうか？」

「そうだな」

佐藤博士は答えた。

「それは、条件次第だね。気候だとか、死体のある場所に、湿気が多いか少ないかとか、それぞれによって多少違ってくるがね」

「アパートの殺人です。死体はアパートの部屋の押入れの中に隠されていました」

「いつごろだね？」

「最近です。今から一週間ばかり前になります」

「じゃ、近ごろの季節だな。そうだと、割合に死体の痛みが早いね。殊に押入れの中のようなところだと風通しも悪く湿気が多い筈《はず》だから、余計に腐爛を早める。死後四十七、八時間くらいで腐爛が始まるだろうね」

「すると、死臭もそのころからひどくなりますか？」

「さあ、まだ、それほどひどくはないだろう」

「壁越しに隣の部屋の者がそれを嗅いでいるのです」

田原は頭の中で計算した。崎山課長の死体が発見されたのは五月十六日で、そのときは死後九十時間くらい経《た》っているということだった。従って、崎山課長の死亡推定は、十二日の午後から夜にかけてのことになる。

隣室の若い妻が臭いといって騒ぎ出したのは、その翌々日だから、大体、四十七、八時間くらいに考えていいだろう。田原はそのことを博士に言った。

「その条件では」

と佐藤博士は言った。

「この季節だし、押入れの中だから死臭が壁越しに臭ったとしても不自然ではないね」

「そうですか」

「しかしね。それは、余程、鼻の利く人だな。普通では、壁越しになかなか臭わないもんだよ」

「先生、すると、それくらいの経過時間でも死臭が隣室に臭うことはあり得るが、非常に鼻の利く人間でない限りは、まず少ないというわけですね？」

「うん、まあ、そんなことだ」

「ありがとうございました」

「何だ、それだけか？」

「それだけで結構です。お忙しいところをすみませんでした」

田原典太は、ボックスを出て自動車の待っているところに急いだ。彼の表情は張り切っていた。

田原は車に戻った。

「運転手さん、さっきのアパートに引返してくれないか」

「何か忘れもんですか？」

「ああ、大事な忘れものをした」

運転手はハンドルを切って車を回した。

アパートの前近くになると、恰度、外に買物籠《かご》を提げて出かける途中の管理人のおばさんに行き合った。

向うでも、社旗をつけた車が戻って来たので、立ち停まって、大きな目を開けて見ていた。田原は彼女の立っている前に降りた。

「さっきは失礼しました」

田原がお辞儀をすると、おばさんは変な顔をしていた。

「お忘れものですか?」

「ええ、ちょっと訊き忘れたことがあるんです」

田原はおばさんを招いて、人の歩いていない場所に連れて来た。

「さっきの話ですがね。つまり、堀越みや子の隣の部屋にいて、いやな臭いがする、と言って引越した夫婦者ですよ」

「はあ。それがどうかしましたか?」

「いや、その奥さんの方はよく分りましたがね、旦那の方はどうですか? つまり、大学生だという話でしたね。どんな顔つきか教えて下さい。大体の人相で結構です」

するとおばさんは困った顔をした。

「さあ、そうおっしゃられると、ちょっとどう言っていいか迷いますね」

「しかし、おばさんはその人を見たんでしょう?」

「ええ、あたしは見たと言えば見たですがね」

「というと?」

「その御亭主の方は、しょっちゅう部屋にいたわけではないんです。最初の日にちょっと遇ったときと、引越のときに見ただけですよ。あとは、遅く帰って早く出て行ったり、外に泊って帰らなかったりすることがありました。奥さんの話によると、なんでも働きながら学校に行ってるとかで、その勤め先の関係でそんな状態になるんだと言っていました」

「なるほど。では、御亭主の方は始終うちにいなかったというんですね?」

「そうです。だからあたしもよく顔を憶えていません。どういう人相かと訊かれると、困るんですよ」

「しかし、ちょっとでも見たのでしょう。その男の方が最初に来たときは、おばさんと部屋で交渉をしたに違いないし……」

「いや、そうじゃないんです。男じゃなくて、その奥さんの方ですよ、いろいろと交渉をしたのは」

「ははあ、すると御亭主の方は女房任せで、あとから一緒に越して来たというわけですか?」

「そうなんです。それもちょっと見た程度でね、人相なんかよく分りません」

「しかし、引越のときははっきり見たんでしょう?」

「それが、あなた」

と、おばさんも目を迷わせた。

「引越のときは御亭主の格好が変っていましたよ。恰度《ちょうど》、人夫のような風をしましてね。まあ、引越だからそんな格好をしたのでしょうが、あたしが初めて御亭主を見たときは、学生服に鳥打帽を被《かぶ》っていました。だから、引越のときのその男が御亭主だとはちょっと気がつかなかったくらいです。なにしろ作業帽を深く被っていたし、すっかり身なりが違っているんですよ」

田原は少し考えていたが、

「それでも、何かぼんやりとは印象があるでしょう、例えば長顔だったとか、丸顔だったとか……」

「そうですね」

おばさんも首をかしげて思い出すようにした。

「そう言われると、どうも肥えてもいないし、痩《や》せてもいなかったようでね。中肉だったように思いますね」

「色は白かったですか?」

「さあ、そこまでは分りませんよ」

「それは弱ったな。背なんかどうです？」

「背の高さも中ぐらいだったようです。それほど低くもなく高くもなかったように思いますよ」

おばさんの言うことは、ひどく曖昧《あいまい》だった。ちょっとしか見ていないと言うだけに、記憶にほとんど残っていないらしいのである。

「そうだ、年齢はたしか二十四、五と言いましたね？」

「そうです。学生さんだから、そのくらいでしょう？」

「うん、もう卒業間際《まぎわ》だと、そのくらいになるでしょうね」

田原は仕方なしに相槌を打った。

「ですが、おばさん、眼鏡はどうです？　眼鏡を掛けていましたか？」

田原としては、この質問はおばさんの記憶を手繰り出す急所だと思ったが、

「さあ」

と、これにもおばさんは相変らず溜息《ためいき》をつくのである。

「眼鏡を掛けていたようにもあるし、なかったようにもあるし、困っちゃったな。そこんところはどうも憶《おぼ》えてませんよ」

おばさんは、自分でも歯痒《はがゆ》そうに言った。

だが、田原にはおばさんの答え方にも分った。彼女は正直なのである。その男が彼女の前に現われたのは、ほんの僅かの間だった。記憶が浅いのは、そのせいだった。おばさんは正直な印象を言っているのにすぎない。

「どうもありがとう。それから最後に」

と田原は言った。

「その夫婦が十二日に来たときと、十五日に引越すときの運送屋は、どこの店でしたか?」

「それがまたよく分らないんですよ」

と、おばさんはいよいよ残念そうに言った。

「来たときは夜でしたからね、どんな車だったかよく分らなかったし、運んで来る人夫もこのアパートの中には入らずに、入口で荷を下ろして帰って行きました。たしかオート三輪車のようでした」

「なるほど。すると引越のときは?」

「引越すときも夜でした。そして、ほとんど夫婦が二階から荷物を下ろして外に置き、そこにオート三輪車が来て、荷物を積んで行きました。このときも、どこの運送屋か、あたしには分りません。なにしろ、そのときも日が昏《く》れて真っ暗い夜でしたからね」

「おばさん」

と田原典太は次の質問に移った。

「この辺の仕事をしてる運送屋は、どこですか？　あなたのところは入居者の入れ替えがたびたびあるでしょう。そのつど入って来る運送屋は、どこですか？」

おばさんはすぐに返事をした。

「ああ、それは、この先にある丸栄です。大抵、そこが移転の荷物を扱っています」

「ありがとう。どうもたびたびお邪魔しましたね」

田原はおばさんに礼を述べ、急いで車に乗った。

丸栄運送店はすぐに分った。二町も走らないうちに、街角に大きな看板が出ていた。

田原は、そこで車を停めさせ、店の中に入って行った。

帳場のようなところに年配の事務員が坐っていた。田原は、今月の十五日に、そのアパートから夫婦者が越しているが、こちらの店でその荷物を扱っていないか、と訊いた。

「今月の十五日ですね？」

事務員は帳簿を取って調べてくれた。それはかなり時間がかかったが、ていねいな調べ方だった。

「どうも、そういうものは扱っていませんよ。わたしの店ではなく、ほかの運送屋じゃないですか」

事務員は顔を上げて田原に答えた。

この近くには、あと二軒の運送屋があった。

田原典太は、そこにも行って、丸栄で訊いたと同じことを訊《たず》ねた。両方とも親切に帳簿を繰ってくれたが、そういう事実はない、と言明した。

或《ある》いはもっと遠くの運送屋に頼んだということも考えられる。場所は新宿の近くだし、運送店は幾つもあった。

その日一日、田原典太は、運送店歩きが仕事となった。新宿の界隈《かいわい》だけでなく、四谷の方まで手を伸ばしてみた。また、反対の中野駅の方までも歩いてみた。

親切な店もあり、そうでない店もある。だが、とに角、その日に、問題の若葉荘に引越の荷物を取りに行ったという店は見当らなかった。

田原典太は、くたくたになって喫茶店に飛び込み、茶を喫《の》んで休んだ。

運送店についてのすべての手がかりは失われた。あの若葉荘のおばさんは、若い夫婦が引越して来るときもオート三輪車のようだったし、去るときもオート三輪車で荷を取りに来た、と言う。オート三輪車といえば、普通の家庭にはもちろん無い。だから、当然、運送屋としか思えないのだ。

外は昏れてしまった。喫茶店の中では、会社帰りらしい若い男女が愉《たの》しげに茶を喫んでいる。テレビが甘いメロドラマを写していた。

――これほど捜しても分らないとなると、あの隣室の夫婦は、荷物の引越に非常に遠くの運送屋を呼んで来たのか、または、全然運送屋に依頼しなかったのか、どちらかである。

だが、運送屋に頼まなかったということはまず考えられないから、大そう遠くの運送屋から荷物を取りに来させたとしか思えない。

これには二つの考え方がある。一つは、今度引越した先の近所の運送屋に頼んで、しかも、その場所が若葉荘とは大そう離れた所にあるという考えだ。これだと、いくら若葉荘近隣の運送屋をシラミ潰《つぶ》しに調べても分らないわけだった。しかし、東京は広い。東京中の運送屋を調べて歩くわけにはいかなかった。

田原典太は、こうなると警視庁がつくづく羨《うらや》ましくなった。こんな調査だと、二日間もあれば都内の全部の運送屋を洗うことが出来るであろう。

これがはっきりと何か犯罪事実に結び着いていると分っているのだったら、新聞社の手で無理にも捜索できないことはない。だが、そこまでの自信はまだなかった。第一、この程度では、社のデスクは、人手をかり出して調査に当らせることを拒絶するだろう。

もう一つの考え方がある。

やはり遠くの運送屋に頼んだという場合を想定してのことだが、それは、その夫婦がある事情があって、近くの運送屋に頼めないという場合である。田原典太としては、むしろこの方に考えが傾いていた。

とにかく、その隣室の夫婦にすっきりとしないものがあるのだ。

問題の堀越みや子の部屋の押入れに抛《ほう》り込まれた、崎山亮久の死体の死臭を最初に嗅《か》ぎつけたのは、隣の若い妻だった。アパートの管理人のおばさんの話だと、中村という苗字《みょうじ》で、夫は敏雄、妻は雪子となっている。

この雪子という若妻は、ひどく鼻が利《き》くらしい。アパートのおばさんは、その部屋に入って立会って臭いを嗅いだのだが、何も嗅覚《きゅうかく》に来なかった。そこで小さな争いになったぐらいだ。

田原典太は、このことで、いつも話を聞きにゆく法医学の佐藤博士に電話をして、意見を聞いた。彼はその話を思い出している。

崎山亮久の死体のそのときの状況では、それほどひどい臭いはしない、という返事だった。もっとも、これには但書《ただしがき》があって、壁越しに隣の人が利いたということもあり得ないことではない。しかし、それは、よほど臭いに対して嗅覚の利く人間で、不可能ではないが、ちょっと普通でない、というような意見だった。

その夫婦が若葉荘に引越してきたのは、その殺人のあった日曜日の十二日夜だった。(崎山の死亡時間はその日の午後と見られている)夫は学生で、前にいた場所は千住の方だと言っていたという。千住のどの辺か、そこはアパートのおばさんははっきりと聞いていない。

人間には引越好きがあって、三日もいたら、すぐに他所《よそ》に移りたくなる者も珍しくないから、その若夫婦が僅《わず》か四日間しか若葉荘にいなかったとしても、べつに不思議ではないのだ。

殊に、臭気の点で管理人のおばさんと争ったというから、越して行くのに、それだけの理由はあったわけである。

だが、田原典太は、妙にその学生夫婦のことが気になった。べつにこれという疑惑があるわけではない。ただ、殺人事件の前後に隣室に住んでいたということが心にかかるのである。それは偶然かもしれなかった。だが、運送店を捜して歩いて、そこで手がかりを失ってみると、その暗い感じが余計に強くなった。

管理人のおばさんの話だと、その若妻はひどく本が好きだったという。いわゆるインテリ女房というところであろう。外出のたびに必ず本を買って小脇《こわき》に抱えて帰った、とおばさんは話した。

生憎《あいにく》、その本がどのような種類か、田原典太には想像はつかなかったが、おばさんの話だと、大分硬いものらしい。夫が学生だから、妻の方も一緒に勉強している女子大の卒業生かもしれなかった。部屋に籠《こも》って本を読んでいるのだから、変った臭いを鋭くかぎ分けたのかもしれなかった。

あのアパートは、外から勝手に出入りが出来る。管理人のおばさんも、アパートの住人の外出も、在室も、よく分らない。と言っていた。おばさんは、その女が本好きで夜、バーに働きに行く以外は始終、読書していた、と言っていた。

しかし、こんなことばかり考えているのは、或いは全然、関係のない無駄なことに時間を取られているような気もした。

たまたま、その殺人事件のあった前後に部屋の隣に引越してきて、すぐに去ったのだから、その若夫婦が自分の神経に障ったのかもしれない、と田原は思った。人間は、一度気になると、無意味なことに思考が束縛されてしまう。

（どうも少々モノマニヤ的になったかな）

田原典太は、テレビのやかましい声を聞きながら、自分で呟《つぶや》いた。

ほかのボックスでは、若い連れが入れ替り立ち替り入って来て、愉しそうに話をしている。内容のない話に違いないだろうが、それでも、結構、愉しんでいる。

田原典太は、自分の勝手な頭の空回りが、少々、ばからしくなってきた。

彼は、頭を振って、その喫茶店を出た。今日一日、運送店捜しに歩き回ったので、余計に疲れた。これからは酒の方がいい。

17

翌日、田原典太は崎山殺しの捜査本部に顔を出した。所轄《しよかつ》署は都電の通りにあった。事件が起ると、いつもこの警察署の前には新聞社の自動車《くるま》が列を作ってならぶ。折から都電の通りは地下鉄の工事をやっているので、いやに道路が狭い。田原は車をかなり遠方に停めて署まで歩いた。

捜査本部が出来て、この警察署には新聞記者の姿がうろうろしていた。事件の発展があるか無いかは、新聞社の連中の顔色を見るとすぐ判《わか》る。田原典太が入ってみると、どの顔も退屈そうにしていた。

「よう」

と一人の男が田原の肩を叩《たた》いた。知り合いの他社の記者だった。

「景気の悪い顔をしているな。どうだい、その辺で麻雀《マージャン》でも囲もうか」

その男は麻雀狂だった。

「そうだな、悪くはないね」

田原典太は、わざと落着いて答えた。ここで気を焦《あ》せらせると、相手に内兜《かぶと》を見透かされそうだった。

「よし、こんなところにねばっていたって、事件のラチがあかないよ。おれが、今、相手を二人ほど見つけてくるからな」

その男は田原の賛同を真《ま》に受けて、急に勇んで駆け出した。

田原はそれを見送って、捜査本部になっている部屋の前に行きかけた。すると、ちょうど向かいから歩いて来る顔馴染《かおなじ》みの刑事と出会った。本庁から応援に来ているベテランである。

「よう」

と言うと、相手も足を停めた。

「何だ、ときどき君はここに顔を見せるんだな。どこをほっつき歩いているんだい？」

刑事は訊《き》いた。

「あんまり、事件がのんびりしているので、退屈まぎれに新宿に飲みに行ったり、映画でも見たりしているんですよ」

「こいつ」

と刑事は腹を立てたような顔をした。

「のん気な奴《やつ》だ。おれたちをみろ、ちょっとも暇がねえ。朝から晩まで働きずくめだ」

「その働きずくめのところで、何かいいネタを教えてもらいたいですね。こっちも無理をして飲んだり、映画を見たりしているんじゃないんです。あんまり、本部が何も言ってくれないので、しびれをきらしているんですよ」

「何かあったら、こんな機嫌の悪い顔はしていないよ」

刑事はやり返した。

「すると、あれから、全然、捜査は発展していないのですかね？」

「まあ、そういうところだな」

この刑事は、わりと田原典太に好意を持ってくれている方だった。彼がそこまで言うのは、ちょうど辺りに新聞記者の姿が見えないからだった。

「行方を晦《くら》ました女の方はどうです?」

「あれも、さっぱり足取りが摑《つか》めない。相当、金を持っていたと思えるから、高飛びは考えられるがね。こっちの方も、知人関係をシラミつぶしに当って手分けしているが、まだ、どこにも現われている様子がない」

「やっぱり、その女が本ボシになってくるんですね?」

「今までに消息がないと、コロシをやって遁《に》げたと判断するほか仕方がないだろう。今も言うとおり、相当、金を持っているらしいし、それに、水商売の経験があるから、遠方に飛んで、同じ商売に入っているという推測も本部では起っている。それで、全国の料理屋や旅館などに手配する話が起ってるよ」

「一つ、いいネタが出たら教えてもらいたいですな」

「わかった。ところで君の方には、何かないかね?」

「いや、今も言ったとおり、こっちは捜査本部一辺倒です。お陰で、ここんとこ、見落した映画を二、三番館でみんな見られましたよ」

他社の記者の姿が現われたので、田原は自分から離れた。その記者は、田原と刑事捜査本部は、その後、新しい事実を摑んでいないのだ。刑事の言ったことに嘘《うそ》はないようだった。実際、自分で言ったように、その顔には焦《あせ》りが出ていた。新聞記者に何か隠しているときは、表情が違うのである。

署から出て行こうとすると、さっきの男が田原に追いついて、背中を勢いよく突いた。

「おい、テンちゃん。麻雀仲間が揃《そろ》ったぜ」

田原は振り向いて、頭をかいた。

「悪いな。いま社から、すぐ戻って来いという呼び出しがあったんだよ。せっかくだが、この次にしてもらおう」

「ちぇっ」

と相手の男は舌打ちした。

「何だ、せっかく、人間を揃えさせておいてよう」

「まあ、そう怒んなさんな。社用となれば致し方がない。ぼくだって、こんなに本部が愚図ついていると、うんざりだから、好きな牌《パイ》をつまみたいんだがね。まあ、お互い、勤めはイヤなものさ」

田原典太は自分の自動車を置いてある方へ勝手に歩いて行った。

「どこに行きますか?」

運転手は、座席に乗込んだ田原典太に訊いた。

さあ困った。さし当って行く先がない。社に帰るのも億劫《おっくう》だった。

実のところ、田原は、今から静かな所へ行って、もう一度この事件を振返ってみたかった。今までのことを頭の中で整理し、その中で何か新しいアイディアを取りたかった。そのためには、騒音から離れた静かな所で考えたい。

だが、街の中では喫茶店ぐらいしかなかった。ここも不適当である。どこへ行っても人で塞がっている。それに、近ごろは、どこでもテレビを備え付けている。騒音を聞かせてサービスと心得ているのだから、心得違いな話だ。

田原は、誰もいない所で、ぼんやりと坐っていたかった。

「そのうち行先を考えるから、ともかく、都心の方角に走ってくれよ」

田原は運転手に頼んだ。

車は新宿の方に向かって走ってゆく。田原はまだ、迷っていた。

実のところ、海を見たかったのである。

東京ほど海の見られない所はない。ここからだと、晴海海岸に行くか、大森海岸に行くかである。ちょっと遠いのだ。

田原は、中国筋の小都市に生れた。そこだと、ちょっと歩けば松林があり、砂浜がある。海は自由闊達《かったつ》な広さをもって迫ってくる。だが、東京ではそれが出来ないのだ。そういう風景を見るには、房州の方に行くか、湘南《しょうなん》の方に行くしか手がない。時間と金のかかる話だった。

海が見られないとなると、広い水面が見たかった。だが、ここからだと、井ノ頭公園くらいなものだ。それだと逆になるから、運転手に引返させるのも気の毒だった。

そのうち、車は勝手に走って新宿の繁華街を通り越し、四谷近くになっていた。

田原は不意に思いついた。

「君」

と運転手に呼びかけた。

「六義園《りくぎえん》に行ってくれないか」

「六義園ですって？　駒込《こまごめ》ですか？」

「そうだ」

運転手はうなずいたが、妙な所に行くと思ったに違いない。

六義園を思いついたのは、五、六年前の記憶からである。誰と行ったか憶《おぼ》えていないが、東京の中でこんな場所もあるものか、と思って感心した記憶がある。水もきれいだった。少々、人工的過ぎるが、今の場合、ほかに行く所がない。

車は四谷から左に折れて、合羽坂《かっぱざか》を登り、牛込を通って、音羽から大塚の方に向かった。車ながら長い道中である。

田原典太は、座席で煙草《たばこ》を吸いながら流れる外の風景を見ていた。どこも同じで退屈だった。繁華な忙しい風景の下に退屈が拡《ひろ》がっている。

久振りの六義園だった。運転手には入口で待ってもらい、田原はひとりで中に入った。きれいな木立が続いている。それをしばらく歩いて行くと、やがて池の縁《ふち》に出た。人はやはり歩いていたが、どこかのんびりとした様子なのは、見た目にも愉《たの》しかった。気分的にも解放感がある。田原は、池の縁の石の上に腰を下ろした。

元禄《げんろく》時代、柳沢吉保《よしやす》によって別墅《べっしょ》が造られたというこの庭園は、まだ江戸時代の面影をどこか残していた。あまり手入れが行届き過ぎて、多少の反撥《はんぱつ》はあるが、これくらいは我慢しなければならないだろう。ときどき、微《かす》かな都電の音が聞えるくらいで、やはり、東京の中にいるとは思えないくらいの静けさだった。対岸に歩いている人も愉しそうだった。

田原は、そこでぼんやりした。草の上で寝そべってみたかったが、ここはそれに適しない。

田原は、ここで、手帳を出して、これまでの経過を図に書いてみた。（別図）

田原は、書き上げた図をじっと眺めた。小学校時代から地図が好きで、こういうものを書くのは愉しかった。事が殺人事件だから愉しいと言うと申訳ないが、頭の中を

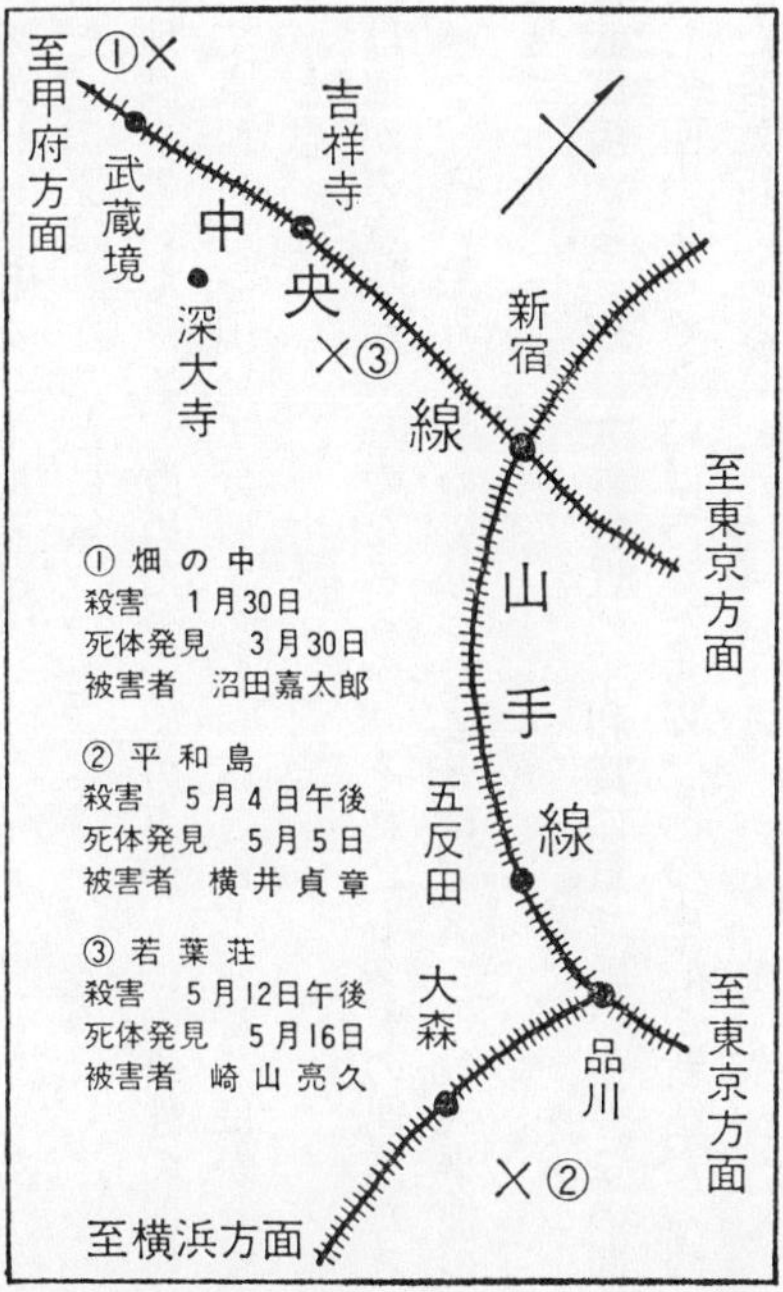

整理するのには便利なのである。

するど、田原は妙なことに気づいた。

この地図を書いてみて、改めて分ったのだが、この事件の関係場所が、新宿を中心点として東西に線を引いて分断すると、ほとんど西寄りばかりなのだ。

おや、と思った。

これは何かの意味があるのだろうか。それともタダの偶然だろうか。

もう一つ、書いてみて改めて分ったことは、三つの殺人事件の現場がひどく離れていることだった。

北は武蔵境から、南は大森付近の平和島に亘《わた》っている。この間の距離を目測すると、直線にして四十キロぐらいはあるだろう。その中心が新宿だ。つまり、崎山亮久の死体が出た若葉荘である。

ところが、もう一つ妙なことが分った。

この三つの現場がほぼ等間隔になっていることだった。つまり、新宿を中心にすれば、新宿—武蔵境、新宿—平和島、がほぼ同じ間隔になっていることだ。これも地図を書いてみて初めて気づいた事実である。

もっとも、これは直線距離にしてのことだが、電車を利用するとしても、まず、そう大差はないと見ていいだろう。すると、どういうことになるか。

新宿が中心だから、それが半径の一端として両方にコンパスを回すと、その円の両端が平和島と武蔵境になるのだ。

田原典太は、おやと思った。

そうすると、犯人は新宿辺りにいるということを、この地図は指摘しているのではないか。田原典太の頭には、またしても、若葉荘の堀越みや子の隣室に居た学生夫婦のことが頭に泛《う》かんだ。しかし、その夫婦が若葉荘にいたのは僅《わず》かの間だった。つまり、崎山亮久の死体が発見される前の数日間である。だから、武蔵境で発見された沼田嘉太郎の殺人時日はもとより、平和島で殺された横井貞章の時日にも、当然、この夫婦は若葉荘にはいなかったのだ。

しかし、だからといって、この夫婦が新宿の付近に居住しなかったということの証明はない。若葉荘の管理人は、その夫婦が千住方面から越して来た、と言っていたが、そんなことは当てにならないのだ。この夫婦は、案外、若葉荘とはあまり離れていない所に前からいたのではなかろうか。そして、崎山亮久の殺人事件の当時だけ若葉荘に引越してきたのではなかろうか。

いやいや、それでは辻褄《つじつま》が合わなくなる。そうなると、かえって混乱してしまうのだ。

田原典太は頭を振って、その考えを捨てた。どうもいけない。あの学生夫婦のことがいやに頭に絡《から》みついて困る。

ここで、田原典太は、ふと、この「地形」のことで前に時枝と話したことを思い出した。それは、殺された崎山亮久の自宅が吉祥寺に在ったことからである。あの時、田原典太は時枝に、確かこのように説明した筈《はず》である。(崎山の自宅の在る吉祥寺と、崎山、野吉、みや子、それに沼田嘉太郎が落合った深大寺とは近い。ところが、沼田の惨殺《ざんさつ》死体の出た武蔵境も吉祥寺から遠くない。つまり、この三つの地点は、ほぼ三角形をなしているよ)

田原は、自分の言った言葉を思い出して、ポケットから赤鉛筆を取出し、今書いた地図の上に、吉祥寺、武蔵境、深大寺、と三角形を結んで行った。

すると、新宿の若葉荘、大森の平和島が、ひどくかけ離れて遠いものになっていた。どうもいけない。どこかが違っている。あの時、吉祥寺を扇の要《かなめ》にたとえて三角形としたのはいい思い付きだと思ったが、あとから二つの殺人事件が起ってみると、役に立たなくなる。

田原典太は、その図面の上に目を注いで、じっと考え込んだ。

子供が騒ぎながら目の前を通った。

続いて若いアベックが、互いに写真を撮り合いながら、愉しそうに縺《もつ》れて過ぎた。

田原典太は、それが少しも耳に邪魔にならなかった。自分の書いた地図の上に瞳《ひとみ》を落し、頭を抱えていた。

この地図で、ほかに落したところはないか、それを検討した。

すると、五反田の駅がこの事件にかなり重要な役割をしていることが判《わか》った。この駅では、堀越みや子が下車している。つまり、春香の朋輩《ほうばい》が跨線橋《こせんきょう》の階段を降りて来る彼女と行き遭ったのだ。

それは、時間的にはちょうど、みや子が愛人の崎山を殺害して逃走にかかっている途中に当る。

何故《なぜ》、堀越みや子は五反田駅などに下りたのであろうか。これまで彼女の逃走はかなり遠い土地と考えられており、捜査本部もその意見を持っているのだが、もし、彼女が遠くに遁《に》げたとなると、五反田駅などに下りる必要はないのだ。まだ、死体を発見されない前だから、もとより警察によって駅が警戒されている気遣いもなかった。だから、彼女は東京駅でも、上野駅でも、新宿駅でも、何処《どこ》でも自由に乗れたのである。それを五反田駅で下りたのはどういう理由であろうか。

一つは、これまで考えられているように、彼女の知られないアジトが五反田駅を中継とする何処かにあるという推定だ。だから捜査本部では彼女について崎山亮久以外もう一人の愛人、つまり、第二の男がいるという意見を持っている。彼女は逃走前にそこに一応身を寄せて、それから、本式の逃亡にかかったという推定である。

しかし、田原が聞いた限りでは、堀越みや子にそのような男がいるとは思えなかった。もっとも、料理屋の女中同士は、そういうことを互いに隠しあっているから断定はできないが、これまでの経過からみて、田原には堀越みや子に第二の男がいたという想像は捨てたいのである。

では、何故、五反田駅で下りたかという問題に還って来る。

地図をもう一度眺めた。

すると、横井貞章が殺されたのは平和島で、それは大森の近くだった。彼は、思いつくまま、五反田と大森とに赤線を引いた。

すると、次に、おもしろい考えが起った。

それは、沼田嘉太郎の場合に考えたことだが、吉祥寺、武蔵境、深大寺を結ぶ三角形を、この大森、五反田との場合にも適応できないかということだ。これまで考えたのは、地形全体の広さを頭に入れていたが、ここでは二つに区切ってみるのである。

つまり、吉祥寺、武蔵境の場合を一つの三角形とすると、今度は、もう一つ別な三角形を作ってみる。すなわち五反田と大森を三角形の一辺とすることだ。最初、考えたとおり新宿を中心にして、直線を南北に一本引き、その西側にしかこの事件関係は起っていないから、当然、この三角形の頂点を西側にもってくる。

田原は、頭の中で三角形を引いてみた。すると、大体、その尖端《せんたん》が洗足池辺りに当ることが判った。

しかし、この方面には一度も事件関係は起っていない。だが、ただ一つこれはと思う手掛かりがある。堀越みや子が下車したのは五反田駅だ。五反田と洗足池とは池上線が通じている。

田原典太は夢中になっているときのくせで、鉛筆の頭をガリガリと噛《か》んだ。

この新しい三角形の頂点に何かないか。

もっとも三角形を引くのは、前の沼田嘉太郎の場合を考えての思い付きだが、現実性は無いにしても、思い付きとしておもしろかった。

何かこの辺に関連したものはないか。――

すると田原の頭には、ふと、野吉欣平のことが閃《ひらめ》いた。

野吉は、殺された崎山亮久と組んで相当悪いことをしているらしい。もっとも、彼らの汚職は崎山が首魁《しゅかい》であろうが、野吉も崎山に引きずられて、あくどいことをやっていると想像される。その点では、彼は崎山の共犯である。

田原典太は腰を上げた。

永いこと石の上にかけていたので、ズボンの尻《しり》が皺《しわ》だらけになった。彼はよごれを払うのも忘れて、自動車の待たせてある門の方に急いだ。

公衆電話のボックスが門の傍にあった。それが目に入ると、彼は猶予《ゆうよ》なくそこに飛び込んだ。電話帳で調べてR税務署に掛けた。

「もしもし、野吉課長さんの自宅を教えて頂けないでしょうか?」

田原は言った。

「あなたさまは、どちらですか?」

交換手が訊《き》き返した。

「太洋醸造と申します」

田原はデタラメな名前を言った。酒の会社と言ったのは、野吉がその方の担当課長だからである。

「すみませんが」

と交換手は言った。

「署員の自宅は外部にお教えしないことになっております」

立派な返辞だった。嗤《わら》い出したいのを堪えた。こんなところに、税務署の偽善ぶりを遺憾なく発揮している。

「どうも」

田原典太は電話を切って笑い出した。彼らの自宅を調べる手はいくらもある。

田原典太は、R税務署の管内を受け持っている支局に電話した。支局長は友だちである。

「R税務署の署員の自宅を調べたいんだがね、わかるかい?」

田原は訊いた。

「そんなものはわけはないよ。何という奴《やっ》だい?」

支局長は、田原の言う名前を聞いて、電話を切らずにそのままで待っていろ、と告げた。二分とは時間がかからなかった。

「判ったよ」

と先方は言った。

「野吉欣平だね。そいつは、大田区雪ヶ谷××番地だよ」

「なに、雪ヶ谷?」

田原典太は受話器を握ったまま茫然《ぼうぜん》となった。あまりにも推測通りの結果になったのだ。

雪ヶ谷は、洗足池から池上線で二つ目の駅付近である。

18

堀越みや子の行方は、依然として判《わか》らなかった。

崎山亮久の惨殺《ざんさつ》死体が出たのは彼女のアパートの部屋だから、目下、行方を晦《くら》ませている堀越みや子が犯人と推定されるのは当然だった。事実、警察でも彼女を指名手配して捜査している。

新聞にも彼女の写真を掲載してもらい、一般の協力を求めた。が、事件発生後、すでに相当な日数が経《た》つのに、相変らず彼女の様子は知れなかった。

最初の見込みは、彼女が五反田駅で降りたということと、大して金を持っていないという事実から、彼女に第二の愛人がいて、それに匿《かく》まわれているのではないか、という見込みだったのだが、その後、足取りが少しも摑《つか》めないところから、高飛び説が強くなった。

しかし、男の場合と違って、高飛びしても女では足がつき易《やす》いのである。男の場合だと、飯場に潜《もぐ》り込むとか、中小企業の臨時の雇人になるとかいう方法があるが、女では、そのようなことはまず不可能である。所持金も大して無いのだから、高飛びしても当面の生活に行き詰まる。

こうした場合、都会地では派出家政婦会などがあって、そこから家政婦となって他所《よそ》の家に住み込むという場合も考えられて、この方面にも手配をした。が、結局、徒労であった。

第二段は、彼女に別な愛人がいるという想定で、その情夫と地方で暮しているという想像である。これだとちょっと厄介で、捜査も困難である。ただ、新聞に載せた彼女の写真が人の目に触れて、それからの届出を待つのが一番の可能性に考えられた。

しかし、そのこともないし、結局、五反田駅で降りて以来の彼女の足取りは完全に喪失した。新聞面からも「法人税課長殺し」の記事は消えてしまった。

田原典太は、池上線の洗足池駅で降りた。池上線は、五反田から蒲田に至る線である。

田原はわざと、今日は社の自動車を使わなかった。R税務署間税課長の野吉欣平のことで、彼の自宅付近の聞込みに回るつもりだったから、社の車で来ては拙いのだ。洗足池駅に降りると、広い通りがすぐ前にある。池の水に、もう初夏の陽が明るく光っていた。すでにボート屋も出来ていて、何艘《そう》かのボートが杭《くい》に繫《つな》がれてあった。池の対岸は、こんもりとした森になっている。

田原は、野吉欣平の家の番地を目当てに歩いた。広い通りから左に折れる。池上線の踏切を渡ると、そこから住宅街になっていた。この辺は所どころまだ空地があった。小さな丘もある。その上には看板が並んでいた。立看板の多いのは、汽車の沿線ばかりではなかった。近ごろでは、やたらに空地に看板を立てたがる。

電気器具、土地分譲、薬品、病院などの広告が並んでいた。病院は二つもある。この近所のものらしく、一つは総合病院で「荏原《えばら》病院」とあり、一つは神経科の病院で「都南病院」とある。田原典太は、この辺を歩くのははじめてだから、そんなものまで目についた。

いい天気だが暑い。

道には白いシャツだけの人が多かった。そのシャツの白さに、強くなった陽射《ひざ》しが弾《はじ》き返している。

野吉欣平の住所は、番地を頼りに行ってみると、少し高台になっている気持のいい住宅地だった。そこは中流向きの文化住宅といった家が並んでいた。赤い屋根や青い屋根が多い。

野吉欣平の家は、こういった和洋折衷の建物だったが、あとで建増しをしたらしく、南側の一角が新しい。田原典太は、「野吉」と太文字で書いてある標札を横目で見て、その辺を歩いた。家の周囲は金網の垣になっていて、その中にバラが盛りだった。どの部屋もカーテンが掛かっていて、人の声は聞えなかった。

田原は、その近所で適当な聞込先を捜したが、昼間の住宅街は閑散として人影が無い。陽が妙に物侘《ものわび》しく照っているだけである。

田原典太は思い返して、その高台の坂道を少し下りた。そこに大きな八百屋がある。この店だと必ず住宅街を得意としているに違いない、と見当をつけて、彼は入った。

新聞社の名刺は、此処《ここ》では禁物だった。彼は興信所の者だと名乗った。

「実は、野吉さんの妹さんに縁談がありましてね。先方では、兄さんに当る野吉さんの生活状態や、その人柄を調べて欲しい、と言うんです。ここだけの話にして頂きたいのですが、野吉さんは、どういうお方でしょうか？　きっと、お宅のお得意さまだと思いますが、ありのままを教えて頂くと、大へん有難いんです」

田原典太はデタラメなことを言った。

「さあ、野吉さんには妹さんはいない筈《はず》ですが」

八百屋のおかみさんは首を傾《かし》げた。

「いや、こちらにはいらっしゃいません。妹さんは郷里《くに》の方にいらっしゃるんです。けれども、野吉さんが何かと郷里の一家をみていらっしゃいますから、先方では、どうしても兄さんのことを知りたいわけです」

「ああ、そうですか。そんな妹さんがいらっしゃいましたか」

おばさんは正直に引っかかった。

「野吉さんは、わたしの方では大へんいいお得意さんです」

彼女は話してくれた。

「このご近所でも、あれくらい上客はありません。そう言っちゃなんですけれど、見かけだけは上品にしてらしても、台所の方は案外そうでもない家《うち》があるんですよ。こういう商売をしてると、そんな裏のからくりがよく分ります。野吉さんの方は、そりゃご家族は別ですけれど、とても買い方がきれいなんです。それに、品物も決って上等の物ばかりです。それから、値段を負けろとかいうみみっちいことはおっしゃいません」

おかみさんは大そう賞《ほ》めた。

「そうすると、生活は豊かな方ですね？」

「ええ。とてもゆっくりしてらっしゃいますよ。ああして眺めると、どの家も同じように見えますが、内側の生活はいろいろですからね」

おかみさんは意味ありげに話した。

「野吉さんと一番親しいお家はどこでしょうか？」

「そうですね」

おかみさんは考えていたが、

「それなら、草葉さんというお家が一番お親しいんじゃないでしょうか」

と教えた。

「つい、野吉さんからの二、三軒手前です」

「それから、こんなことを言っては悪いかも分りませんが、野吉さんのお宅とあまりソリが合わないというか、何となくお互いがうまく行ってない家はありませんか？いや、親しい家だけ聞いたんでは不公平になります。そういう家の話も参考的に聞いておきたいんです」

「そうですね」

おかみさんは薄笑いして言った。

「それなら小塚さんがいいでしょう」

田原典太は草葉という家を訪ねた。折よく三十過ぎくらいの主婦が、庭で洗濯物を干していた。田原は垣の外から声を掛けた。

ここでも田原は興信所のものだと名乗った。八百屋で言ったように、縁談のことで調査に来たから、野吉さんには内緒にしてくれと言って相手から話をひき出した。

「そりゃ、とても立派なご家庭ですから、ご縁談は結構だと思いますわ」

女は縁談というと興味を示す。自然と彼女の口は軽くなっていた。相手の男は誰かと余計な反問をしたりした。田原は適当にそれをあしらった。

「生活状態はとても豊かですわ。私はよくお伺いするんですけれど、とても羨《うらや》ましいくらい立派な調度が置いてあるんです。奥さまの着物にしても、洋服にしても、私たちでは手の出せないような物ばかりですわ」

仲のいいという草葉夫人の口吻《くちぶり》には、羨望《せんぼう》だけではなく軽い嫉妬《しっと》がひそんでいるのを、田原は見逃さなかった。

「ご主人は税務署の課長さんということですが、ずい分、収入があるんですね？」

「そりゃね」

草葉夫人は急に声をひそめた。

「月給は、うちの主人とそう違いはないと思いますけれど、内密でイイことがあるんじゃないでしょうか？」

特別な意味を含んだ表情を泛《う》かべた。

「ははあ、いいことと言いますと？」

田原はとぼけた。

「税務署というところは、課長さんくらいになると、会社や大きな商店の相当なスポンサーがついているのだそうですね。いえ、わたくしはよくは知りませんよ。でも、あれほどの贅沢《ぜいたく》な生活を見ていますと、月給だけでは出来ないカラクリがあるような気がします」

「そんなに贅沢ですか？」

「ええ、そう言っちゃなんですけれど、この近所のだれ一人として太刀打ちできませんわ。妹さんが結婚のときは、さぞ立派なお支度がお兄さんの手で出来るでしょうね。そういうことではご心配は要りませんわ」

睦《むつ》まじいという草葉夫人にしてそうだった。

田原典太が次に回った小塚夫人の辛辣《しんらつ》なのは当り前だった。

「あのお宅は、わたくしたちとはとても身分が違います。このご近所が束になっても敵《かな》いませんよ。あんまり不思議なので、主人《たく》が調べたんですけれどね。野吉さんの月給は四万円くらいだそうです。四万円であれくらいの贅沢が出来ると、これは手品を使うよりほかやりようがないでしょう」

　小塚夫人は四十前だったが、主人はある会社の課長ということだった。同じ課長という地位が、競争意識を起すのであろうか。主人の課長の正直な収入では、到底敵に勝ち目がないと諦《あきら》めたか、その口惜しさで野吉の収入まで内偵したものとみえる。

「手品といいますと？」

　田原はとぼけた。

「そりゃ、あなた、税務署は不思議なところですからね。ちょっと、外での飲み食いは、みんなタダというじゃないですか。それだけでも、ずいぶん、食費が倹約になりますわ」

　主婦だけに細かだった。

「いつもいつも、タダということはないでしょう？」

「いいえ、たいていそうですよ。主人《たく》が調べたのですから間違いありませんよ。夕食どきには、ブラリと会社や大きなお店にやって来て、料理屋をねだるし、カメラが欲しいと思えばカメラ屋に行って、ちょっと貸してくれといって、そのままになるし、車に乗りたければハイヤー屋に行って、ちょっと手を挙げると、タダで乗せてくれます。盆、暮のつけ届けとなると大へんですよ。デパートからの届け物で、毎日、配達のトラックの絶え間がありません。野吉さんの家に置いてあるものは、みんな貰《もら》い物ばかりですよ。あの奥さんは大きな顔をしているけれど、旦那《だんな》の役得でタダ貰いしたものばかりです」

小塚夫人は話しているうちに、顔色が蒼《あお》くなるくらい興奮した。地団駄を踏まんばかりである。

「まさか、そうまではないでしょう?」

田原は逆手に出て、土砂をかけた。

「いいえ、あなた。あなたなんか、何にも知らないからそんなことをおっしゃるんです。そりゃ、ひどいものですよ。あの奥さんの指輪は、二キャロットもあるダイヤですが、あれだって、ある大きな会社筋のリベートだということを、わたしたちは、ちゃんと知ってるんですからね」

「それじゃ、汚職じゃありませんか?」

「ええ、立派な汚職です。警察が何故《なぜ》あんなのを挙げないか、不思議なくらいです。ほれ、最近もＯ税務署管内で汚職事件が、発覚したことが新聞に出たでしょう。あれは氷山の一角です。まだまだ、あんな程度のものはざらに隠れて行われています。そこの野吉さんがいい例ですよ。あなたは、野吉さんの妹さんの縁談の調査に見えたそうですけれど、これは相手のお聟《むこ》さんのために言いますがね。この縁談は断わった方がいいですよ。でないと、野吉さんがもし、縄つきになって出たら、両家の不幸ですからね」

小塚夫人は、見えない敵に咬《か》みつくような目付をした。

「そうすると、野吉さんの生活も相当派手でしょうね？」

「ええ、とても主人《たく》なんか追っつきません。ここに帰って来るのも電車なんかご利用なさいません。いつもハイヤーが送って来ます。それが同じ会社ばかりではないのです。お判りでしょう、方々のスポンサーが送ってくれるんです」

小塚夫人は車のナンバーまで控えていそうな口吻だった。

「そうそう」

小塚夫人は思い出したふうに言った。

「その車のことですがね、野吉さんも自分で運転できるので、得意そうにときどき立派な車を使っています。それが、あなた、黄ナンバーじゃなくて白ナンバーですよ。あれだって、きっと、何処《どこ》からかタダで借りて、乗り回しているに違いありません」

ほかのことは気にかからなかったが、田原典太の頭に白ナンバーの車というのが、ひっかかった。

「奥さん、その白ナンバーの番号はわかりますか？」

「ええ、そりゃ」

と言いかけたが、途中で気づいたように、

「まさか、こんなことをあなたは公表するのではないでしょうね？」

と、さすがに疑わしそうな顔つきで田原を見た。

「とんでもない。絶対にそんなことはしません。われわれの調査はだれにも見せないことになっています。もとより、奥さんからこういう資料を戴《いただ》いたことも、秘密にしておきます。どうぞ、その点はご安心下さい」

「そうですか」

小塚夫人は、ちょっと躊躇《ちゆうちよ》していたが、憤懣《ふんまん》やる方ない彼女の気持が、彼女の自省を押し切った。

「わたしは、その白ナンバーの番号を暗記しています。その車が多いのですよ。それは、う、の、4、5、2、1です」

田原は、すぐにそれを手帳に控えた。このとき、小塚夫人が急に田原の袖《そで》をひいた。

見ると、向うの通りに二十七、八くらいと思われる、瘦《や》せぎすの女が真新しい洋装で歩いていた。

「あの女《ひと》ですよ」

小塚夫人は田原に耳打ちした。

「あれが野吉さんの奥さんです。ほれ憎らしいじゃありませんか。あんなに威張って歩いていますわ。まるで娘みたいに若造りして、ゴテゴテと白粉を塗っていますけれど、あの化粧品だってきっと貰いものですわ」

野吉夫人の後姿を見る小塚夫人の目は憎悪《ぞうお》に燃えていた。

田原典太は、四谷の陸運局に行った。

ここでは係員に名刺を出した。ある調べがあって、自動車の持主を知りたいから、と適当な理由を付けて、ナンバーを見せた。

「う の4521ですね」

係員は、大きな台帳を繰ってくれた。

「判《わか》りました。現在は、こういう人になっています」

係員は、紙切れにメモして渡してくれた。

――東京都品川区大崎中丸町××番地伊原仙蔵

大東酒業協同組合理事。

田原典太はそれを見ると、ははんと思った。酒の組合だと、間税課長の野吉欣平と切っても切れぬ因縁である。

もっとも、この酒業組合の所在はどこにあるか知れないが、それはどうでもいいのだ。税務署員は、各所管区の税務署に顔が利《き》いている。だから、別な区から、頼むと言えばオーケーで、各税務署の署員は利益の共存の上に立っている。

野吉間税課長は、自分の顔を利かせて、酒業組合の伊原理事の車を勝手に乗り回したと思える。

田原典太は、ここで思い当ることがあった。彼は、三月の末に武蔵境で発見された沼田嘉太郎の惨殺《ざんさつ》死体、五月五日に平和島で発見された横井貞章の惨殺死体、さらに、五月十六日に新宿の若葉荘で発見された崎山法人税課長の惨殺死体、この三つの殺人事件は、いずれも自動車を使ったと考えている。

当時、二つの事件の捜査段階では、タクシーもトラックも線上に浮かんで来なかった。このことから捜査陣は、自家用車を持つ人間という推定をしたのだが、遂《つい》に手がかりが無かった。

野吉欣平は自家用車を持っていない。が、他人から借りて勝手に乗り回すというころに、今まで気づかぬ盲点があった。

田原典太は、心が躍った。

こうなると、一人では手が回りかねるので、彼は時枝伍一にだけはこっそり打ち明けた。

時枝伍一は、それを聞いてひどく興奮した。

「田原君、そりゃ本ボシに違いない。きっと、その車だよ」

「君もそう思うか？」

「誰だってそう考えるだろう。その自動車を調べると判るんだがな。つまり、その酒業組合の何とかいう理事が、一月の末と、五月四日土曜日と、五月十二日日曜日とに車を貸していたかどうかということだな」

彼は言った。

「沼田嘉太郎の場合は、殺害推定が一月の末ということで漠然としているが、横井貞章と崎山亮久の場合は、発見が早かったので、死亡推定日がはっきりとしている。つまり、五月四日は横井貞章、十二日は崎山亮久だ。この二つの日に、酒業組合の何とか理事が、車を野吉に貸していると判ったら、こりゃもう動かせまい」

「君、そいつを調べてくれるか？」

「引受けた」

時枝伍一は、顔色まで急に輝かした。

「しかし、酷《ひど》い奴《やつ》だな。人は見かけによらないものだ」

「何のことだ？」

「野吉の奴さ。あいつ、妙に臆病《おくびょう》で、こそこそしていると思ったが、太《ふて》えことをやってのけた」

「そうだ。ぼくもそう思ってた。野吉は崎山の下に付いて、ただ言いなりになっている共犯かと思ったが、その崎山まで殺したとなると、こいつこそ本当の悪党だ。じゃ、君は車の方を頼むよ」

「引受けた」

「やれやれ、これで何とか目鼻がついたな。この間も考えた通り、この三つの事件は、えらく行動範囲が広い。しかし、野吉の家が池上線の洗足池の近くだと、恰度《ちょうど》、真ん中にすっぽりと入っている。車さえあれば、行動の可能な半径の中心にいるという訳だ」

「そういう訳だな」

「ところで、田原君、君はどうする？」

「ぼくか。ぼくは堀越みや子の行方を捜してみたい」

「堀越みや子だって？　あの女は高飛びしているかもしれないよ」

「自動車のことが判ってみると、彼女が五反田の駅に降りた理由も何となく解けそうだ」

「つまり、野吉の車に彼女が乗せられたという推定だね。そうなると、野吉が堀越みや子の隠れた情夫となるわけだが」

時枝伍一は、自分で言いながら意外そうな表情をした。

「そいつはどうかな？　それにはまだ疑いを持っている。野吉が堀越みや子の隠れた情夫だと言うと、ちょっと飛躍しすぎるようだが」

「しかし、君」

時枝は言った。

「男女の間は分らないよ。堀越みや子は崎山の女だが、もしかすると、崎山の同僚の野吉も彼女に手を出していたかもしれない」

「待て待て」

田原典太は腕組みしてしばらく考えた。

「そうだ、君の言ったことで一つの可能性が出た」

「何だ?」

「つまりだな。野吉も堀越みや子に惚《ほ》れていたんだ。しかし、こいつは彼より強い崎山の女だ。だから手出しは出来なかったが、惚れてはいた。そして、その感情は堀越みや子にも分っていた。こりゃ考えられる。そうすると、堀越みや子は、いざ逃げる段になると、野吉の所に自分の身体《からだ》を匿《かく》まってもらう、ということは出来ないかね?」

「そりゃそうだ。その線はあるね」

田原は時枝の言うのを聞いて考えていたが、ぱっと目を見開いた。

「そうすると、野吉欣平と堀越みや子との共謀かな?」

「どうしてだい? まさか野吉が崎山を殺したとは思われないがな。やっぱりあれは堀越みや子の単独犯だよ」

「君はどうしてそんなことを考える?」

「いや、ちょっと泛《う》かんだまでだが」

田原典太は、時枝の追及を逸《そ》らした。

「その線は、ぼくは無いと思うな」

時枝は言った。

「ぼくはこう思う。まず最初の沼田嘉太郎を殺したのは、崎山亮久と野吉との共謀ではないかと思うんだ。なにしろ、沼田は崎山のP税務署における陰謀を知っている。彼は恨み骨髄に徹していたのだ。汚職事件がバレて、沼田ひとりが犠牲になったが、それは崎山にうまうまと乗せられたからだ。彼は騙《だま》されたことを知って、崎山のR税務署に移ってからの悪業を暴《あば》こうとした。それが春香の前に立っていての偵察だ」

時枝は話した。

「崎山は、こいつは危ないと思って、沼田嘉太郎を消す気になった。うかうかすると、自分の地位も生活も失ってしまうからな。沼田はもう狂犬みたいになっている。そこで、沼田を消すのに野吉と堀越みや子とを加えた。こう推定するんだ」

「なるほど」

「この線は、そっくりそのまま横井貞章に当てはまるだろう。横井は君の頼みを聞いて、沼田嘉太郎が殺された原因の追及に乗り出した。君の話だと、横井は税務署の内部にくわしい。なにしろ、以前《まえ》には内報屋をやっていたくらいだからな、税務署員の悪辣《あくらつ》なやり方は知り抜いている。そこで、彼の探索が崎山に及んだ。そのために、かなり崎山に接近したと、ぼくは睨《にら》んでいるんだ。崎山の方もそれを覚《さと》って、今度は逆に、横井貞章を平和島に誘い、そこで殺したと、こう見るんだ。もとより、それには野吉が手伝っている。ほら、君の言う、何とか酒業組合の車だ。こいつが運搬の役目を務めた。運転は野吉がやっていたんだよ」

「そうすると、野吉はみや子に駆け込まれて、彼女をこっそり隠しているという訳だね」

「なにしろ、奴は以前《まえ》からみや子に惚れていたからな。崎山が死んでしまえば、もう大っぴらだ。それに、彼女の方から必死に身を投げ出してきたんだから、こいつは野吉にとっても堪《たま》らない。ぼくの考えでは、野吉の奴、みや子をどっかにこっそり囲っていると思うんだがね。未《いま》だに警視庁の目に彼女の所在が判らないのは、その隠し方が巧妙だということにならないかね」

19

田原典太にはまだ、若葉荘アパートの堀越みや子の隣室にいた大学生夫婦のことが頭から離れなかった。この夫婦は堀越みや子の隣の部屋を借りていて、妻の方が崎山亮久の死体の臭《にお》いを敏感に嗅《か》いで、すぐに引越したのだ。死体の発見されない以前《まえ》である。

この夫婦が堀越みや子の隣室に来たのも、その殺人事件が起った当日だった。偶然といえば偶然だが、どうもこれが頭の隅にこびり付いて離れないでいる。

若い妻は大へんな読書家だったという。アパートに着いた時も行李《こうり》いっぱい本を詰めて運び込み、それからも、外出のたびに本を買って帰った。実際、アパートを逃げ出す時も、またぞろ行李詰の本を運んでいる。

田原は法医学者に、隣室の押入れの死体の臭いが逸早《いちはや》く彼女の鼻を刺激したことを問合せてみたが、必ずしもそれは不可能ではない、という返事だった。だが、よほど敏感な人間でないと、という条件付きだった。

これも引っかかる。

世の中には、常人以上に嗅覚《きゆうかく》の利《き》く人はある。だから一概には言えないが、どこかが不自然だ。当日に引越してきたこともカンぐると妙な偶然だった。

この時、田原の目に野吉夫人の顔が泛《う》かんだ。仲の悪い近所の小塚夫人の言葉を借りるまでもなく、ちらりと外出姿を見ただけだったが、たしかに若づくりだ。

まさか、と考え直した。自分で頭を振った。そんなばかなことはない。

が、どうも気持が晴れない。それは、アパートのその若い夫婦が運んだという書籍入りの行李のことにもつながる。この行李のことについては、田原は一つの想像を持っている。

田原典太は、その翌《あく》る日、また池上線で洗足池駅に降りた。昨日と同じ道である。踏切を渡って住宅街に入る。空地には二つの病院の看板がある。しばらく歩いて、高台への勾配《こうばい》を登った。

小塚夫人は、昨日の田原典太がまた訪ねてきたので、びっくりした顔をした。

「奥さん、昨日はいろいろ有難うございました」

田原は興信所員になりすました顔をして、丁寧にお辞儀をした。

「あら、昨日は少し言い過ぎましたかしら？」

さすがに、小塚夫人はばつの悪そうな顔をした。

「いいえ、大へん参考になりましたよ。奥さんの観察は、なかなか鋭いです。実は、ほかでも調べたんですが、おっしゃる通りの事実が判《わか》りました。この縁談は断わった方がいいとぼくも思います。奥さんは人助けをなさったわけですよ」

「そうですか」

小塚夫人はうれしそうに微笑《ほほえ》んだ。

「お役に立って何よりですわ」

「そこで、奥さん、もう一度お伺いしますが、野吉さんの奥さんは、五月の十日ごろから一週間ぐらいどこか旅行なさったことはありませんか？」

「旅行ですって？」

「いや、旅行か何か分りませんが、とにかく、お家《うち》を空《あ》けられたことはありませんか？　特に昼間、ずっと連日留守だったという事実はありませんか？」

田原は、じっと小塚夫人の反応を窺《うかが》った。

「いいえ」

と実に簡単に答えたのである。

「そんなことはありませんわ。五月の十日ごろから一週間ぐらいというと、間には学校の運動会があったりしてよく憶《おぼ》えているんですが、あの奥さんはずっといらっしゃいました。それは、仲のいい草葉さんの奥さまがずっとあの家に入りびたりでしたから、それをわたくしも見て知っています」

敵意を持っている小塚夫人の証言だから、間違いはなかった。田原典太はがっかりした。田原は礼を述べて、とぼとぼと帰った。彼の見込みでは、堀越みや子の隣室を借りた若夫婦というのは、案外、野吉夫婦の変装ではなかったか、と思いついたのだ。

これは、野吉夫人が若づくりであるということを聞かされてのヒントだった。

もっとも、野吉欣平はどう見ても大学生とは思えないが、アパートのおばさんの話によると、その男の方は滅多に顔を見せなかったという。その一つの理由は、顔を見覚えられては困るということと、野吉欣平は税務署に勤めているので始終は来れなかったことにもよる。鳥打帽を目深《まぶか》に被《かぶ》って、大学の制服を着ていた（若葉荘の管理人の話）ら、ちょっと誤魔化せるのではないか。

では野吉欣平は、何故《なぜ》、崎山を殺したのか。その辺の解決は、田原にはまだ出来ていない。しかし、あらゆる可能性を考えてみる必要があった。野吉の妻が若づくりで、小塚夫人の表現によれば、「まるで娘みたい」な化粧をしていたことが一つの暗示となったのだった。

だが、若夫婦が若葉荘を借りたと思われる期間、野吉夫人はずっと留守もせず家にいたという決定的な小塚夫人の証言が、田原典太の思いつきを完全に粉砕した。

彼はまた元の道に帰った。やや下り勾配の道を出て、例の病院の看板のある空地の横を過ぎ、踏切を通って、洗足池駅に戻った。

田原が疲れて社に帰ったのは、午後四時ごろだった。すると、時枝伍一がひどく興奮した顔で入って来た。田原典太を見付けると、何も言わずに引張るように外に出した。

「どうした？」

田原は、時枝が何か手がかりを摑《つか》んだらしいことを知った。

「判ったよ。えらい発見だ」

時枝は呼吸《いき》を弾ませていた。

「あの車は、やっぱり酒業組合の理事の車だったよ。理事は自家用車を野吉の要求どおりに貸してやっている。以前《まえ》に、何か脱税に絡《から》む弱い尻《しり》を野吉に握られて、それでご機嫌を取ってるわけだろう。そこでぼくは、その車の運ちゃんに、つまり理事のお抱え運ちゃんだが、その男を巧《うま》く懐柔して、呑《の》み屋で一ぱい呑ませて味方にした。運ちゃんは、幸いなことに、ちゃんと運転日報のようなものを記《つ》けていた。それを繰ってくれたがね。すると、問題の日はちゃんと野吉が車を借り出しているんだ」

「問題の日というと?」

「ここに手帳に控えてある」

時枝伍一は、興奮で指を顫《ふる》わせながら手帳を繰った。

「五月四日の午後三時から十一時まで、十二日の午後三時半から七時まで、同じく十四日は午後四時から九時まで野吉に貸している」

「待て待て。五月四日というと、横井貞章が殺されたと推定される日だな」

「そうだ。そして十二日は崎山が殺害された日だ」

時枝はそう言ったが、

「十四日はどうしたんだろう？　これは事件に関係ないのかもしれないね」

と独り言のように呟いた。

五月十四日午後四時ごろにも借りている。

「君、その五月十四日も大事かもしれないね」

「えっ？」

「いや、それは調べよう。その他、もう聞かなかったか？」

「そういえば、十五日の日に、その車を修繕に出している。それも日報に載っていたんだ」

「修繕？　どこが故障したんだ？」

「いや、故障ではない。座席がひどく痛んでいたそうだ。何か硬い物の角が触れたように、シートの一部に瑕《きず》がついてね。野吉が返しにきた時にそうなっていたというんで、さすがに旦那《だんな》が腹を立てていたそうだ。その修繕のために、自動車は一日休んでいる」

「硬い物の角が当ってシートが破れたというんだな。それはシートのどんな個所なんだ？」

「それがね、ちょっとおかしいんだ。角が当るというと、当然、シートの上、つまりわれわれが腰を下ろす所なんだが、その一部分破れたという所はシートの端が下に曲ってる所、つまり縁《ふち》の所なんだ」

「どのくらい破れていた?」

「なに、僅《わず》かだそうだ。一センチもないくらい」

田原典太はそれを聞いてしばらく考えていたが、

「よし」

と指を鳴らした。

「どうしたんだ?」

「なに、どうやらカラクリが判ってきたらしいぞ」

田原典太は時枝に耳打ちした。時枝はその囁《ささや》きを聞き終ると、あっ、といったように目を剝《む》いた。

時枝は、ううむ、とうなったように腕を組んでうなだれ考え込んだ。額に皺《しわ》を作り深刻そうな表情になっている。

彼は顔を上げると、

「しかし、君、それでは判らないことが一つあるよ」

「なるほど、五月四日の横井貞章殺し、十二日の崎山亮久殺しの二つは、その車を野吉に貸したことで解決がつくがね。一月末の沼田嘉太郎殺しはどうなるんだ？」

「なに？」

今度は田原典太が声を上げた。

「そっちの方は貸していないのかい？」

「そうなんだ、ぼくは今年の一月からずっとその日報を繰らせたんだがね。野吉がその車を借り始めたのは五月からなんだ」

「それは本当か？」

「日報に嘘《うそ》はないと思う」

田原典太は、自分の髪に指を突っ込み、ガリガリと掻《か》いた。

「そうか」

と言ったが、顔色はそれほど落胆していなかった。

「それでも、別に不合理ではないよ。その沼田殺しのときには、別の車を使ったのかも判らないからね。あとの二回は酒業組合の車を使ったが、最初の事件はほかのを使用したという推定もできる。そう考えれば、ちっともぼくの推定には破綻《はたん》はない」

「なんだ？」

「では、その車は?」

「そいつはまだ判らない。判らない方は後回しにして、今のシートの修繕屋に行ってみよう。君はその先を聞いているんだろう?」

「知っている。それは大崎の方の自動車修理工場だ」

二人は、今度は社の車を出させてそれに乗った。自動車修理工場は大崎の工場地帯にあった。大きな工場に挟まれているので、ひどくみすぼらしく見えた。

先に手をつけた関係で、時枝がその自動車工場の中に入って行き、話を通じた。しばらくすると、顔も手も油で真っ黒になった三十ばかりの職工が出て来た。丸い顔の人の好《よ》さそうな男だった。

「確かに、その車のシートは私が修繕しましたよ」

と彼は話した。

「持主の伊原の旦那も、ぶつぶつ言っていました。人に車を貸したんだそうですが、何かで疵《きず》をつけたといって、シートの端が一センチばかり裂かれていました。いや、裂かれたというよりも、ぼくには切り取ったという感じがするんです」

「よく、そういう場合がありますか?」

田原は訊《き》いた。

「いや、そんなことは滅多にありませんよ。借りた人間が裂けたと言ったのは、何かの言いわけで、実際は、そこをナイフか何かで切り取ったと思うんです」

「ほう、何のために切り取ったんです？」

「さあ、そいつはぼくにはわかりません」

「いや、ありがとう」

これだけ聴けば充分だった。田原は時枝を促して待たせてある新聞社の車に戻った。

「どちらへ？」

運転手は訊いた。

「さあ、社に戻ろうか」

さしずめ目的の行先はなかった。

「君、どうやら判ってきたね。やっぱり、犯人は野吉だな」

傍の時枝が昂《たか》ぶった声で言った。

「うむ」

田原典太は生返辞した。まだ彼には満足に解けないところがある。

それは、若葉荘アパートを一時借りていた大学生の夫婦のことが未《い》だ《ま》に解決しないからだった。その若い妻を、一時の思いつきで野吉夫人と考えたが、その線はもう無いのだ。

すると、その若い妻は誰だろう。夫と称する大学生の方も気になったが、田原には、外出のたびに相当な本を買い込んで帰っていたというその妻の方が重要だった。

これが解《わか》らない限り、野吉を犯人とする最後の決め手にはならないのだ。

「君」

と田原典太は言った。

「すまないが、君はこれからR税務署に行ってみてくれないか。野吉の様子を探ってみるんだ。ぼくだと、ちょっと相手に顔を知られているのでまずい」

「わかった」

時枝伍一はすぐにうなずいた。

「この車は、君がこのまま使っていいよ。ぼくはこの辺に降りる用事がある」

ちょうど、渋谷を過ぎるころだった。

「そうか、じゃ」

車を下りた田原に、時枝は手を挙げた。田原典太は、その車が忙しい流れの中に消えるのを見送った。

田原は、それから目についた喫茶店に入った。彼はコーヒーを注文し、テーブルに肱《ひじ》をついて長いこと考えた。田原がぼんやりとしているので、喫茶店の女の子は、客が退屈しているものと考えて新聞を持って来た。

「ありがとう」

田原はコーヒーをすすりながら、ぼんやりと新聞をめくった。

いい考えが泛《う》かばない。どうしてもわからないのだ。判《わか》らないことは二つある。堀越みや子の隣室を借りていた大学生夫婦と、堀越みや子自身の現在の所在とである。

田原は、考えることに疲れて新聞に目を落した。よその新聞だが、今朝読んだ自社の新聞とあまり変っていない。彼は最後に都内版に目をむけた。この欄はめったに目を通さない。いつも、大した記事がないからである。

思案と退屈とは、隣り合せだった。田原はめったに見ない普通の都内版の記事を丹念に眺めた。別に関心はないのだが退屈まぎれだった。

すると、彼の目は隅の短い記事に吸われた。目立たないカコミ雑報である。

「R税務署長尾山正宏氏は、今度、大蔵省主税局に栄転となった。R税務署における同氏の在任期間は一年八カ月であった。後任として、W税務署長末広忠太郎が任命された」

田原典太はその記事に目を据えた。

(そうか、あの若い署長も、とうとう本省に栄転となったのか)

田原典太は税務署用語でいう、いわゆる「学士さん」の出世コースを、まざまざと目に見る思いがした。

彼が、あっと口の中で叫んだのは、その新聞を手放してからである。コーヒーが卓にこぼれた。

田原典太が社に帰ると、五分と違わずに時枝伍一が戻って来た。

「R税務署に行って来たよ。あそこの尾山署長が転勤になるというので、署内はざわざわしていた」

田原は、話の途中で時枝を止めた。

「君、ちょっと。こっちで話そう」

彼は時枝を連れて編集室から出た。新聞社には二人だけで話合う小部屋は無い。こういう時の「密談」は、いつも四階の社員食堂になっている。

今日も時間がズレているので、食堂は閑散だった。印刷部員や活版部員などの作業服を着た姿が、五、六人見られる程度だった。

田原と時枝は、窓際《まどぎわ》の離れた所に席を取った。

「ご苦労だったね」

田原は言った。

「で、署内は署長栄転で賑《にぎ》わっていただろうな?」

「そうなんだ。今夜、その送別会をやるというので、下のほうは会場設営などで走り回っていたようだ。上のほうも署長の転出で何となく落着かないような、賑やかな顔をしていたよ。どうせ、今晩は、息のかかった料理屋で宴会をやるんだろう。例によって会費は僅《わず》かで、実質はその何倍というやり方だろうな。管内のスポンサーからは、ここぞとばかり寄付を取り上げて、今夜は大っぴらに飲み食いを愉しむことだろう」

「連中にとっては、かき入れだからな」

二人は何となく笑い合った。

「ところで、野吉はどうしている?」

田原典太は訊いた。

「ああ、奴《やつ》だけは何だかボサっとしていたよ。自分の席に坐《すわ》っていることはいたがね、他の課長や係長連中がわいわい言ってるのに、彼だけがひとり離れて暗い顔をしていた。思いなしか、ひどく憂鬱《ゆううつ》そうだった」

田原は、その言葉を聞いてうなずいた。

「なあ、田原君。野吉はやっぱり一番クサいかい?」

田原典太は、それに首を振った。

「野吉は確かにクサい。しかし、彼の受持ちは全部ではないんだ」

「全部ではない?」

「追々、話すよ。ぼくにはどうやら見当が付いたからね」

「ほう」

時枝伍一は、目をまるくして田原典太を見据えた。

「君、一番おかしいのは、堀越みや子の隣の部屋に移って来た大学生夫婦だよ。その若い細君のほうが十四日死体の臭《にお》いを隣の部屋で嗅《か》いでいる。それを理由に翌十五日どこかに引越したのだ。ところで、その臭いを嗅ぐのが早過ぎたというのは、ぼくが前々から考えていて、監察医務院の佐藤博士に訊いたくらいだ。なにしろ、死んだ翌々日にその臭いが隣室に伝わるとは、いくら嗅覚《きゆうかく》が鋭いと言っても、ちょっとおかしい」

「君は、その夫婦のことをしきりと気にしたね?」

「ぼくは、これが一番この事件の重点だと思うんだ。君も分るだろう。その大学生夫婦が堀越みや子の隣室に移って来たのは、崎山亮久の死体をわれわれが発見した四日前の十二日だ。ところで、崎山亮久の推定死亡時日も解剖によって、死体発見時より四日前となっている。つまり、同じ十二日だ」

「なるほど。それで？」

「夫婦がアパートを出て行ったのも、死体が発見される前日だった。この条件をよく考えてみよう。もう一つある。彼らは、来る時も、出る時も、近所の運送店を頼まなかった。一方、野吉も、予《か》ねて泥懇《じっこん》の酒業組合から自家用車を借り出している。その時日は、この前、君と話合った通りだ。即ち、五月四日、十二日、十四日の三日間だ。十五日は車の修繕に出している。シートの端が少し切り取られていたため、持主が不平を呟《つぶや》きながら修繕屋に出したのだ。君、これは何だと思う？」

　時枝伍一は目をつむっていたが、

「突飛な考えかもしれないが、血痕《けっこん》かな」

　と自信なさそうに言った。

「血痕ではないが、死体から出た汚物が僅かにそこに付着したのだ」

「死体だって？　誰の？」

「もちろん、崎山亮久さ」

「崎山だって？」

時枝はびっくりした。

「崎山は、堀越みや子が彼女の部屋で殺したのじゃないのか?」

「違う違う」

田原典太は激しく首を振った。

「あれは外から運ばれた死体だ。多分、それは行李《こうり》詰《づめ》になっていたんだろう。そして、死体の汚物の染《しみ》が行李の底から洩《も》れて、シートの端にかかったのだと思う」

「では、隣の学生夫婦か?」

「ぼくは、あのアパートの管理人のところへ何度か行った。ところが、最初に引越して来たとき、行李へ本を一ぱい詰めて、その夫婦はやって来た。ずいぶん重いもので、二階に上げるのに骨が折れたと言っていた。その引越して来た日が日曜日の十二日で、もとよりその中身は死体に違いなかっただろう」

「すると、その若夫婦がどこかで崎山亮久を殺害し、行李詰にして自分の部屋に運んだというわけか?」

「そうだ。それからは子供の頭脳でも解ける。堀越みや子の留守の間に、その死体を彼女の部屋に持込み、押入れの中に隠していたというわけだ」

「しかし、堀越みや子が外出の時は、部屋には錠を掛けて行く筈《はず》だよ。どうしてそれを開けて死体を中に持込めるのか？」

「それはわけはない」

田原典太は軽く笑った。

「崎山と堀越みや子とは出来合ってる仲だ。鍵《かぎ》は一つだけではない。みや子は、いつでも崎山が自分の部屋に来れるように、合鍵を渡していたわけだ。その合鍵は崎山のポケットにある。これを使えば造作なくドアは開く」

「なるほど。しかし、そんなことをして、よく他のアパートの住人に気付かれなかったな？」

「あのアパートは、君も知ってる通り、昼間は殆《ほとん》ど廊下に人が通っていない。それに、入ってすぐの階段となって、二階に上がる仕掛になっているから、いわばアパートとは言い条、それぞれの部屋が独立している。犯人はそのアパートの事情も充分に知っていたに違いない。だからこそ、その可能性を計算したのだ」

「しかし、行李詰の死体をアパートに運ぶのに使った車は、野吉が借りていた大東酒業の理事のものだろう？」

「そうだ」

「ちょっとおかしいぜ。だって、その汚物がシートの端に付いたのは、十四日に野吉が借りた時だろう。その翌日修繕に出してるからね。ところが、崎山が殺されたのは、十二日の午すぎとなっている。それに、その夫婦は、十五日にはもうどこかに引越しているからな」

「十四日は野吉が自分だけの目的で借りたんだ。四日の横井殺しのときも、平和島にはほかの車で往復してるんだ。ぼくは、そう推定している。それを混同するから錯覚が起った。だから、十四日に野吉が乗った時に、そのシートの汚点を発見したと思う。つまり、犯人は自分ではそれに気が付かなかったのだ。だから、野吉が犯人に汚物のことを教えると、犯人はあわてて野吉に、シートの汚点を切り取らせたのだろう」

「十五日は、野吉は車を借りていないね？」

「そうだ。若夫婦が若葉荘を出た日だね。それは他の車が使われたと思うんだ。自動車を修繕に出しているからな」

「しかし、十五日に彼らが引越したときにも、持って来たときと同じように行李の中は重かったというぜ」

「そうなんだ。出るときに軽くては辻褄《つじつま》が合わなくなる。そこで、その学生の女房が、毎日書籍を買込んで来ては部屋に溜《た》めていたというわけさ。それを行李に詰めると、死体の重さと同じ重量となったわけだ」

「では、その若夫婦は、計画的にそのアパートにやって来て、またすぐ引越したわけだな?」

時枝は訊《き》いた。

「そうなんだ。しかも、それだけではない、堀越みや子を誘拐《ゆうかい》したのもその一人だ」

「誘拐だって?」

「ほれ、堀越みや子は五反田の駅で春香の朋輩《ほうばい》と会っているだろう。彼女は五反田の駅の近くに呼び出されたのだ。彼女がにこにこしてそこに行ったのは、崎山の名前で呼び出されたからだ」

「しかし、君。崎山はすでに死んでいるから他《ほか》の者が呼び出したのはわかるが、堀越みや子は簡単にその呼び出しを信じて行ったのだろうか?」

「そこが大事なところだ。彼女は崎山の言伝《ことづて》をある人間から聞いた。しかも、それは崎山と友人だった。だから、信用して出て行ったんだ」

「その友人とは野吉欣平か?」

「そうだ。実は、野吉が堀越みや子を呼び出したんだよ」

「すると、犯人は野吉か?」

「いや、野吉はそういうことに使われただけで、犯人は別にいる」

「だれだ？」

田原典太は時枝伍一の耳にささやいた。時枝は仰天して顔色を変えた。彼は電気療法にかけられた人間のように、息をのんで硬直していた。

「なあ、時枝君。君、これからすぐに写真班を伴《つ》れて、ぼくの言うとおりの工作をしてくれないか」

時枝はまだ夢から醒《さ》めないような顔をしている。

ちょうど食堂も混んで来たので、二人は起ち上がった。

肩を並べて食堂を出た途端だった。ふらふらと歩いていた時枝が急に叫んだ。

「判った。カイダンの意味がわかったよ」

田原典太はにやりとした。

「そうだ、それがつまり動機だよ。可哀想《かわいそう》に、横井貞章はそれを察したばかりに殺されたんだ」

——夜になった。

九時ごろだった。田原典太は机に坐《すわ》って手紙を書いていた。

後ろに忙しい靴音が聞えて、時枝伍一が戻って来た。

「どうだった？」

時枝は一枚の写真を田原の前に出した。それは若い女の姿だった。自宅らしい家の前に立っているスナップだ。

「カメラマンが苦心して、やっと彼女が表に出て来たところを隠し撮りしたんだ」

田原はその写真を見ていたが、ひとり言のように呟いた。

「こうしてみると、女は怕《こわ》いね」

時枝も感想を言った。

「こんなやさしい顔をしていて、あんな犯罪に加担したなどとは、夢にも想像されないね」

「すべて、亭主が可愛《かわい》いからさ」

「そうかな、おれもそれくらいの女房を持ちたかったよ」

田原は、その写真をポケットに押し込むと、

「いろいろ、済まなかったな。おれは、これからちょっと、出て来る」

「どこへ行くんだ?」

「堀越みや子のアパートだよ」

田原典太は社の前から自動車を拾い、すぐに新宿に走らせた。いよいよ大詰だった。新宿までの三十分間、彼は車の中でいろいろな思案に耽《ふけ》った。

アパートの管理人はまだ起きていた。田原はすぐにおばさんに会った。

「どうも、度々、お邪魔します」

彼は頭を下げた。

「また、ご厄介をかけますが。おばさん、この女の人に見覚えがありますか?」

彼は、ポケットから写真を出して、管理人のおばさんに手渡した。

おばさんは、それをわざわざ明るい電灯の下に持って行き、穴のあくほど見凝《みつ》めていた。

「あ。この人ですよ。この人がわたしのアパートに引越して、すぐに出て行った人ですよ。死体の臭いがすると言って、ケチをつけた人に違いありませんよ」

「間違いありませんか?」

「間違うものですか。あんな騒動があったのですもの」

「きっとですね、何処《どこ》に行ってもそれをはっきり言えますね」

「ええ、それははっきりと言えます。……だけど、この写真、どこで撮ったんですか?」

おばさんはびっくりしていた。しかし、田原は、おばさんの確認がとれたら、それで充分だった。彼はろくろく挨拶《あいさつ》もしないで駆けるように自動車のところに戻った。

田原典太が社に帰ると、時枝はまだ残っていた。

机の抽出《ひきだ》しには書きかけの手紙がしまってある。田原はそれを取り出し、もう一度、自分の書いた文句に目を通した。訂正するところはなかった。

彼はその手紙に女の写真を添え、中型の封筒に一緒に収めた。

封をすると、彼は宛名《あてな》をゆっくりと書いた。

――東京都杉並区阿佐ヶ谷××町××番地　尾山正宏様。

彼は自分の書いた文字を鑑賞するように、しばらく眺めていた。それから、庶務係の当直を呼んで、この手紙を今夜速達ですぐ出して貰うように頼んだ。

時枝伍一は、田原のすることをさきほどから興奮しながら横に立って見戍《みまも》っていた。

「時枝君。これからすぐ警視庁に行こう。一課の一係は、誰か残ってる筈だ」

時枝伍一はうなずいた。

二人は肩を並べてエレベーターを降りたが、今度は二人とも元気がなかった。

車の中で、時枝は田原に訊いた。

「君が犯人に気付いたのは、やはり例のカイダンかい？」

「うむ、それもある。だが、今までどうしても解けなかったことが一つあったんだ」

田原典太は話した。

「前に、沼田嘉太郎が深大寺で、崎山と野吉と堀越みや子とに会っているね。これは、崎山がみや子を使って沼田を深大寺に呼び出したんだ。その後、みや子と野吉がそこに残って、崎山は沼田を連れてどっかに行っている。この辺がおかしかったんだ。沼田にとっては、崎山も野吉も仇敵《きゅうてき》だ。もちろん、警戒すべき相手だ。それなのに、沼田のような男がおとなしく崎山にくっ付いて行ったのが、どうも妙だと思っていた。普通なら、彼らの言うことに耳を藉《か》さず、断わるのが当り前だろう?」

「そりゃそうだ」

「後でハイヤーの運転手に訊くと、沼田と崎山の二人は、深大寺から三鷹《みたか》まで乗ると、彼らは駅前で降りたと言っている。そこで、二人は三鷹駅から電車を利用したということになる。まあ、電車を利用したか、他の車に乗り替えたか、そこのところは分らないが、要するに、彼らが行くべき場所が別にあったということだ。そして、その場所には、沼田を説得できる人物がいたということになる。だからこそ、その名前を聞いて沼田はおとなしく崎山に付いて行ったのであろう。つまり、崎山は沼田をそこまで連れてゆく案内人だったのだ」

「なるほど」

「あれほど元の古巣の税務署に恨みを持っている沼田を説得できる人物、これが何者か分らなかった。が、到頭、今度は解けたというわけだ」

「なるほどね。では、崎山は、その人物に何故《なぜ》殺されたんだ?」

「崎山は彼を脅迫していたんだよ。はじめは、動機こそ別々だが、その人物も、崎山も、沼田嘉太郎に対しては共同防衛だったんだ。ところが、その人物が沼田を殺した。恐らく、その現場に崎山も居合せていたのだろう。今までは自分をカバーしてくれていて、その人物に感謝しており、崎山は、元々、悪党だし、税務署のあらゆる悪事を一人でやったような卑劣漢だから、今度は逆に、その人物を威《おど》かしはじめたんだ。恐らく、崎山のやってる税務汚職は目に余るものになっただろう。その人物も、殺人という自分の弱みを崎山に握られているので彼を戒告するわけにもゆかず、いつかは最後の処理をせねばならなかったのだ。そして、ある機会が、その人物をして崎山殺しに踏み切らせたんだ」

「ある機会?」

「それがカイダンを一歩上ったときだよ。いみじくも横井貞章は言ったな、この殺人の動機はカイダンだ、とね」

車は警視庁の正門に着いた。

二人は地下室に降りて、捜査一課の一係の部屋を覗いた。すると、今夜の当直の班に、A刑事とB刑事の顔があった。二人は武蔵境の沼田嘉太郎殺しの捜査担当者だ。恰度《ちょうど》よかった。

田原典太は、A刑事を部屋の廊下に呼び出した。

「何だい、今ごろ？」

A刑事は、将棋の勝負の途中に呼び出されて不服そうな顔をした。

「例の料理屋の女中で、崎山法人税課長の情婦、堀越みや子の行方が分りましたよ」

「えっ？」

彼はしばらく田原典太の顔を見つめていたが、

「ガセを言うなよ」

と一言吐いた。

「冗談じゃない。だれが酔興に、こんな時間にあんたにガセを言いに来ますか」

「じゃ、どこにいる？」

「都内ですよ」

「都内？　都内のどこだ？」

「此処《ここ》ですよ」

田原典太は、自分の手帳に書いていたものを破って渡した。

A刑事は、廊下の電灯の光に透かして見ていたが、

「都内大田区××町都南病院」

と声を出して読んだ。

「何だい、これは？」

「精神病院ですよ。そして、堀越みや子が気違い扱いされて、そこの格子戸《こうしど》の中に監禁されているんです。早く行かないと、彼女も殺されるかも分りませんよ」

「嘘《うそ》つけ」

「嘘なもんですか。都南病院の院長を調べてごらんなさい。この院長は、R税務署の署長尾山正宏の兄貴ですよ。院長の名前も、やはり尾山になっています」

A刑事は目をむいて、飛び上がらんばかりになった。

田原と時枝とは、何か喚《わめ》いているA刑事を後にして警視庁を出た。

「やれやれ、これでやっと堀越みや子だけは助かったな」

二人は、それぞれの下宿の途中まで一緒の車に乗った。

「しかし、君はどうして、その精神病院のことを尾山の兄貴の経営だと分ったのかい？」

時枝が訊いた。

「ぼくが捜したんじゃないんだ。それは、前に尾山署長自身の口から聞いていた。いつぞや、R税務署にぼくらが署長を訪ねて行った時署長はぼくらにこう言ったんだ。『近ごろの社会が複雑になって、すべての人間の思考状態も神経過敏になっている。このごろ、新聞広告にノイローゼの広告がやたらに出るのもそれを立証する。自分の兄貴は精神病の医者ですがね、兄貴もそう言っています、入って来る患者の多数がノイローゼだ』とね。当時、その話を、ぼくは何でもない世間話として聞いていたが、後になって思い出したんだよ。その思い出したのも、堀越みや子の降りた五反田の駅を偵察に行き、偶然、野吉の家が洗足池駅の近くにあることを知ったときだ。野吉の家に行く途中、この都南病院の立看板を見たんだよ」

「へえ、因縁だね」

「そうだ。何か見えない糸が続いてるような気がする。しかし、その立看板を見たときも、ぼくは気がつかなかったんだ。後になって、やっと尾山の話を思い出し、立看板に思い当ったんだがね。それから、その精神病院の院長が尾山の兄貴ということも確かめた。こうなると、もう問題ではない。堀越みや子が五反田の駅に降りたのも、それをうまうまと誘って病院の中に入れたのも、みんな尾山正宏の指図だ」

「すると、兄貴もそれを承知して、堀越みや子を監禁したのか？」

「さあ、その辺だ。ぼくにも考えがあるが、その解決は、いずれ尾山自身の口から聞くことにしよう。まあ、大体、ぼくの推察とあまり違わないと思うがね」

「すると、堀越みや子の隣室に日曜日に引越して来た学生夫婦というのも、尾山署長夫妻だな」

「そうだ。ぼくも阿佐《あさ》ヶ谷《や》の尾山署長の家を訪ねたがね、そのときに奥さんに会った。色の白い、すんなりとした、育ちのいい女性だということを憶《おぼ》えている。彼女が主人を助けて崎山殺しに一役買ったのだ。ほら、君はアパートのおばさんが言ったのを憶えているだろう。彼女の夫の大学生のほうは滅多に顔を見せなかった。そして、たまに来るときは鳥打帽子を目深《まぶか》に被《かぶ》っていた、と言ったじゃないか。尾山正宏はまだ若い。大学生というふれ込みでも、アパートのおばさんには充分通じるよ。彼女は、その間、阿佐ヶ谷の家を留守にしていた筈《はず》だ。尾山のほうは一人で阿佐ヶ谷の自宅に帰り、そこからR税務署に出勤していたというわけだ」

「しかし、尾山の細君は、大蔵省の故岩村次官の娘だろう？」

「そうだ。だから余計いけなかったんだ。尾山正宏は、現次官にも嘱望されていて、その一家のホープだったんだ。その彼が沼田嘉太郎を殺した。いや、恐らく、これは計画的でなく、偶然そうなったのかも知れない。いずれにしても殺人を犯した。さあ、こうなると、何とかして尾山を助けねばならない。そこで、一家が総ぐるみになって尾山正宏を庇《かば》ったわけだ。兄貴の精神病院長も一役買ったし、彼の細君も献身的な協力をしたわけさ」

「尾山は何故沼田を殺したんだ？　彼には沼田を殺す理由は何も無いじゃないか」

「それが君、カイダンだよ」

「あ、そうか。つまり、彼の出世に瑕《きず》が付くというわけだな」

「そうなんだ。尾山は、いわゆる税務署用語で言う学士さんだ。彼は一時的に現場の税務署長づとめをしたのだが、すぐに本省に返されて、予定された出世コースを進むことが以前から決っていた。以下はぼくの推定だがね、尾山署長はR税務署に来て、法人税課長の崎山亮久と、間税課長の野吉欣平との目に余る汚職ぶりを気付いたに違いない。彼は恐れた。もし、これが表に出たら、自分に責任がかかって出世が一時止まってしまうだろうとね。ああいう秀才型の官吏にとっては、出世が遅れることは死よりも辛《つら》いんだ。そこへ、もっと悪いことが起った。それは、例の沼田嘉太郎だ。沼田は前のP税務署時代、崎山と野吉に騙《だま》されて詰腹を切らされ、罠《わな》にかけた崎山と野吉とに憤慨している。で、何とかして仇《かたき》を取ろうと狙《ねら》っている。その事情が尾山の耳にも入ったのさ。恐らく、沼田は尾山署長宛にも、じかに投書したことがあったかも知れない」

車は郊外へ進んでいた。

「ところが、崎山も野吉も沼田を恐れている。そこで、沼田を何とかしてなだめることを尾山に相談したんだ。尾山も自分の身に降りかかる火の粉だから、別な立場ながら、何とかして沼田の行動を静めたい。それが深大寺の崎山、野吉、沼田に堀越みや子を入れての会見となり、さらに、崎山と沼田の二人だけが阿佐ヶ谷の尾山宅に連れ立って行ったということになったと思う。つまり、深大寺では、誘い出した崎山と野吉とが沼田に、しきりと尾山宅に行くことを説得したわけだ」

「ああ、それで三鷹駅の前で車を降りたのか?」

「そうなんだ。ぼくは例の三角形の地図に阿佐ヶ谷を抜かしていたよ。吉祥寺には崎山の家があるから、てっきり崎山だけを考えて、吉祥寺―武蔵境―深大寺と三角形を結んだ。しかし、吉祥寺から三つ目の阿佐ヶ谷までは気が付かなかった」

「そこへ誘い出された沼田は、談判不調で尾山に殺されたというわけかい?」

「談判不調は恐らく当ってると思う。しかし、尾山には恐らく沼田を殺す意志はなかったと考える。事が面倒になり、尾山が短気を起して沼田を殴ったか、蹴《け》ったかした。沼田はあの通り生活に苦労してるくらいだから、身体《からだ》も丈夫でない。そのはずみで沼田は顚倒《てんとう》し、遂《つい》に絶息した。尾山夫人も、そこに一緒に居た崎山も、びっくりしたに違いない。誰よりも蒼《あお》くなったのが、当の尾山正宏だ。彼は町医者を呼ぶわけにもゆかず、つい、自分の兄貴の、都南病院の院長尾山博士を、急遽《きゅうきょ》、電話で呼んだと思う。博士は診察して、沼田がもう生き返らないことを言い聞かせた。そこで、一家ぐるみの正宏に対する防衛がはじまったと、こうぼくは解釈している」

「それから、沼田の死体を武蔵境に捨てに行ったというわけだね?」

「そうなんだ。そのときに使用した車も都南病院の車を使ったと思う。だから、いくら営業用のハイヤーやタクシーを捜しても分らなかったわけだ。また、例の野吉が借りていたという酒業組合の車でもなかったわけだ」

「沼田の死体の発見が遅れているね?」

「そうだ、あれはずいぶん遅れた。捨てるほうもそれを意識して、極めて辺鄙《へんぴ》な所を選んだのだろう。これは成功している。実際、沼田の死体が出て来たときは腐爛《ふらん》していて、一部には骨が見えていたくらいだからね」

「なるほど。では、横井貞章殺しはどうなんだ?」

「あのことは、ぼくもよく分らない。これは想像だがね、横井は早くも尾山がおかしいと思ったんだろう。なにしろ、あの男は税務事情に通じているから、その間のいきさつを推測したのだ。そこで、彼は尾山に密《ひそ》かに会見を申し込んだ。尾山もそれを承知して、どこか場所は分らないが、二人で会った。四日は土曜日で税務署は半ドンだね。この時はすでに、尾山には殺意があった。彼は、沼田を殺しているから、一つの殺人を蔽《おお》うためには第二の殺人もやらざるをえない。というのは横井はすでに沼田殺しの手がかりを或《あ》る程度つかんでいたのではなかろうか。でなければ、いくら尾山だって、横井にまで殺意を起すわけはない。ぼくは、横井が電話で言った『カイダン』のほかに、『古物屋』の一語がヒントだと思う。しかし、これは、いくら考えても分らない。まあ、尾山の自白をまつほかはないだろうね。ところで、横井のほうは、まさかそこまでは気が付かないから、うっかり油断してる隙《すき》に、尾山のために襲撃されたというわけだ。そして、例の大森の平和島にその死体を棄《す》てに行ったのも、その運搬に都南病院の車が使用されたと思う」

「なるほどね。すると動機は自己防衛だね。横井貞章の言い方をすれば、カイダン、つまり出世を一歩一歩上ってゆく階段が、尾山の犯罪動機の要因というわけか。しかし、その推察は当ってるだろうか?」

「それが当ってるかどうかは、尾山正宏の口から聞くほかはない」

「それはいつだ?」

「多分、明日《あす》だろう。……おっと、運転手さん、そこで降ろしてくれ。ぼくの家はこの辺だ」

20

翌日、午前十一時四十分ごろ、警視庁の刑事一行が阿佐ヶ谷の尾山正宏の自宅を訪問した。総勢八人だった。

四人が自宅の周囲を警戒した。残り四人が玄関に向かい、主任の警部補がブザーをおした。奥でブザーの鳴っている音が聞えるのだが、誰も出て来る気配はなかった。

刑事たちは顔を見合せた。悪い予感がどの顔にも不安な表情で現われた。主任の警部補が目配せすると、三人の刑事は横に回って、庭先のガラス戸を叩《たた》いた。一人の刑事は庭から縁側に上がって、ガラス戸の上から中を覗《のぞ》いた。彼はそこで大変なことを発見した。

合図があった。三人はガラス戸をこじ開けた。彼らが座敷に殺到したとき、一人の女が座敷に敷いた布団《ふとん》の中に横たわり、一人の男が立っていた。女は息が絶え、男は放心したように目を虚《うつ》ろに開けていた。

「自殺している」

女の死体に屈《かが》み込んだ刑事が叫んだ。きれいな顔はやさしい表情を泛《う》かべ、頬がバラ色だった。

「青酸加里だな」

刑事が呟《つぶや》いた。

刑事たちが入って来ても、尾山正宏は意識の無い人間のように、棒のように佇立《ちょりつ》していた。

「尾山さんですね？」

返辞はなかった。相変らず、目を宙に向け、口を開けていた。真《ま》っ蒼《さお》な色をしていた。

「逮捕状です」

主任は、たたんだ紙を尾山の前に拡《ひろ》げた。が、尾山正宏はそれに目を落そうともしなかった。髪が彼の聡明《そうめい》な広い額に乱れかかっていた。

「分っています」

しばらくしてからの彼の返辞だった。呟くように低い声だった。

刑事の一人が素早く尾山の身体《からだ》を探った。毒物を持っていないかという懸《け》念《ねん》からだったが、青酸加里の包の代りに、一通の分厚い封筒が出て来た。主任が開いた。遺書だった。

「すべては、そこに書いてあります」

と尾山正宏は同じ呟きに似た声で言った。

「妻は自殺しました。お恥ずかしいが、ぼくは死に遅れたのです。こうなった以上、ぼくは生きて裁きを受けます」

警部補はうなずいて、手錠を掛けた。

他の刑事は電話のあるほうへ走った。すぐに鑑識課に連絡するためだった。

警部補は、その「遺書」に一通り目を通した。電話には刑事が興奮して叫んでいた。

「――私は大蔵省に入ったとき、私のバラ色の人生がはじまったと思った。私の将来は、この時に約束されたと信じた。私は皆から秀才だと言われ、役人になってからも周囲から期待を寄せられていた。私は早くも将来の局長を皆から予想され、私自身もそう思い込んでいた。

このことが一層はっきりしたのは、次官の岩村の娘を貰《もら》ってからだった。官僚の出世は、その実力のほかに、閨閥《けいばつ》が大いにモノを言うことを私は知っていた。もっとも、岩村がその娘を私に呉《く》れたのも、私個人への期待だけではなく、将来、彼自身が政界に出てからの大蔵省における発言権を、私に温存させる布石でもあったのだ。しかし、そんな他人の思惑はどちらでもいい。私はただ出世街道を大股《おおまた》で歩けばよかった。

私は本省勤めを二年やった。自分で言うのもおかしいが、同期に入った連中よりも私は仕事が出来たと思う。そのうち、出世コースの誰もが一応は踏まなければならない地方税務署への転出となった。私は勇躍してR署長となり、現場事務の勉強をはじめた。私は、ここで私の大きな破滅があろうなどとは、夢にも思っていなかった。

R税務署に赴任して来てみると、署員の汚職ぶりは、私の目を蔽《おお》わせるものがあった。しかし、彼らはそれを汚職とも思っていなかったので、余計に私はショックをうけた。彼らは、私の前ですら憚《はばか》るところなく、業者からの供応を誇示するのであった。

その中で最も悪質なのが、P税務署から、私の赴任後一年にして移って来た崎山亮久と野吉欣平である。崎山は、P税務署時代、或《あ》る金融会社の汚職に関係し、そのホトボリを冷《さま》すためにこちらに転任になったようなものだった。野吉は崎山の手下同然で、これも一緒にP税務署から移って来たのだ。

崎山は、しばらくおとなしくしていたが、やがて本領を発揮しはじめた。性懲《しょうこ》りもなく、彼は悪質な収賄《しゅうわい》をやりはじめたのである。私は不安になった。もし、このまま彼らを放置せんか、いつかは当局の摘発を受ける危険があった。そうなると、私の出世に瑕《きず》がつくのだ。私は上司に運動して、早く本省に還《かえ》してもらうように頼んだ。しかし、在任僅《わず》か一年ではそれも出来なかった。岳父の岩村にも依頼したが、他に例が無いからもう少し辛抱していよ、ということだった。そのうち、頼みに思う岳父は死亡した。

私は、はじめて自分の署長という地位がロボットであることに気付いた。私は署長だが、書類一枚といえども下僚の手を経ないでは処理出来ないのである。それに、私は実務がよく分らなかった。もし、私が彼らに、汚職を止めよ、と高圧的に出れば、彼らは意地悪く、執拗《しつよう》に、陰険に、私を虐《いじ》めるに相違なかった。課長、係長クラスは殆《ほとん》どいわゆる『兵隊上り』で、実務の操作については熟練工だった。私は『学士さん』の坊っちゃん署長にすぎず、実務は何も知ってはいなかった。

私は来る日も来る日も、薄氷を踏む思いで過した。もし、ここで汚職事件が起れば、署長として私は責任を問われ私の出世は一時停止するのである。同期生は私に対して嫉妬《しっと》している。だから、ざまあ見ろ、と嘲《あざけ》るに違いない。いや、その嘲りが私の耳にも聞えそうだった。私の唯一《ゆいいつ》の願いは、一日も早く本省に還してもらうことだった。

悪いことが起った。或る日、崎山が私の所に来て、小さい声で相談するのだった。

P税務署時代の同僚で、沼田嘉太郎という男がいる。これは例の金融会社汚職問題で馘首《くび》になったが、それをひどく恨んで、しきりと当税務署の汚職事実を探っている。このまま放置すると、妙なことになりかねない。だから、署長からひとつ彼をなだめてもらえないか。自分たちでは手に負えない。署長が条理を尽して彼を説得して下さればこの上ない、ということだった。私は何も知らないままに承知した。実は、それが崎山の罠《わな》だったのだ。崎山は早くも私の心理を見抜いていたと言っていい。どこまでも狡《ずる》い男だ。

話は、私の自宅に沼田を連れて来るということに決った。その日に、私は阿佐ヶ谷の自宅で待った。その時は、沼田と崎山二人だけだった。

さて、話に入ったが、代、崎山に罠にかけられたことを怒り、興奮していた。もとより、若い私の言葉など耳にも入らなかった。のみならず、彼は私が『学士さん』だという理由だけでも私を憎んでいた。沼田嘉太郎のように、永年、税務署でつとめ上げた『兵隊』は、私たちのような『特権階級』に憎悪《ぞうお》を燃やしている。いや沼田に限らず、これは、『兵隊』全部がもっている意識だ。彼らの劣等感が『学士』に対して、嫉妬、軽蔑《けいべつ》、意地悪さ、憎悪を育てている。遂《つい》に彼は私をも一味と言いかねないような激しい言葉を投げ付けはじめた。私は嚇《かつ》となった、若かったのだ。崎山は横でニヤニヤ笑っていた。それも私の癇癪《かんしゃく》を余計に起させる原因になった。思えば、崎山は何から何まで私を破滅に導くよう計算した男だ。

私は柔道にはいささかの心得がある。しかし、その時は、自分の技《わざ》を使うほどの余裕もなかった。私は怒りにまかせて、悪態を吐きつづけている沼田に躍りかかった。沼田は枯木のように他愛もなく仆《たお》れた。そして、彼の後頭部は、応接間の隅に置いてある等身大の布袋《ほてい》の石像の頭部に当った。この布袋の石像は、私が岳父からもらって記念として大事にしていたものだ。

私はあわてた。沼田嘉太郎は呼吸《いき》をしていなかった。私は普通の医者を呼ぶことが出来ず、仕方がなく、都南病院の院長をしている兄貴に相談のために来てもらった。兄貴は、すでに沼田が死亡していることを告げた。私の妻は外出中だったが、帰って来てこの有様を見て、泣き出した。それから、兄貴、私、妻、それに崎山の四人で相談がはじまった。崎山は別として、兄貴も妻も、私の将来がこれでメチャメチャになるのを嘆いたが、とにかく、この場を何とか切り抜けることに必死の努力を払うことに話が一決した。さし当っては沼田の死体の遺棄である。できるだけ人の目に触れない場所に置くことを考え、兄貴の車に死体を乗せ、武蔵境から北へ二キロの畑の中に捨てに行った。この場所の選定も崎山が考え出したのである。被害者の身元が分らぬよう、死体からオーバーや上衣《うわぎ》をはぎ取った。この衣類の処分は兄貴に任せた。あとで聞くと、兄貴は病院のボイラーで焼却したといっていた。

私は懊悩《おうのう》した。しかし、私には自分の出世という未練があった。私のみならず、兄、妻も私のために懸命に計らってくれた。ただひとり崎山だけは、完全に私の弱点を握って北叟笑《ほくそえ》んだ。

それからである。崎山は急に私に対して陰の暴君となりはじめた。役所でこそ私の命令を聞いているような格好をしていたが、私は彼のために事実上の従僕となった。崎山はそれまでやってきている汚職を今度は傍若無人にやりはじめた。私の最も恐れていることを、彼は人もなげに大胆に遂行しはじめたのである。署長は彼の眼中になかった。

私は一日も早く本省に還ることを願った。

再び猛運動を行った。が、何といってもまだ予定の期間に満たないので、そのつど慰留された。私は焦慮した。どうか自分の犯罪がバレないように。そして、崎山一味の汚職が表に出ないようにと祈った――」

「そのうち、思いもよらぬ人物が現われた。横井貞章という人だった。彼は前に税務署関係の内報屋をやっていただけに、税務署の内情には委《くわ》しかった。彼は沼田殺しについて、どうやら私に目を付けたようだった。

彼は、或る日、私に面会を求めて来た。私は自宅で会った。すると、彼はそれまで事件の内容を相当調べていて、私を恐怖させた。彼の調査が、私の犯罪の一端を摑《つか》んでいたからである。その日はそれで別れたが、また翌日の土曜日の晩に彼と会うことを約束した。

横井氏の調査が私を畏怖《いふ》させたのは、例の布袋の石像だった。石像は、沼田の死んだ直後に、私がその個所を洗い、かねてこれを欲しがっていた近所の古物屋に売ったのだった。これを私の家に置くのを妻が嫌ったからだ。横井という人は恐ろしいひとだ。私の家を探査するうち、近所の古物屋の店頭に置いてある布袋の石像に目をつけたのだ。いまどき、等身大の布袋の石像とは珍しい。どうしても大正時代のものだ。横井氏は私の岳父のことを知っている。彼は税務関係の内報屋をしているとき、当時大蔵省主税局長をしていた岳父の自宅を訪問して、その応接間にこの布袋様のあるのを記憶していたという。ピンときた彼はその石像の出所が私の家だということを突き止めたのである。沼田嘉太郎の当時の検死は、後頭部を鈍器様の物で殴られたのが致命傷だ、と決定されていた。布袋の石像の頭の鈍い円味が、そう鑑識に鑑定させたのである。

私はあの忌《いま》わしい石像をわが家から放逐するだけで他のことは考えていなかったのだ。私はいくら乞《こ》われても近所の古物屋などには売らずに、あれを海中にでも捨てればよかったと後悔した。しかし、遅かった。横井という人は烱眼《けいがん》にも、それが『鈍器』の実体だと気付いたのである。

私は恐怖した。そして、自分の犯罪を防衛するために、第二の殺人を実行せねばならなかった。横井の買収は利《き》かなかったのだ。翌晩、約束通り、横井氏は私の家に単独で来た。この時も兄貴と妻とが協力してくれた。横井貞章は私の手で頸《くび》を絞められ、兄貴の車で平和島に運ばれた。私は二つの殺人罪を重ねたのだ。そのあと、例の布袋の石像は古物屋から無理に理由を言って買い戻し、すぐに車で晴海埠頭に運んで海中に捨てた。これで一安心だった。

ただ、ひとり、崎山はこの事情を知っている。

崎山は私にとっての最大の敵だった。彼はいつ私の犯罪をバラすか分らない危険があった。彼は今でこそ、自分のために私を利用しているが、いざとなれば、必ず私を売る男だ。私は、当然、崎山の処置を考えていた。しかも、その時機が早く来た。つまり、やっと念願の本省に還ることが聞き届けられたのである。その内命は、故岳父の岩村がひいきにしていた上司からあった。

私は喜んだ。しかし、私が本省に還っても、絶えず崎山から脅迫される立場にあることに私は気付いた。私が出世すればするほど、彼の脅迫は酷烈になるに違いない。それに、いつ、彼の傍若無人な汚職ぶりが摘発を受けるか分らないという惧《おそ》れもあった。もし、そうなれば、本省に還っても署長時代の責任は当然私にかかる。さらに、いざとなれば、崎山は私の殺人罪までべらべらとしゃべりかねない。彼を処理するのは、私が本省に還る直前の機会でなければならなかった。

私は都南病院の兄貴と相談した。崎山には情婦がいた。料理屋の女中だ。それが堀越みや子という名で新宿の若葉荘というアパートにひとりで暮し、ときどき、崎山が通って来ることを私は探知した。計画はそれから進んだ。

私は妻の計画で、大学生夫婦というふれ込みで、崎山の情婦の隣室を借受けることに成功した。崎山を殺して、堀越みや子の犯行に見せるため、彼女の押入れに死体を置くことを考えたのだ。死体を運ぶには行李詰《こうりづめ》がよかった。これはアパートの入居のときに持込むことにした。そのため、アパートから引きあげるときも、大きな行李は同じ重量でなければならない。

私はひそかに崎山を五月十二日の午後二時頃自宅に呼び、柔道で彼を投げつけ、気絶しているところを紐《ひも》で捲《ま》いて絞めた。すべての実行は巧《うま》く行った。

崎山を自宅に呼ぶには、私の妻が一役買った。前日の十一日は土曜日なので、私は午後一時ごろ役所から帰った。三時ごろ、まだ居残っている筈《はず》の崎山に妻が電話をかけ、『明日午後二時までにこっそり宅に来て下さい。主人が秘密な御相談があるといっています。尚《なお》、私の家に見えることはどなたにも絶対に口外しないで下さいとのことです』と言わせた。崎山は『分りました。それではその時間にこちらから行きます』と返事したそうである。この崎山の電話の答えだけを傍で聞いた者が捜査当局に証言したため、『女の声』は堀越みや子からの誘い出しだと当局に誤認されて、さらに都合がよかったのだ。

今度は、行李から出した崎山の死体を堀越みや子の押入れの中に入れるため、彼女を外出させねばならなかった。それに、彼女を犯人に仕立てるには、永久に行方不明とせねばならなかった。彼女を隠す場所は、兄貴の精神病院の、最も狂暴な患者を入れる病室を選んだ。この部屋は鉄格子《てつごうし》が嵌《はま》っている。脱出は絶対に不可能である。気の毒だが、堀越みや子には、当分生きながら気違いとして送ってもらうことにした。病院の看護婦たこれだと外界と遮断されているので、誰に気付かれようもなかった。

ちも、患者よりは院長の言葉を信じる。そのうち、適当な時に堀越みや子を衰弱死させるか、薬殺することになっていた。医者が死亡診断書を書くのだから、この犯罪はばれる気づかいはない。

みや子を五反田の駅近くに呼び出したのは私である。私は崎山の代人と称して、前の晩に、箱根に一泊旅行したいから、五反田の駅の近くの或る喫茶店に来るように春香に電話した。みや子は崎山から捨てられて彼を大いに恨んでいたが、やはり彼を忘れかねていた。崎山も時々は彼女をかまっていたようだ。このへんの男女関係は複雑である。とにかく、堀越みや子は少しもその偽りの伝言を疑わず、嬉々《きき》として翌日、指定の時間にその喫茶店に現われた。そこに待っていた私の妻はみや子を騙《だま》して、うまうまと兄貴の精神病院に送り込んだ。門内に一歩入れば、もう脱出は不可能である。こうして、堀越みや子は失踪《しっそう》のまま崎山殺しの犯人として当局の追及するところとなった。

一方、堀越みや子が兄貴の病院に入るや否《いな》や、私と妻とは、崎山の死体を詰めた大型行李を持ってアパートに引越した。おばさんには、これは書籍だ。と言っておいた。部屋に入れると、死体を出して、死人の洋服のポケットにあったみや子の部屋の鍵《かぎ》を取出した。そして、彼女の部屋の戸を開けた。私が死体を抱きかかえてみや子の押入れの中に入れた。そして、再び鍵を掛けて帰った。この間、アパートの住人は誰も廊下にいなかった。もっとも、この時間には誰も廊下をうろついていないことを妻が調べていたのだ。

それから予定通り、口実を設けて、死体の発見される前に、妻はアパートを引揚げた。行李の重さを死体詰のときの重量と同じにするため、妻が外出のたびに買っていた書籍を詰めた。アパートのおばさんは、私たち夫婦が部屋から重そうに行李を運んだのを見ていた筈だ。

アパートに入ったときは、野吉に借りさせた車のほかに、兄貴の病院のオート三輪車を使った。

ところが、思わぬ失敗をした。行李の底の隅に、崎山の死体を運ぶときにこぼれた彼の汚物が付いていたのだ。それに気が付かなかったのは私の不覚だった。野吉に後で、借りた車のシートに変な物が付いていた、と聞かされたときは仰天した。すぐ、野吉に命じて、そこを切り取らせた。

危ういことだった。

野吉は気の弱い男である。彼は崎山の子分格だった。だが、さすがに崎山も野吉を警戒して、肝心な所には野吉を立会わせていない。

さて、万事は成功だった。ああ、これで私の危難は逃れた、と思った。しかし、別な伏兵があった。新聞記者の田原という人である。

この人は私の家にも来ている。また役所にも来て私からインタビューを取っている。が、その悉《ことごと》くが事件の追及の偽装だとは気が付かなかった。

今朝のことだ。田原君から速達が届いた。私は封筒を開いた。すると、思いがけなく妻の写真が入っているではないか。妻もびっくりしていた。いつ写されたか分らなかった。が、手紙を読むと、私たちの愕《おど》きはもっと大きかった。それには、私の犯罪が大した間違いもなく書かれてあった。最後は、私に自首を勧めた文章だった。

私の前途は真っ暗になった。も早、私は自分の生涯の念願である『出世』を諦《あきら》めねばならなかった。私に『出世』が遁《に》げてしまったら、私の人生に一体何が残るであろう。私は小学校時代から秀才で通し、高等学校は都内の有名校に優秀な成績で入り、そこを首席で卒業し、わけなく東大に入った。そこでも秀才の名を得た。私は『出世』というものに妄執のように囚《とら》われていた。

嗤《わら》う人は嗤うがいい。私は自分の人生の念願に破れた今、もう生きる希《のぞ》みを失った。のみならず、私は三つの殺人罪を犯している。協力者は妻だった。

も早、私たちの前途は死よりほかに無かった。妻は私の絶望を聞いて、一緒に死ぬことを言い出した。私は承諾した。私は妻に感謝したい。妻こそ私の気持を一番理解し、私を愛してくれたこの世の中の唯一《ゆいいつ》の女である。私も妻以外の女性を知っていない。

私は大急ぎで、この長い遺書を書いた。私はこの遺書が警察の調書の代りになることを信じている。恐らく、この手記が警察官の手に渡っているときは、私たち夫婦の生命はこの世から消えている筈である。

私は選ばれた一人だった。そして、私自身に思い上がったエリート意識があった。しかも、この意識のために私自身が破滅に陥ろうとは、想像もしなかった。私の犯罪の動機は、世人には理解出来まい。しかし、人間の持つあらゆる個々の動機は、いかなる第三者にも理解しがたいのである――」

田原典太と時枝伍一とは、飲み屋に坐《すわ》っていた。

二人の間には、一枚の夕刊が置いてあった。社会面のトップに、税務署長の殺人事件が大きく出ていた。記事は、田原と時枝とが手分けして、機関車のように凄《すさ》まじい勢いで書いたものだった。

記事は、どの新聞社よりも田原たちの書いたものが充実していた。編集局長は、完全に他社を制圧したと喜んで、二人の肩を叩《たた》いた。局長賞は間違いなかった。

しかし、田原と時枝は、酒を呑《の》んでいても少しも勝利感はなかった。仕事には勝っても、心の中には、それについてゆけない寂寥《せきりよう》感が、隙間《すきま》風《かぜ》のようにうら寂しく吹いていた。

記事の中の写真は、尾山署長の手錠を掛けられた姿と、死んだ尾山夫人の顔と、都南病院長の尾山の実兄と、野吉欣平のうなだれた姿とが載っていた。野吉は、一応、共犯者の疑いで逮捕されたのだった。

その四つの写真とも、二人の気持を沈ませるだけだった。

「長い事件だったね。しかし、こういう結末になってみると、なんだか後味が悪いな」

時枝伍一が不味《まず》そうに盃《さかずき》を唇から離して言った。

「厭《いや》な事件だったね。ぼくは夢中になって記事を書いていたが、しまいには、だんだん厭になってきたよ」

田原典太は、酒を咽喉《のど》に流して言った。

「これで税務署も、少しは反省するだろうか？」

時枝が言った。

「反省するもんか。一つの悪事が出れば、もっと巧妙に立回るだけだよ」

田原は腕を組んで両肘《りょうひじ》を突いた。

「税務署員が、そういう小さな汚職を汚職と考えない限り、後から後から根は絶えない。ぼくらが憤慨するのはね。ぼくたちの給料がガラス張りで税金が天引されているだけを言ってるんではない。また、正直者がバカをみるということだけでもない。それは、現在の重税では中小企業者の中には営業がなり立たない者もいるだろう。税金をまけて貰《もら》うのはいいのだ。しかし、そういう納税者の弱点につけ入って、昔の岡《おか》っ引《ぴき》みたいに、タダ食い、タダ呑みするばかりか、業者に女をねだり、高価な物品を買わせ、札束をうけ取っては己れの懐《ふところ》を肥えさせて恥じない、税務官吏の悪辣《あくらつ》なやり方が憎いのだ。しかしぼくがこう言ったからといって、彼らはそれでも尚それをつづけるだろうね。これ見ろ、この同じ紙面に、O税務署の目下の汚職事件が出ているじゃないか」

田原典太は、その記事に指を当てた。

『税務署汚職さらに拡大。係長級など数人。逮捕者の自供から浮かぶ。——

警視庁捜査二課で追及中のO税務署汚職事件は、徴収関係から法人税関係へと飛び火、税務署数も四カ所と規模も大きくなってきた。今までの税務署汚職は、機構上の盲点から、事件の摘発も単発的に終ってきた。ところが、今度のO税務署徴収課徴収係徳田寛二（三五）（既逮捕）にはじまった税務署汚職の取り調べから、税務署と大口納税者のくされ縁は意外に根強く、このままでは正直な一般納税者がバカをみる結果にもなるので、当局でも強硬な摘発方針でのぞむことになった。税務署員の中には、納税期日を遅らせたり、競売になった差し押え物件が他人の手に渡らないように便宜を図っては多額の謝礼を各方面から受け取り、芸者を身請けしたうえ大森の料理屋に入りびたり、勘定は業者に回していた。東京国税局では以前から何回となく指示、通達などで汚職防止を図ってきたというが、終戦直後の生活費の不足を補うという〝生計型〟から、最近では収賄《しゅうわい》金を酒、女などにつぎ込む〝遊興型〟に変ってきており、しかも慢性化しているだけに、監督の強化とは逆に悪質化している。また、税務署員は多くの会社に脱税のため手当をもらって雇われ、裏帳簿を作っている例がザラに多く、このほうの摘発も進められている』

「これだって氷山の一角だよ。彼らに言わせれば、ばれたのは運が悪かっただけなのさ」

田原典太は、頭の毛をごしごしと掻《か》きながら言った。

「尾山は、どうして、妻に死に遅れたのだろう？」

時枝伍一が田原を見た。

「さあ、そこがインテリの弱さだな。いざとなって怯《ひる》んだのだろう。しかし、尾山は生き残った方がよかったのだよ。法廷に出て、悪税吏の汚職ぶりを徹底的に述べて貰いたいね。それは全国の正直な税務署員のためでもある。ことに正義感に燃える若い署員のためにね」

田原典太は自分の盃に銚子を傾けた。

解説

小松伸六

昔のようにお役人が「天皇の官吏」という名で絶対権力をふるうことはさすがになくなり、戦後の官僚組織のなかにもお役人は「公共性」をもたねばならぬとか、人民の「公僕」であるという考え方は入っているように思われます。

しかしそれは形の上のことであって、たとえば、「官尊民卑」の思潮は依然として残っているのではないでしょうか。とくに税金をとるお役所の役人に対しては「民」は卑屈なほど戦々兢々《きようきよう》としていることは、皆さんも御承知のことと思います。「官」への追従《ついしよう》、懐柔、供応そして汚職はそこから生れるのです。これは「民」の方からみた俗な場合ですが、「官」の内部にもそれがあるのです。この作品における「学士さん」とよばれ、上級官吏への自動的昇進(出世)を約束された幹部候補生の若き税務署長尾山の無意識の優越感にこれがよくあらわれていると思います。彼の連続殺人が、この作品の絶対的興味だとは思いますが、その裏側にはこのような官僚機構とそれにのっかって出世しようとする尾山の心理的風土が色濃くうつされています。そして上役尾山の足をひっぱろうとする下部官僚の「兵隊」である崎山たちの悪行。そのような矛盾にみちた上下関係が、遠慮なく摘発されています。それがまたこの作品をただのナゾときの面白さをもつ推理小説におわらせず、社会性をもつ異色のミステリーとしている所以《ゆえん》だと思われます。

はじめから、むずかしいことを書いてしまいましたが、この『歪《ゆが》んだ複写』をこんど再読して、松本さんの考え方が、非常によくあらわれているという点で特記すべきものと思いました。たとえば、松本さんの比較的初期の好短編に『ある小官僚の抹殺』（昭和三十三年）というのがあります。（ついでに申しますと松本氏の短編小説には、すばらしい作品が沢山ありますし、文学史にのこるものだと思いますので、松本清張ファンには、ぜひおすすめしたい。『新潮文庫』に入っております）さてこの作品のその冒頭の部分に次のような言葉がみえます。

「汚職事件には直接の被害者がない。金品を贈った方も、もらった方も利益の享受者《きょうじゅしゃ》である。公式めく言い方をすれば、被害者は国家であり、国民大衆である。しかし、これは茫漠《ぼうばく》として個人的には被害感を与えない。……汚職事件は個人的には被害者が不在で、利益者のみで成立している。利益者たちは、相互の安全を擁護するために秘密を保持している。相手の露見はおのれにつながっているから、これほど堅固な同盟はない。小心だが、官僚の欲望と、業者の老獪《ろうかい》とが、秘密保持の方法を極限にまで高めている。（中略）（しかし密告などがあり）油断していると、利益者はいつ被害者になるかわからない。内部はそれほど複雑なのである」

これをみますと「汚職」というものが、いかなる種類の「悪」であり、作者の怒りがどんなものであるかよくわかります。また秘密保持のために「堅固な同盟」をするにもかかわらず、ひとたび危険な状況になりますと、汚職人種が、彼ら内部で、いかに、人間の極限の醜態を露呈する極醜人間であるかがわかりましょう。『歪んだ複写』では「坊ちゃん」署長尾山の弱点をにぎり、汚職を傍若無人にやりはじめる「陰の暴君」崎山などによくあらわれています。

しかし崎山や金融会社汚職問題でくびになり、それをうらんで同僚の汚職事実をさぐる沼田嘉太郎のようなうだつのあがらぬ「兵隊」たちの「学士」尾山に対する劣等感からくる嫉妬《しっと》、憎悪《ぞうお》、意地わるさには、今日の学歴偏重の官僚制度からくる「ゆがみ」が象徴されていることも事実です。

松本さんの人生観、社会観には、「履歴書などは焼いてしまえ」という学歴無用論があると思います。読者はすでに御承知と思いますが、松本さんは、明治四十二年の小倉市生れで、高等小学校を出ただけで、電機会社、印刷会社、朝日新聞広告部などにつとめ、文学の勉強は独力でやりつづけてきた方で、いわゆる学歴はありません。文学歴は、昭和二十六年に、『西郷札』が『週刊朝日増刊号』の懸賞応募作品に入選して掲載され、直木賞候補になり、つづいて『或《あ》る「小倉日記」伝』が芥川賞受賞作品となり、九州より上京、『菊枕《きくまくら》』のような秀作短編を書きつづけ、かたわら推理ものの『張込み』『殺意』『地方紙を買う女』を書き、長編スリラー『点と線』『眼の壁』(昭和三十二年)を発表して、爆発的人気を獲得したのです。スリラー文壇史では「清張以後」という言葉があり、比喩《ひゆ》的に推理小説の「芭蕉《ばしょう》」ともいわれている方です。それほど松本さんの力は、高く評価されているわけですが、これまでの推理小説を一挙に染めかえたことは、事実なのです。

それはともかく、松本さんは文壇歴の方でも、これといった先生もなく、グループもなく、独立独歩で、今日の「松本清張王朝時代」を画した人のようです。つまり実力でおし通してきた「野の人」という感じを、私などは受けます。したがって反権力、反体制、反俗の人であることは不思議ではありません。順応ではなく背反、服従ではなく自由を欲する作家であり、またその逆に松本さんが庶民への愛情、不遇な人への暖かい目をもっていることも、きわめて当然なのです。

スリラーでは、記録的な視点から日常性の不安、恐怖をつみかさね、犯罪の動機を追及してゆく方に重点をおきます。言いかえますと、誰が殺したか、ということよりも、なぜ、殺さなければならなかったかという動機にアクセントをおくのです。犯罪の動機を追及することは、犯罪者がいかなる人間であり、どのような性格をもち、なぜ、彼が犯罪、殺人のような極限状態に追いこまれたかを描かねばならぬことを意味します。つまり文学の第一義である人間を描くことに通ずるわけです。したがって松本さんのスリラーや犯罪小説は、あまり荒唐無稽《こうとうむけい》なばかばかしさは読者にあたえないはずです。クロスワード・パズル遊びであり、智恵《ちえ》の輪遊びであった「探偵小説」を、松本さんは現実にひきもどし、日常性ゆたかな、リアルな「推理小説」に染めかえたわけです。前述した「清張以後」という言葉は、そこから来たことを繰返して申しておきます。

話は変りますが、昭和四十一年現在、松本さんは『東京大学』（『サンデー毎日』）を連載し、東大がエリート意識をつくり、官僚政治の源泉であることを追及していますが、桑原武夫氏との対談「大学の内側と外側」（『思想の科学』（四十九号））でこんなことを発言しております。

「旧七帝大でも地方の帝大ではだめで、役人の中枢《ちゆうすう》になるには、東大出でなければならず、ほかの大学では出世のエスカレーターに乗れないわけです。ことに私大の場合はせいぜい課長補佐が最高ですよ。そのかわり生き字引で、こういう連中が役所の事務をよく知っているので、私の小説のテーマになって汚職の扇の要《かなめ》になってすぐやられる一番気の毒な立場なんですね」

この発言は『歪んだ複写』の世界でも、あるいは通用するかもしれません。この作品でも東大出の尾山署長は、自分の出世をねがっているのに、「彼に反逆し、危険な道具と化した今は、自分の立場を防衛するため」に、役所の事務のベテランでありながら、汚職の扇の要になっている部下を殺してゆくことになります。汚職をテーマにしたものに『紙の牙《きば》』、出世のために邪魔になると殺してしまう作品に『危険な斜面』などがありました。

ふたたび『歪んだ複写』に戻りますと、この作品の探偵役は、刑事ではなく、新聞社の社会部記者田原典太です。『黒い樹海』と『蒼《あお》い描点』の探偵役も、学芸部記者、雑誌編集者だったと記憶しておりますが、田原たちは神のごとき明敏な名探偵やスーパーマンではありません。田原は、新聞社のデスクや同僚、さらに刑事たちにも一部の助けをかりて、足で地道に推理してゆくところがあります。それがかえって、ほんとうらしくて面白いのです。まえに松本作品の「記録的視点」といったのもその意味なのです。

田原がデスクから紹介され、この事件に首をつっこみ、後、絞殺《こうさつ》される業界紙の横井貞章という怪人物にも暗い魅力はあるのです。しかし彼の発する「犯人はカイダン（階段）」というナゾにみちた言葉は、象徴的にうけとられるだけに重要なはずですが、推理の過程では、あまり生きてこないのは、ちょっと残念だったと思います。

横井よりも料理屋の女中堀越みや子の方が、よく書けていると思います。みや子のような暗くよどんだ水商売の女の弱さ、ずるさを書かすと、松本さんの筆が冴《さ》えるのは、修練の光とだけではすまされぬ、何か松本文学の本質にかかわるものがあるかもしれません。悪質な収賄《しゅうわい》をつづける典型的な極悪人崎山が殺されるのは、「兵隊」なるが故《ゆえ》のかなしみよりも、彼自身の性格からくるものと思われます。因果応報といっていいでしょう。

尾山がおかした連続殺人やみや子を消してしまおうとする犯罪動機については、解説する必要はありますまい。ただ私などが読んでみますと、尾山はちょっと気の毒のように思われます。ということは、松本さんの人間認識には「市井《しせい》の平々凡々たる人間も、場合によっては、とんでもないことを犯してしまうものだ。人間の内部には、ふだん気がつかぬ底知れぬ犯罪動機があるものだ」という確信のようなものがあり、それを東大出の立身出世主義者尾山において実験したからだと思われます。松本さんの人生観の底には人間不信の念があると、私はかねがね思っておりましたが、この作品もその例外ではないようです。紙数が尽きたので、税務署のインサイド・ストーリー（内幕もの）としての面白さやトリックについては、ふれることはできませんが、すぐれた土地カンをはたらかす松本氏の推理手法は定評のあるところです。

なおこの作品は、昭和三十四年六月号より、三十五年十二月号まで『小説新潮』に連載されたものであります。

（昭和四十一年六月、文芸評論家）

松本清張著
砂の器（上・下）
東京・蒲田駅操車場で発見された扼殺死体！新進芸術家として栄光の座をねらう青年の過去を執拗に追う老練刑事の艱難辛苦を描く。

松本清張著
砂漠の塩
カイロからバグダッドへ向う一組の日本人男女。妻を捨て夫を裏切った二人は、不毛の愛を砂漠の谷間に埋めねばならなかった――。

松本清張著
黒革の手帖（上・下）
横領金を資本に銀座のママに転身したベテラン女子行員。夜の紳士を相手に、次の獲物をねらう彼女の前にたちふさがるものは――。

松本清張著
状況曲線（上・下）
二つの殺人の巧妙なワナにはめられ、追いつめられていく男。そして、発見された男の死体。三つの殺人の陰に建設業界の暗闘が……。

松本清張著
わるいやつら（上・下）
厚い病院の壁の中で計画される院長戸谷信一の完全犯罪！　次々と女を騙しては金をまき上げて殺す恐るべき欲望を描く長編推理小説。

松本清張著
けものみち（上・下）
病気の夫を焼き殺して行方を絶った民子。疑惑と欲望に憑かれて彼女を追う久恒刑事。悪と情痴のドラマの中に権力機構の裏面を抉る。

歪《ゆが》んだ複写《ふくしゃ》
—税務署殺人事件—

新潮文庫　ま - 1 - 10

昭和四十一年六月三十日発行
平成十六年九月二十日五十五刷改版
令和五年三月五日六十八刷

著者　松《まつ》本《もと》清《せい》張《ちょう》

発行者　佐藤隆信
発行所　株式会社新潮社
郵便番号　一六二—八七一一
東京都新宿区矢来町七一
電話 編集部(〇三)三二六六—五四四〇
読者係(〇三)三二六六—五一一一
https://www.shinchosha.co.jp
価格はカバーに表示してあります。
乱丁・落丁本は、ご面倒ですが小社読者係宛ご送付ください。送料小社負担にてお取替えいたします。

印刷・錦明印刷株式会社　製本・株式会社植木製本所

ISBN978-4-10-110910-7 C0193